MARCIA CLARK

Dood
door
schuld

Uitgeverij Luitingh

Uitgeverij Luitingh en Drukkerij HooibergHaasbeek vinden het belangrijk om op milieuvriendelijke en verantwoorde wijze met natuurlijke bronnen om te gaan.

© 2011 Marcia Clark
All rights reserved
© 2011 Luitingh ~ Sijthoff B.V., Amsterdam
Alle rechten voorbehouden
Oorspronkelijke titel: *Guilt by Association*
Vertaling: Gert van Santen
Omslagontwerp: Sproud, Sanneke Prins
Omslagfotografie: Katya Evdokimova / Arcangel Images / Hollandse Hoogte

Ook als e-book verkrijgbaar

ISBN 978 90 245 3965 9
ISBN e-book 978 90 245 3979 6
NUR 332

www.boekenwereld.com
www.uitgeverijluitingh.nl
www.watleesjij.nu

Voor mijn zoons

PROLOOG

Hij klapte zijn mobiele telefoon dicht en schoof hem in de zak van zijn strakke jeans. Het laatste stukje zat op zijn plaats; het zou nu niet lang meer duren. Maar het wachten was een kwelling. Ongevraagd kwam de herinnering aan zijn enige ritje in een achtbaan boven. Het was alsof duizend spelden in zijn gezicht en zijn lichaam prikten. Acht jaar oud, gevangen in een gammel karretje waaruit hij niet had kunnen ontsnappen; het gevoel van beklemmende angst dat zich van hem meester maakte terwijl het ding onverbiddelijk *klik-klik-klikkend* in de richting van de hemel klom.

Hij schudde zijn hoofd om de herinnering van zich af te zetten, pakte vervolgens abrupt zijn lange bruine haar vast en trok het strak achter zijn hoofd in een paardenstaart. Hij hield het even vast terwijl hij diep ademhaalde en langzaam de lucht uit zijn longen blies in een poging zijn hart tot rust te laten komen. Hij kon het zich niet veroorloven om nu zijn zelfbeheersing te verliezen. Doordat hij zijn armen in de lucht had gestoken, was zijn versleten t-shirt omhooggekropen. In het spiegeltje boven de ladekast bewonderde hij afwezig de reflectie van de kronkelende slang die op zijn strakke, gespierde buik was getatoeeerd.

Hij begon door de motelkamer te ijsberen, het tapijt knerpte onder zijn voeten. Hij merkte dat het hielp. Hoewel hij gespannen was, bewoog zijn lichaam zich met soepele gratie. Terwijl hij heen en weer liep, nam hij in gedachten opnieuw zijn plan door, op zoek naar zwakke plekken. Nee, hij had het perfect uitgewerkt. Het zou zeker slagen. Het móést slagen. Hij bleef staan en keek om zich heen in de schemerige kamer. 'Kamer' was een groot woord – het was weinig meer dan een hok met een bed. Zijn ogen vielen op een schakelaar in de muur. Puur om iets te doen te hebben, liep hij ernaartoe en zette hem om. Er gebeurde niets. Hij keek omhoog en zag alleen een smerige plafondventilator. De muffe geur van oude sigaretten vertelde hem dat het ding al jaren niet meer werkte. Op de muren zaten vlekken van onduidelijke herkomst die waarschijnlijk ouder waren dan hij. De observatie amuseerde hem. Noch de vlekken, noch de ranzige geur van verval, noch de pure uitzichtloosheid van het onderkomen bracht hem uit zijn evenwicht. Het was niet eens zoveel slechter dan een hoop andere plaatsen waar hij in zijn zeventien jaar op deze planeet had gewoond.

De lelijke kamer deprimeerde hem absoluut niet en gaf hem zelfs een gevoel van triomf. Hij symboliseerde de wereld waarin hij was geboren; de wereld die hij eindelijk achter zich ging laten... definitief. Voor het eerst in een leven dat hem door een halfgare *crackhead* bijna was afgenomen, terwijl zijn zogenaamde moeder een kamer verderop had liggen pitten, zou hij de touwtjes in handen nemen. Hij bleef even staan terwijl hij terugdacht aan zijn 'bijna-doodervaring' – die trouwens geen herinnering uit de eerste hand was omdat hij pas twee maanden oud was geweest toen het was gebeurd, maar een alinea in het rapport van de maatschappelijk werkster die hij ondersteboven had weten te ontcijferen tijdens haar vervolgbezoekje aan een van de vele pleeggezinnen die hem de afgelopen zestien jaar hadden 'opgevoed'. De gedachte aan dat rapport leidde er zoals altijd toe dat hij zich afvroeg of zijn moeder nog leefde. Maar ditmaal voelde het anders. In plaats van de gebruikelijke hulpeloze, vage pijn – en woede – voelde hij macht; de macht om te kiezen. Nu kon hij haar gaan zoeken... als hij dat wilde. Om haar te laten zien dat de baby waarvoor ze niet had kunnen zorgen omdat ze altijd te stoned was geweest, het had gemaakt. Zijn slag had geslagen.

Over een paar minuten zou hij vaarwel zeggen tegen de loser die altijd in de marge had geleefd. Hij liet zijn armen langs zijn lichaam vallen en staarde naar buiten door het smoezelige venster. Hij genoot van het idee dat hij straks genoeg geld zou hebben om zich geen donder meer van anderen aan te hoeven trekken. En hij was van plan om een stevige middelvinger op te steken naar al die pleegouders voor wie hij alleen maar een handvol dollars had betekend; naar alle shit die hij had moeten slikken voor een warme maaltijd en een dak boven zijn hoofd. Als hij zijn moeder zou gaan zoeken, zou hij iets geweldigs voor haar meenemen; een cadeau, zoals een jurk of sieraden. Iets waardoor ze spijt zou krijgen van al die jaren waarin hij niet bij haar was geweest. Hij stelde zich voor hoe hij haar een schitterend ingepakt geschenk overhandigde. Hij probeerde zich de uitdrukking op haar gezicht voor te stellen, maar het beeld bleef wazig. De enige foto die hij van haar bezat – genomen toen hij nog geen jaar oud was – was zo vaag geworden dat alleen de contouren van haar lange bruine haar nog zichtbaar waren. Het idee dat hij de stoere bink uit kon hangen, gaf hem een gevoel van trots, en heel even stond hij zichzelf toe om te genieten van de illusie dat zijn moeder werkelijk van hem hield.

De klop op de deur bracht hem met een schok in de realiteit terug. Hij slikte, haalde een keer diep adem en liep naar de deur. Hij merkte dat zijn handen trilden en veegde ze haastig aan zijn dijen af om ze te laten stoppen. Hij blies langzaam zijn adem uit, dwong zijn gezicht te ontspannen en opende de deur.

'Hé,' zei hij. Hij hield de deur open en stapte opzij om zijn bezoeker binnen te laten. 'Waar bleef je nou?'

'Ik was de tijd uit het oog verloren, sorry.' De bezoeker stapte haastig naar binnen.

'Heb je alles?' vroeg de jongen behoedzaam.

De bezoeker knikte. De jongen glimlachte en liet de deur achter zich dichtvallen.

1

'Schuldig? Zo snel? Hoe hebben ze dat voor elkaar gekregen? Even een rondje om de tafel gelopen en toen meteen gebeld?' zei Jake. Hij schudde ongelovig zijn hoofd.

Ik lachte en knikte. 'Ik weet het. Idioot gewoon. Drie kwartier voor een uitspraak na een proces van drie maanden,' zei ik hoofdschuddend. 'Ik dacht dat de griffier een geintje maakte toen ze me belde en zei dat ik weer naar de rechtszaal moest komen.' Ik zweeg even. 'Nu ik er eens over nadenk – ik heb geloof ik nog nooit zo snel een voorbedachten rade binnengehaald.'

'Vet cool, chickie, da's de snelste klop waarvan ik ooit heb gehoord,' zei Toni, en ze liet zich in de stoel tegenover mijn bureau vallen. Ze sprak alleen straattaal voor de grap.

'Geef het maar toe, gasten' zei ik. 'Deze meid is helemaal *chill*.'

Toni schonk me een smalende blik. 'Doe me een lol, bleekscheet. Je bakt er niks van. Bewaar dat maar voor thuis.' Ze reikte naar de schone beker die ik altijd voor haar op de vensterbank had staan.

Ik trok een wenkbrauw op. 'Je kunt kiezen of delen: je neemt dat terug en je krijgt een borrel, of je geniet nog even lekker na van je sneer en je blijft op een droogje zitten.'

Toni keek naar de fles Glenlivet op mijn bureau. Ze perste haar lippen op elkaar alsof ze de opties tegen elkaar afwoog. Het duurde niet lang. 'Da's ook wat. Ik dacht even dat we hier een echte *souljah* in de tent hadden,' zei ze zonder enige overtuiging. Ze zette haar beker met een klap op het bureau. 'Zo goed?'

Ik haalde mijn schouders op. 'Ik heb wel eens beter gehoord, maar het kan niet altijd kaviaar zijn.' Ik pakte het ijslaatje uit mijn minikoelkast, drukte een paar blokjes in haar beker en schonk het equivalent van twee stevige borrels in.

Toni wierp me een je-begeeft-je-op-glad-ijsblik toe en maakte een gebaar alsof ze een toost wilde uitbrengen.

Ik keek Jake aan en gebaarde naar de fles. 'Voor de gezelligheid?' vroeg ik. Hij dronk niet, maar soms deed hij mee voor het idee.

Jake knikte en schonk me de jongensachtige glimlach die een vertrek kon oplichten – dezelfde glimlach die de harten van jury's door het hele land kon verwarmen. Zijn metalen brilletje, het golvende bruine haar en de bescheiden, provinciaalse uitstraling – de kuiltjes konden geen kwaad, maar waren eigenlijk overbodig – vormden een succesvolle combinatie. Juryleden vertrouwden hem instinctief. Hij had een bijna engelachtige blik waardoor de mensen maar nauwelijks konden geloven dat hij al van school was, laat staan dat hij een zware rechtenstudie achter de rug had en al zeven jaar op het OM werkte. Ik schonk hem een bodempje Glenlivet in met een flinke slok water en zorgde ervoor dat ik mezelf ook niet meer gaf dan goed voor me was; een schaamteloze, onverdunde driedubbele shot.

Toni bracht haar beker omhoog. 'Op Rachel Knight, die het "snel" in "snelrecht" heeft uitgevonden.'

Jake hield zijn kopje in de lucht. 'Daar drink ik op,' zei hij met een grijns. 'Totdat ik haar record verpletter.'

Ik rolde met mijn ogen. Jake had me de handschoen toegeworpen. 'Nee hè, daar gaan we weer,' zei ik.

'Dat wil ik meemaken,' antwoordde Toni. Ze kneep haar ogen samen en zei tegen Jake: 'Je zit eraan vast, mannetje.'

Jake schonk haar een meedogenloze glimlach en knikte. Ze keken elkaar in de ogen en klonken. We dronken, Toni en ik in lange teugen en Jake een voorzichtig nipje.

Toni kwam terug op het onderwerp. 'Was dit die schietpartij tussen drugshandelaars in MacArthur Park?' vroeg ze.

Ik schudde mijn hoofd. Toni, Jake en ik maakten deel uit van Special Trials, de kleine elite-unit die de meest complexe en geruchtmakende zaken behandelde. Hoewel Toni zich gemakkelijk kon meten met de anderen van het team, ging ze niet zo in het werk op als Jake en ik. Het was een van de vele punten waarop Toni en ik elkaar compenseerden.

Voordat ik antwoord kon geven, zei Jake: 'Nee, dit was dé

zaak waar de beklaagde zijn vrouw had vergiftigd en haar in Palos Verdes van de klippen had gegooid.'

Toni dacht even na. 'O ja. En het lichaam was naar zee gedreven, toch? En ze konden geen moordwapen vinden.'

Ik knikte.

Toni schudde haar hoofd. 'Bewijs is voor mietjes,' zei ze lachend. 'Je bent echt mijn heldin.' Ze bracht haar beker omhoog om opnieuw een toost uit te brengen.

'Ik heb gewoon geluk gehad,' zei ik met een schouderophalen, en ik bracht mijn glas naar het hare.

Toni trok een gezicht. 'Hé, toe. Hou nou eens op met dat bescheiden gedoe. Ik heb al zo vaak gezien hoe je die smeerlappen te grazen nam. Er is geen mens die zo hard werkt als jij.' Ze richtte zich tot Jake en voegde eraan toe: 'Behalve jij misschien.' Ze nam een slokje van haar whisky en leunde achterover. 'Jullie zijn niet goed wijs, dat weet je best.'

Jake en ik wisselden een blik. Er viel weinig tegen in te brengen. Vanaf het moment waarop Jake twee jaar geleden bij Special Trials was gekomen, hadden we in elkaar eenzelfde werkverslaafde instelling aangetroffen. Aanklager zijn, was voor ons meer dan een carrière – het was een missie. De strijd van de slachtoffers werd onze eigen strijd. Het was onze plicht om hun lijden te compenseren met een zekere mate van gerechtigheid. Als gevolg van stilzwijgende, doch geheel wederzijdse instemming bracht onze passie voor het werk ons nooit op het persoonlijke vlak – noch fysiek, noch verbaal. We lunchten zelden samen buiten het gebouw, en gedurende de lange avonden na een zitting, wanneer we uitgebreid onze zaken bespraken, kwamen we niet eens op het idee om buiten de deur te eten. In plaats daarvan plunderden we de zoutjesvoorraad in mijn bureaula die we op smaak brachten met zakjes mosterd uit de kantine. In al die avonden en nachten hadden we het niet één keer over ons privéleven gehad – noch voor-, noch nadat we openbaar aanklager waren geworden. Ik wist dat deze merkwaardige barrière in onze relatie dieper ging dan onze gedeelde toewijding voor het werk. Het was iets wat van twee kanten kwam. Ik stelde nooit persoonlijke vragen omdat ik ze zelf ook niet wilde beantwoorden. Jake was op dat punt net als ik: hij roerde het onderwerp nooit aan. En als er toch iemand over begon, dan omzeilde hij het. Door de stilzwijgende verantwoordelijkheid van die gedeelde gevoeligheid konden we ons bij elkaar ontspannen op een manier die bij anderen zelden mogelijk was.

'Tja, ze heeft niet helemaal ongelijk, Tone,' zei Jake met een grijns. 'Ze heeft geluk gehad – ze had rechter Tynan.'

Toni gniffelde. 'Jezus, dan heb je inderdaad geluk gehad. Hoe vaak ben je nu weer uit je slof geschoten?'

'Viel wel mee,' gaf ik toe. 'Ik heb maar één keer "klootzak" gezegd.'

'Niet slecht voor jouw doen,' merkte Toni geamuseerd op. 'Wanneer?'

'Tijdens de discussie over het tegenbewijs. En ik had het over een van mijn eigen getuigen.'

Mijn onvermogen om, wanneer ik eenmaal op dreef was, mijn kleurrijke vocabulaire te kuisen, had me al meerdere malen een boete opgeleverd. Je zou denken dat zo'n financiële prikkel me wat zou afremmen. Maar nee. Het had me alleen op het idee gebracht een nieuw onkostenpotje in het leven te roepen.

'Er zit een duidelijk patroon in je gedrag. Wat zei Tynan?'

'Die zei alleen: "U bent gewaarschuwd, raadsvrouw."' Ik slaakte een zucht, nipte van mijn borrel en strekte mijn benen onder het bureau. 'Ik wou dat ik hem voor al mijn zaken had.'

'Ha!' snoof Jake. 'Je zou al bij je tweede proces je goodwill verspelen, en vanaf de derde zaak zou je blut zijn.'

'Bedankt voor je vertrouwen.'

Jake haalde zijn schouders op. 'Hé, ik zeg maar wat...'

Ik lachte en gooide een paperclip naar hem. Hij ving hem moeiteloos op met een bovenhandse zwaai van zijn arm. Vervolgens keek hij naar buiten, naar de klok op het Times-gebouw. 'Shit, ik moet ervandoor. Oké, mensen, de groeten.' Hij zette zijn beker neer en vertrok. Het geluid van zijn voetstappen galmde door de gang.

Ik keek naar Toni. 'Nog een om het af te leren?' zei ik terwijl ik de fles Glenlivet pakte.

Toni schudde haar hoofd. 'Nee. Ik heb genoeg deftig spul gehad voor vandaag. Waarom gaan we niet naar Church and State om de bloemetjes buiten te zetten? We hebben wel een verzetje verdiend.'

Church and State was een leuk nieuw restaurant in het oude Meatpacking District. Het maakte deel uit van de gestage inspanningen om de binnenstad van L.A. te moderniseren. Het was alleen de vraag of een restaurant voor een hip, welgesteld publiek op twee blokken van Skid Row een lang leven was beschoren. Ik keek naar de stapel dossiers op de tafel waar mijn minikoelkast stond. Ik had ook best zin in een feestje, en nu ik die rotmoord zonder lijk achter de rug had, had ik waarschijnlijk wel een leuke avond verdiend. Maar door het proces had ik geen tijd gehad voor mijn andere zaken, en ik raakte altijd een beetje – oké, compleet – in paniek als ik me meer dan een paar dagen niet in een zaak had verdiept. Als ik vanavond met Toni ging stappen, zou ik er met mijn hoofd niet bij zijn. Dat kon ik haar niet aandoen.

'Sorry, Tone, ik'–

'Laat maar – ik snap het.' Toni schudde haar hoofd, zette met een klap haar mok op mijn bureau en stond op. 'Je kunt niet eens een uurtje vrij nemen om een overwinning te vieren. Belachelijk gewoon.'

Maar het was niets nieuws, te oordelen naar het gebrek aan verbazing in Toni's stem.

'Wat dacht je van morgenavond? Dan gaan we naar Church and State of wat dan ook. Jij mag het zeggen,' bood ik eerder hoopvol dan overtuigend aan. Ik vroeg me af of ik tegen die tijd de stapel dossiers had doorgewerkt en de achterstand had ingelopen. Maar ik stelde Toni niet graag teleur, en ik zwoer in stilte dat ik er alles aan zou doen om het voor elkaar te krijgen.

Toni keek me aan en slaakte een zucht. 'Oké, we hebben het er morgen wel over.' Ze zwaaide haar laptoptas over de ene schouder en haar handtasje over de andere. 'Ik ben weg. Maak het niet te laat. Zelfs je OCD-maatje heeft de benen genomen,' zei ze, en ze knikte in de richting van Jakes kantoor. 'Jij kunt ook wel een avondje vrij gebruiken.'

'Ik weet het.' Ik keek in de richting van zijn kantoor. 'Wat wil je daarmee zeggen?' Ik lachte.

'Misschien hebben zijn buitenaardse leiders hem opdracht gegeven om eens een normaal leven te gaan leiden,' zei Toni terwijl ze naar de deur liep. 'Ik doe dat al, dus ik verlaat nu officieel de OCD-zone.' Ze glimlachte en stapte de gang in.

'Veel plezier!'

'Jij ook,' riep ze terug. En zo hard dat ik het nog net kon horen: 'Gek mens.'

'Dat heb ik gehoord!' riep ik.

'Kan me niks schelen!'

Ik leunde naar achteren en liet mijn hoofd tegen het koude leer van de luxe fauteuil rusten. Hij paste maar net achter mijn chique bureautje, maar daar zat ik niet mee. De stoel was 's avonds laat een keer op mysterieuze wijze in de gang verschenen, een paar deuren verder. Toen ik zeker wist dat de kust veilig was, had ik het ding mijn kantoor ingetrokken en mijn eigen zielige stoeltje naar een andere gang gerold, ver genoeg om er zeker van te zijn dat het spoor niet naar de oorspronkelijke eigenaar terug zou voeren. Toen ik terugliep naar mijn kantoor en de gang afspeurde, had ik me afgevraagd of iemand de stoel misschien uit de kamer van een rechter had 'bevrijd'. Die mogelijkheid had mijn buit nog waardevoller gemaakt.

Ik liep naar de dossiers en nam het eerste van de stapel, maar al binnen een kwartier voelde ik mijn ogen langzaam dichtvallen. Ik was ervan uitgegaan dat ik nog wel voldoende energie had om in elk geval een paar zaken door te nemen, maar zoals gewoonlijk had ik mijn vermoeidheid onderschat. En de Glenlivet had niet echt geholpen.

Ik luisterde naar het geroezemoes van de laatste achterblijvers die het kantoor verlieten. Nadat de deur achter hen was dichtgevallen, vulde de lucht zich met stilte. Ik was moe, maar ik had nog geen zin om naar huis te gaan. Dit was mijn favoriete gedeelte van de dag, wanneer ik het hele OM-kantoor voor mezelf had. Geen telefoontjes, geen vrienden en geen politieagenten die me afleidden. Ik blies de lucht uit mijn longen en keek naar buiten door het raam. Het was een uitzicht dat nooit verveelde. De straatverlichting was gaan branden en de grillige contouren van kantoorgebouwen in het centrum van L.A. begonnen af te steken tegen de oprukkende duisternis. Vanuit mijn kamer op de zeventiende verdieping van het gerechtsgebouw kon ik het Police Administration Building, de theaters in het Dorothy Chandler Pavilion en alle straten en trottoirs daartussen zien. Ik moest glimlachen om de ironie van het feit dat ik me precies tussen die twee uitersten bevond. Het was al heel wat dat ik een kantoor met een venster had, laat staan met zo'n fantastisch uitzicht. Maar het feit dat het vergezeld was gegaan met mijn overplaatsing naar Special Trials – waarvoor ik me zeven jaar uit de naad had gewerkt – maakte het tot een ware triomf.

Niet dat ik het erg had gevonden om alledaagse misdrijven te doen bij de kleinere rechtbanken in Van Nuys en Compton. Als je regelmatig dezelfde mensen in het beklaagdenbankje ziet, geeft dat een vertrouwd gevoel – alsof je familie op bezoek hebt. Toegegeven, een zonderlinge, disfunctionele en grotendeels criminele familie, maar toch. Ik had me dan ook zeker niet ellendig gevoeld bij mijn werk voor de rechtbanken in de achterbuurten. Het was alleen niet mijn ding. Vanaf het moment dat ik had gehoord over de Special Trials unit van het Openbaar Ministerie, gevestigd in de binnenstad, had ik geweten wat ik wilde. De ervaren aanklagers van de kleinere rechtbanken hadden gewaarschuwd voor de lange werktijden, de marathonzittingen, het kritische publiek en de zware druk die op me zou rusten. Ik vertelde ze niet dat die dingen mij juist aantrokken. En werken voor de unit beviel me nog beter dan ik me had voorgesteld. Ik kon bij vrijwel elke zaak samenwerken met fantastische politieagenten en de beste advocaten die ik ooit had ontmoet, zowel voor het om als de verdediging. En de werkdruk vormde absoluut geen probleem; die ervoer ik juist als een stimulans. Het gebeurt in het leven maar al te vaak dat een lang gekoesterde wens, zodra hij eenmaal bereikt is, een stuk minder interessant blijkt dan verwacht. Ze zeggen niet voor niets: *Wees voorzichtig met wat je wenst.* Maar in dit geval ging dat niet op. Werken voor Special Trials was meer dan waarop ik had gehoopt, en dat besefte ik elke dag opnieuw.

Ik probeerde me te concentreren op de aanvullende rapporten – updates van het onderzoek – die gedurende de afgelopen maand aan het dossier waren toegevoegd, maar de woorden vervaagden op het papier. Ik leunde naar achteren in mijn stoel in de hoop nieuwe energie te verzamelen en keek naar de auto's die ver beneden mij door Main Street kropen. De hemel was donker geworden en er kwam bewolking opzetten.

Maar het was duidelijk dat de koek op was. Ik besloot me gewonnen te geven en het vandaag voor gezien te houden. Ik stond op, rekte me uit en liep naar de tafel naast het raam waar ik mijn schoudertas had neergelegd en nam hem mee terug naar mijn bureau. Ik stopte er vijf dossiers in – wishful thinking, ik wist het – pakte mijn handtasje en griste mijn jas van de hanger aan de deur. Ik trok mijn jas aan en zwaaide de riem van mijn tas over mijn schouder, reikte in mijn jaszak en zette de veiligheidspal van mijn Beretta .22 om. Vervolgens gaf ik met mijn voet een tik tegen de deurstopper en liep de gang in naar de liften. Mijn kantoordeur viel achter me dicht.

Op dit tijdstip hoefde ik niet lang te wachten. Een paar seconden later klonk de bel en stapte ik een zalig lege cabine in. De lift snorde langs alle verdiepingen en kwam sidderend tot stilstand op de parterre. Het was een duizelingwekkend tripje dat je alleen kon maken als het stil was, zoals nu. Ik genoot van de kick – zolang ik maar niet nadacht over de kwaliteit van het mechanisme en wat dat voor mijn mogelijke levensverwachting betekende.

Ik liep door de schemerige lobby in de richting van de achterdeuren en keek even om me heen. Ik ging al te voet naar mijn werk sinds ik een jaar geleden in het nabijgelegen Biltmore Hotel was getrokken. Het leek onzinnig om voor de zes blokken naar het gerechtsgebouw in de auto te stappen, en ik wandelde graag – het stelde me in de gelegenheid na te denken. En het bespaarde me bovendien een hoop benzine en onderhoud. Alleen als het donker was, had ik er moeite mee. Na vijf uur 's middags stroomt de binnenstad van L.A. leeg, en dan blijven alleen de mensen achter die hun leven hoofdzakelijk buitenshuis doorbrengen. Het waren niet zozeer de daklozen over wie ik me zorgen maakte, maar de leeglopers die hen beroofden. Aangezien ik officier van Justitie was, wist ik welke gevaren er in elke wijk loerden. Daarbij was ik opgegroeid in de wetenschap dat achter elke hoek de dood kon schuilen. Hoewel ik geen vergunning had om er buitenshuis mee rond te lopen, ging ik nooit zonder wapen de deur uit. Ik maakte me wel eens zorgen om het feit dat ik geen vergunning had, maar mijn vader zei altijd: *Ik sta liever voor een twaalfkoppige jury dan dat ik tussen zes planken lig.* Ik had nooit een vergunning aangevraagd omdat ik niet wilde worden afgewezen. Er werd heel streng mee omgegaan sinds de zwager van een zekere sheriff 'waarschuwingsschoten' op een stel jongeren had afgevuurd omdat ze keiharde rapmuziek in hun auto draaiden. En eerlijk gezegd, of ik nu een vergunning had of niet; ik zou hoe dan ook altijd een wapen bij me dragen. Daarbij was ik op dat punt geen groentje. Mijn vader had me leren schieten zodra ik in staat was om met twee handen een wapen vast te houden. Als ik moest schieten, zou ik niet missen. Ik bleef staan voor de muur van glas die uitkeek over het Times-gebouw en liet zoals altijd mijn blik over de parkeerplaats en het trottoir glijden, op zoek naar eventuele problemen. Toen ik niets zag, duwde ik de zware glazen deur open en stapte ik de avond in.

Terwijl ik de trap afliep die naar straatniveau voerde, hoorde ik sirenes. Eerst nog ver weg, maar het geluid kwam snel dichterbij. Plotseling was de lucht doordrongen van het schelle krijsen en het mistroostige diepe janken van brandweersirenes. Ze waren nu heel dichtbij. Van alle kanten leken politiewagens te naderen met huilende hoornsignalen en de avondlucht tintelde van ongetemde energie. Ik volgde ze nauwlettend om te zien waar ze naartoe gingen. De knipperlichten leken tot staan te komen en te versmelten op ongeveer vier blokken ten zuidoosten van het Biltmore, halverwege een complex waarvan ik wist dat er uitdragerijen, pandjeshuizen met tralieluiken en goedkope motels waren gevestigd. Zelfs bij plaatsen delict in de binnenstad had ik nooit eerder zoveel consternatie gezien. Mijn normale 'buren' – verslaafden, pooiers, hoertjes en daklozen – kregen gewoonlijk niet zo'n vipbehandeling. Ik kon mijn nieuwsgierigheid niet meer bedwingen en besloot te gaan kijken wat er aan de hand was. Met al die agenten om me heen zou ik me in elk geval geen zorgen hoeven te maken om overvallers.

2

Even later zag ik dat het centrum van alle commotie zich bij de kruising van 4th en South Broadway bevond, net om de hoek bij Pershing Square – zo'n groezelig motelletje waar je kamers per uur kunt krijgen. Op grond van de slang die door de voordeur naar binnen liep, en het feit dat er alleen rook was en geen vuur, trok ik de briljante conclusie dat de brandweer de zaak al onder controle had.

Ik baande me een weg door het haveloos uitziende groepje nieuwsgierigen dat zich op het trottoir had verzameld, begaf me zo dicht mogelijk in de buurt van de politieafzetting en zocht naar een bekend gezicht om te vragen wat er aan de hand was. Terwijl ik me over de bedrijvigheid verbaasde, zag ik een busje waaruit aan de bestuurderskant een hoofd met een crewcut tevoorschijn kwam. Het werd gevolgd door een kort, breedgebouwd lichaam in een hoogwaterbroek en een blauw windjack, en met Nike sneakers aan.

Ik had geluk. 'Scott!' riep ik. Scott Ferrier was assistent-lijkschouwer. We waren bevriend geraakt toen ik jaren geleden mijn eerste zaak als officier van Justitie had behandeld. Hij zwaaide naar me en haastte zich naar me toe.

'Weet je moeder dat je zo laat nog op straat bent?' vroeg ik. Scott trok een gezicht. 'Zwaar geschut voor een stel ruziënde pooiers, vind je ook niet?'

Scott knikte. 'Ja, vreemd. Als je nog even blijft hangen, laat ik je zo meteen weten wat er is gebeurd.'

'Is het goed als ik hier wacht?' Ik gebaarde naar zijn busje.

'Best. Als je hem maar niet pikt,' zei hij snuivend, hoewel hij heel goed wist dat hij waarschijnlijk geld toe zou moeten geven als hij van die rammelkast af wilde.

Scott draaide zich om en laveerde tussen de wirwar van politieagenten en brandweermensen door het hotelletje in. Ik schoof op de bestuurdersstoel en probeerde niet aan de 'passagiers' te denken die in de ruimte achter me een ritje hadden gemaakt. Er dreven nieuwe rookwolken naar buiten, en ondertussen kwamen er brandweerlieden uit het gebouw. Een van hen rolde tijdens het lopen de slang op. Ze waren maar een paar minuten binnen geweest. Als ze nu hun boeltje alweer pakten, was het een brandje van niks geweest.

Ik liet mijn blik over de stoere brandweermannen glijden en moest aan het oude gezegde denken – dat God alle verplegers en brandweermannen aantrekkelijk had gemaakt zodat er nog wat moois te zien viel voordat je doodging – toen een zware, gezaghebbende stem me uit mijn overpeinzing haalde.

'Mevrouw, hoort u bij de lijkschouwer?'

Ik zat met mijn benen naar buiten in het busje en had mijn blik op het hotel gericht. Toen ik naar links keek, zag ik dat de man die bij de stem hoorde ruim een meter tachtig was, wat aan de magere kant, maar goed gespierd onder zijn blauwe uniform. Zijn donkerblonde haar was net lang genoeg om te kammen. Zijn ogen waren hazelnootbruin met goudkleurige spikkels, en hij had brede, uitgesproken jukbeenderen, een krachtige neus en een fraaie mond. De strepen op zijn uniform vertelden me dat hij geen gewone agent was. De rang kon ik er niet uit opmaken. Die zag ik op zijn naamplaatje: INSPECTEUR GRADEN HALES. Zijn sceptische blik ergerde me, maar zijn aanwezigheid maakte het toch al merkwaardige tafereel nog vreemder. Wat had een inspecteur hier in godsnaam te zoeken? Ik zette mijn beste ik-hoor-erbij-stem op en antwoordde: 'Ik ben officier van Justitie; ik wacht op Scott.'

Ik verwachtte dat mijn aanklagersstatus een einde zou maken aan het gesprek. Niet dus.

'Ik ben bang dat u zult moeten vertrekken,' zei hij met een stalen vastberadenheid. 'Op de plaats delict is momenteel alleen forensisch personeel toegelaten.'

Een hoge piet die me wegstuurt bij een inval in een hoerentent? Hier was iets merkwaardigs aan de hand. Ik was ineens niet meer alleen maar nieuwsgierig – ik wilde per se weten wat er gaande was. 'Tja, ik zal toch op Scott moeten wachten. Hij zou me naar huis brengen.' Het was een leugentje, maar ik nam aan dat inspecteur Overijverig er wel genoegen mee zou nemen. Opnieuw een foute inschatting.

'Ik regel wel een patrouillewagen om u naar huis te brengen. Waar woont u?'

Nu begon ik echt kwaad te worden. Sinds wanneer werd een officier van Justitie bij een plaats delict weggestuurd? Het maakte niet uit of het een bijzonder geval was – dit was gelul.

Ik stapte uit het busje en wilde net mijn mond opendoen om mezelf in de problemen te praten toen de assistent-lijkschouwers in ganzenpas naar buiten kwamen. Ze rolden twee brancards voort met op elk ervan een bodybag. Plotseling kwam Scott het motel uit rennen. Hij riep naar een van de assistenten: 'Hé, pak zijn bril even! Ik wil die bril hebben!'

Het team met de eerste brancard bleef abrupt staan. Ze hadden vrij snel gelopen, en toen de voorste assistent plotseling bleef staan, rolde de brancard gewoon verder. Het ding klapte tegen de heup van de man met als gevolg dat hij een gil slaakte en begon te vloeken. De andere assistent, die aan de zijkant van de brancard had gelopen, stak haastig een arm uit en trok de rits van de bodybag omlaag.

De assistent nam de veren van de oren en overhandigde het metalen brilletje aan Scott. Het gezicht lichtte akelig blauwwit op in het harde schijnsel van de straatlantaarns. Ik had meer lijken gezien dan me lief was, maar de schok die door mijn lichaam trok toen ik dit exemplaar zag, deed me duizelen, en ik liet me terugzakken in het busje. Een stevige hand greep mijn arm vast en voerde me weg van de plaats delict. Toen ik opkeek, zag ik dat de hand aan inspecteur Hales toebehoorde. Ik besefte vaag dat hij iets zei, maar slaagde er niet in om de klanken in woorden om te zetten. Ik schudde langzaam mijn hoofd, alsof ik probeerde wakker te worden uit een nachtmerrie. Dit kon niet waar zijn, dacht ik. Ik voelde me alsof ik naar een film keek die in slow motion werd afgespeeld en waarbij het geluid heel traag en duister klonk. De assistent-lijkschouwers schoven de brancard achter in het busje en ik bleef aangeslagen staan. Ik kon nog steeds niet geloven wat ik had gezien. De inspecteur trok me mee met één hand om mijn elleboog terwijl hij me met de andere een duwtje in de rug gaf. Ik had geen keus. Ik liep met stijve, krampachtige stapjes verder, als een opwindpop die nog maar een paar sleutelomwentelingen te gaan had. Hij loodste me naar een onopvallende auto en ik liet me gewillig in de passagiersstoel schuiven. Hij maakte ook mijn gordels vast.

Ik moet hem hebben verteld waar ik woonde, maar ik kan me niet herinneren dat ik iets heb gezegd. Ik herinner me alleen dat ik wezenloos voor me uit staarde terwijl de straten voorbijflitsten en ik mezelf voorhield dat het onmogelijk waar kon zijn; dat ik het verkeerd had gezien.

Jake Pahlmeyer, mijn kantoormaatje – dood. In een of ander smerig rattenhol. Ik sloot mijn ogen en zei tegen mezelf dat ik het mis had. Aan de inspecteur vroeg ik niets. Als niemand het zou bevestigen, was het niet waar.

3

Inspecteur Hales stopte voor het Biltmore, hielp me de wagen uit en bracht me naar de ingang. Door het waas van ontkenning en ongeloof verscheen de geschokte blik van Angel, de portier, voor mijn ogen.

'Rachel, wat is er aan de hand?' vroeg hij nadat hij de deur had geopend en de elleboog beetpakte die Hales niet langer vasthield.

'Ze heeft een zware avond gehad,' zei Hales zonder omhaal.

'Ik regel het verder wel,' zei Angel op bezitterige toon, en hij wierp de inspecteur een beschuldigende blik toe.

Ik had niet de energie of de tegenwoordigheid van geest om uit te leggen dat de inspecteur er niets mee te maken had. Ik zei niks toen Angel me naar binnen bracht en me naar de lift loodste.

Hij slaagde erin me naar mijn kamer te brengen, en ik wilde hem bedanken, maar ik weet niet of de woorden over mijn lippen zijn gekomen. Het enige wat ik me herinner, is dat ik, zodra de deur achter hem dichtviel, een fles Russische Standard Platinum wodka tevoorschijn haalde die iemand me cadeau had gedaan en een driedubbele borrel inschonk.

Ik wierp een blik op de televisie. Was het verhaal al op het nieuws? Ik besloot dat ik het niet wilde weten. En ik kon mezelf er niet toe brengen om Toni te bellen. Erover praten zou het waarmaken, en voorlopig wilde ik alleen maar vergeten. Ik sloeg mijn borrel achterover, schonk mezelf er nog een in en herhaalde het recept totdat ik in slaap viel.

Het had op het moment zelf een goed idee geleken, maar de ochtend erna bleek het tegendeel. Ik had een zenuwachtige, gonzende kater die me vertelde dat dit een heel bijzondere dag zou worden. Ik liet me kreunend uit mijn bed glijden en kroop naar de douche. Enigszins opgeknapt belde ik de room service en bestelde mijn gebruikelijke pot koffie met magere melk. Maar ditmaal besloot ik mezelf op een fatsoenlijke maaltijd te trakteren – roerei en een bagel – in plaats van mijn gewone eiwitten met gesmoorde tomaten. Dat dieet kon barsten; ik had troostvoer nodig.

Tijdens het eten staarde ik naar het lege televisiescherm en daagde ik mezelf uit het ding in te schakelen. Uiteindelijk won mijn nieuwsgierigheid het van de ontkenning, en ik pakte de afstandsbediening, doodsbang voor wat er zou komen. Maar toen ik langs de kanalen zapte, zag ik niets. Ik probeerde het opnieuw. Nog steeds niks. Ik trok mijn wenkbrauwen op – dat was vreemd. Erg vreemd. Ik schakelde de televisie uit en genoot van de stilte die neerdaalde over mijn kamer. Gezien mijn conditie was het devies: hoe minder geluid, des te beter.

Het feit dat het verhaal niet op het nieuws was geweest – zelfs niet als een kort bericht – gaf me een geïsoleerd gevoel. De gebeurtenissen van gisteravond leken onwerkelijk. Omdat ik niet kon wachten om met Toni te praten, dronk ik in korte tijd genoeg koffie om in elk geval enigszins aanspreekbaar te zijn. Vervolgens stapte ik even op het balkon om te kijken hoe het weer was. Ik trok mijn pluizige kamerjas om me heen en huiverde van de venijnige kou die in de lucht hing. De donkere hemel gaf aan dat de wolken die de avond ervoor de stad hadden bereikt, binnenkort zouden laten weten waarom ze hier waren. Ik trok een grijze gabardine broek aan, een zwarte coltrui en zwarte laarsjes met lage hakken. Ik besloot mijn .357 Smith & Wesson revolver mee te nemen in plaats van de compactere Beretta. Na wat ik dè avond ervoor had gezien, was ik bereid het lagere gewicht in te ruilen voor meer vuurkracht. Ik pakte mijn aktetas en de zwarte kasjmieren sjaal die ik een keer als valentijnsgeschenk had gekregen – om een of andere reden het enige aandenken dat ik nog van mijn recentste mislukte relatie had – wikkelde hem om mijn hals en liep naar de lift. Ik toetste de knop in en moest mijn best doen om niet te schrikken van de bel toen de deuren open gleden.

De korte wandeling van zes blokken naar het gerechtsgebouw hielp nauwelijks tegen mijn kater. Toen ik de metaaldetectors naderde, merkte ik dat ik de .357 in mijn zak bijna fijnkneep. Ik liet mijn insigne zien, en de bewaker wuifde me door. Toen ik een lift met geopende deuren zag, begon ik te rennen en sprong naar binnen. Onderweg naar boven moest ik wel honderd stops doorstaan – zo leek het tenminste. Toen ik voor de afdelingsdeur de veiligheidscode intoetste, besefte ik dat mijn kantoor direct naast dat van Jake lag. Ik vroeg me af of ze zijn kamer met politietape hadden verzegeld en wierp in een reflex een blik in de gang. Nog niet. Maar zijn gesloten deur maakte me van streek, en mijn ogen vulden zich met tranen. Ik probeerde ze weg te knipperen, haalde diep adem en liep de gang in, weg van mijn kantoor.

'Klop-klop,' zei ik met een schorre stem, niet in staat om het geluid van mijn knokkels op Toni's deurpost aan te horen.

Toni, die achter haar computer zat, draaide zich om en keek me aan. 'Jezus, wat zie jij eruit. En? Was het een topavond – of een compleet fiasco?'

Ik liet me in de chique stoel met het metalen frame zakken die tegenover haar bureau stond. De hemel was nog duisterder geworden in de paar minuten die het me had gekost om met de lift naar boven te gaan. Alsof het afgesproken werk was, spatten de eerste dikke regendruppels uiteen tegen het venster. Ik haalde nog een keer diep adem, slikte en probeerde de woorden te vormen die ik nog steeds niet wilde geloven. 'Tone,' begon ik, maar ik moest stoppen. Ik voelde hoe mijn keel werd afgeknepen toen de gruwel van het drama opnieuw tot me doordrong.

Toni keek me geschrokken aan.

'Meisje, wat is er? Gaat het wel goed?' vroeg ze.

'Nee. Jake is dood.'

Toni keek onwillekeurig in de richting van zijn kantoor. 'Wat?' Ze schudde haar hoofd, en haar gezicht werd asgrauw.

Ik knikte en moest moeite doen om een nieuwe golf tranen te bedwingen. Met een gezicht strak van ontsteltenis overhandigde Toni me de doos Kleenex die we allemaal op ons bureau hadden voor slachtoffers en hun familie.

Terwijl ik een tissue uit de doos trok, besefte ik dat dit de eerste keer was dat iemand van ons er gebruik van maakte.

'Maar...? Hoe oud is hij? Vijfendertig?' zei Toni met haar blik gericht op een punt op de muur, links van mijn hoofd, in een poging het nieuws te laten doordringen. 'Was het een auto-ongeluk?'

Ik schudde mijn hoofd en slikte. 'Hij is vermoord, Tone.'

'Nee,' zei Toni, en ze schudde opnieuw haar hoofd. 'Dat bestaat niet,' zei ze zachtjes, bijna alsof ze tegen zichzelf sprak.

Ik vertelde haar wat ik de avond ervoor had gezien.

Terwijl ik praatte, vouwde Toni haar armen om haar lichaam. Ze boog zich naar voren.

'Onze Jake – in dat vieze motelletje? Ik kan het niet geloven. Hij was voor mij...' Toni's stem brak.

'...als een jongere broer,' maakte ik af.

Ze knikte, en in haar ogen welden tranen op. Ze beet op haar lip, bewoog een hand naar haar mond en deed een vergeefse poging om haar emoties de baas te blijven. 'Het is zo fout als iemand... op zo jonge leeftijd... doodgaat,' zei Toni.

Ik herinnerde me de laatste foto die van mijn zus Romy was gemaakt, met haar fietsenstallingglimlach uit groep vier, en opnieuw voelde ik hoe mijn keel werd dichtgeknepen van pijn. Ik knikte, door verdriet overmand, niet in staat om te spreken. Ik schoof zoals altijd de gedachte aan Romy van me af. Het was zinloos om herinneringen op te halen die altijd eindigden in dezelfde poel van schuld en zelfhaat.

Ik zat onbeweeglijk in de stoel en probeerde niet te denken. Toni knipperde met haar ogen en legde een hand op haar borst alsof ze de pijn in haar hart daarmee kon verlichten. 'Weet je of hij familie in L.A. heeft? Of een vriendin?' vroeg ze.

In alle tijd die we samen hadden doorgebracht, had hij het niet één keer over zijn ouders gehad. Maar aangezien we nooit over persoonlijke dingen hadden gesproken, had ik daar niet bij stilgestaan. Tot nu toe. Ik zocht mijn herinneringen af naar flarden van opmerkingen over zijn privéleven. 'Ik heb nooit iets over een vriendin gehoord, maar volgens mij heeft hij een zus.'

'Wat deed hij trouwens in die louche tent?' vroeg Toni met een verdwaasde blik. 'En wie zou hem in godsnaam willen vermoorden?'

Ik had me de afgelopen uren dezelfde dingen afgevraagd, en ik schudde mijn hoofd. We bleven even zwijgend zitten. In gedachten probeerde ik het opnieuw te bevatten, maar ook nu slaagde ik daar niet in.

'Ik neem aan dat de FBI de zaak gaat behandelen?' vroeg Toni.

'Ja. Voor ons zou het belangenverstrengeling zijn, dus het gaat naar de procureur.'

Toni's intercom zoemde, en we staarden er allebei naar alsof het een ufo was. Pas toen er opnieuw een zoemtoon klonk, nam ze de hoorn van de haak.

'Ja?' antwoordde Toni. Ze luisterde even en zei vervolgens: 'Ja, die is hier. Stuur hem maar door.'

Ik keek haar vragend aan. Voordat ze kon antwoorden, verscheen er een politieagent in de deuropening. Het duurde een seconde voordat ik hem herkende als de inspecteur van de plaats

27

delict. Hij zag er vermoeid uit en had zich niet geschoren. Waarschijnlijk had hij nog niet geslapen. Zijn uniform zag er daarentegen opmerkelijk verzorgd uit.

Hij knikte naar Toni en vervolgens naar mij. 'Inspecteur Hales, van gisteravond,' zei hij. 'Ik heb u'–

'Ik weet het.' Ik klonk op zijn best nogal kil. *Shooting the messenger.*

'Ik was op kantoor voor een bespreking met uw chef'–

'Eric?' vroeg ik.

'Nee, Bill Vanderhorn.'

Ik knikte. Uiteraard. Voor een zaak die politiek zo gevoelig lag, ging je niet naar het hoofd van Special Trials – dan ging je regelrecht naar de hoofdofficier van Justitie.

'Gaat de zaak naar de Feds?' vroeg ik.

'Waarschijnlijk wel,' zei hij vaag. Zijn houding maakte duidelijk dat hij er verder niet over wilde praten, wat me nog meer ergerde. Als hij het niet over de zaak wilde hebben, wat kwam hij dan in godsnaam doen?

Hij leek mijn ergernis te voelen. 'Ik wilde alleen even kijken of u – nou ja, of alles in orde was.'

De warmte in zijn stem verraste me. Ik keek op en zag dat hij me nauwlettend gadesloeg. Zijn blik was bezorgd. De persoonlijke belangstelling bracht me in de war en gaf me een enigszins opgelaten gevoel, wat mijn ergernis alleen maar deed toenemen. Ik wist – zoals Carla zou zeggen – dat ik alleen maar probeerde mijn verdriet om Jake te verdringen door boos op Hales te worden. Carla was in mijn jeugd mijn psychiater geweest nadat Romy was verdwenen. Zesentwintig jaar later, en op achthonderd kilometer afstand, speelde ze nog steeds een belangrijke rol in mijn leven. Maar het interesseerde me niet wat Carla zou zeggen. Ik was klaar met de ontkenningsfase van mijn verdriet en ik kon niet wachten op de woede. Boosheid was goed. Ik voelde me op mijn gemak met boosheid. En actie. Ik moest hier iets mee doen. Ik wilde de smeerlap die Jake had vermoord achter slot en grendel hebben.

'Waarom vertelt u ons niet wat u weet? Het heeft weinig zin om de boel stil te houden. Over een uur weet de hele wereld het, en we weten allebei dat het OM de zaak niet behandelt.'

Hales fronste zijn wenkbrauwen en reageerde niet.

'Ze heeft gelijk, inspecteur,' zei Toni met de fluweelzachte stem waarvan mannen normaal gesproken slappe knieën kregen en gingen stotteren.

Hales deed geen van beide. Als hij al een reactie vertoonde, was het dat hij zijn gezicht nog strakker trok. Hij staarde naar buiten, en ik volgde zijn blik. De regen viel inmiddels met bakken uit de hemel en het verkeer op First Street was knarsetandend tot stilstand gekomen. Een taxi die op hoge snelheid door Tempel Street reed, stopte met piepende remmen op een paar centimeter van een gloednieuwe Mercedes die met een slakkengangetje het kruispunt overstak. Ik zag de chauffeur uit het raam leunen, met zijn vuist schudden en vervolgens een middelvinger opsteken naar de bestuurder van de Benz, die zich nergens iets van aantrok. Ik kon me voorstellen hoe de taxichauffeur zich voelde.

'Zeg maar Graden.' Hij zweeg even. 'Hoe goed kenden jullie Jake?'

Ik kon hem een hoop over Jakes professionele leven vertellen. Over het gelukskostuum – waarin iedereen hem geloofde – dat hij altijd tijdens het slotpleidooi droeg; over zijn favoriete rechters en de vervelendste advocaten die hij tegenover zich kon krijgen. Maar het was duidelijk dat Graden daar niet op zat te wachten. Op het persoonlijke vlak had ik niets – ik wist niet eens of Jake van Chinees eten hield. Ik trok een gezicht toen ik besefte hoe idioot dat moest overkomen. Maar ik wist dat Hales er snel genoeg zelf achter zou komen, en aangezien hij mijn vragen niet beantwoordde, voelde ik me ook niet verplicht om hem antwoord te geven. Ik hield het kort. 'Vrij goed. Hij is een van de beste advocaten op dit kantoor en een van de hardste werkers. Iedereen op de afdeling mag hem.'

Dat was in feite heel wat informatie, hoewel ik betwijfelde of Hales dat zou beseffen. Special Trials was een kleine eenheid. We hadden maar zeven hulpofficieren, en de grote namen die voor ons werkten, maakten voortdurend jacht op de grote zaken, wat af en toe tot vervelende politieke spelletjes leidde. Ik deed daar zelf nooit aan mee – niet omdat ik geen grote zaken wilde doen, maar omdat ik bijgelovig was. Ik was er heilig van overtuigd dat je, als je zo vreselijk graag een bepaalde zaak wilde, daar achteraf op een of andere manier spijt van kreeg.

Maar Jake had nooit jacht op zaken gemaakt. Hij had geen sterallures – hij wilde gewoon in de rechtszaal staan, en hij nam alles wat zijn kant op kwam. Het gevolg was natuurlijk dat hij een hoop rotklusjes op zijn bord kreeg, maar het betekende ook dat de piranha's van de unit met hem wegliepen. En het feit dat hij alsnog een bekende naam was geworden, gaf alleen maar aan hoe getalenteerd hij was. *Was*. Ik kreeg opnieuw een brok in mijn keel. Ik hield mijn adem in en dwong de tranen terug terwijl ik een blik uit het raam wierp om tot rust te komen.

Toni knikte instemmend. 'Ik kan echt niemand bedenken die hem ook maar iets aan zou willen doen.'

Graden keek ongemakkelijk, en ik had even het gevoel dat hij op het punt stond om zonder verder nog iets te zeggen te vertrekken. Ten slotte haalde hij diep adem en zei: 'Omdat jullie Jake goed kenden, worden jullie uitgebreid ondervraagd, dus jullie komen er waarschijnlijk sowieso vanzelf achter. Maar ik sta er wel op dat jullie dit voor jezelf houden. Er rust voorlopig een embargo op de zaak. Jullie moeten beloven dat je er met niemand over praat totdat je officieel toestemming krijgt.'

Hij zweeg, en we knikten instemmend.

'Jake was niet alleen in die motelkamer,' zei hij op zachte toon. 'Er was een jonge knul bij hem – volgens het identiteitsbewijs van zijn school was hij zeventien. In Jakes jas zat een naaktfoto van de jongen. Momenteel ziet het ernaar uit dat het een moord-zelfmoord was. Jake heeft eerst de jongen doodgeschoten en vervolgens zichzelf.'

4

Toen de woorden tot me doordrongen, voelde ik alle lucht uit mijn lichaam verdwijnen. Ik tuurde verdwaasd door de stromende regen naar de klok op het Times-gebouw en keek vervolgens naar Toni. Ze staarde de gang in met de blik van een half bewusteloos geslagen bokser. Ik draaide me om naar de inspecteur en wilde tegen hem zeggen dat het niet waar kon zijn, maar mijn ogen weigerden te focussen. Ik kon geen woorden vinden om een zin te maken. De stilte die volgde, voelde als lood. Plotseling klonk het zoemen van Toni's intercom.

Voor de tweede keer die ochtend staarden we allebei naar de telefoon. Toni pakte langzaam de hoorn van de haak. De inspecteur draaide zich naar me toe. Zijn blik stond nu nog bezorgder. 'Het spijt me,' zei hij. Hoewel ik kon zien dat hij zich opgelaten voelde, strafte ik hem in gedachten af omdat hij verzuimde de gebruikelijke flauwekul te zeggen als: *Ik weet hoe je je voelt*, of *De tijd heelt alle wonden*. Niemand weet hoe ik me voel en tijd heelt geen wonden. Wonden worden littekens die deel uit gaan maken van je leven.

Ik knikte, en de inspecteur wierp een blik op Toni, die nog steeds aan de telefoon was en met haar rug naar hem toe zat. Hij zei zuchtjes gedag en vertrok.

Een paar seconden later hing Toni op. 'Dat was Eric. We moeten naar zijn kamer voor een bespreking. Nu meteen.'

We keken elkaar aan. We waren geen van beiden in de stemming voor een vergadering, maar dit was geen vrijblijvende uitnodiging. Met een strak gezicht en beducht voor wat er zou komen, verlieten we Toni's kantoor.

Toen we de kamer van Jake naderden, zagen we een agent met politietape. Toni en ik wisselden opnieuw een blik; we wilden niet zien hoe de tape werd bevestigd. We besloten om te lopen en sloegen rechtsaf, een andere gang in.

Terwijl we aan de achterkant langs Jakes kantoor liepen, probeerde Toni op een speelse manier onze aandacht van de gruwelijke realiteit af te leiden. 'Hij is geïnteresseerd.'

'Wie? En waarin?'

'In jou. Zag je dat dan niet?'

Ik had geen idee waar ze het over had.

'Wie?' Herhaalde ik.

'Die inspecteur, Graden. Hij is geïnteresseerd.'

'Hé jezus, Toni,' antwoordde ik chagrijnig. Maar ik had er direct spijt van. Het was wel triest met me gesteld als ik mijn frustraties op haar ging botvieren. 'Sorry.'

'Ja, ik weet het,' zei Toni, mijn verontschuldiging wegwuivend. Na vijf jaar vriendschap hadden we geleerd hoe we met elkaars gevoeligheden moesten omgaan. Toen we Erics kantoor naderden, wendde ik bewust mijn ogen af van het einde van de gang zodat ik niet hoefde te zien hoe de agent de deur van Jakes kantoor verzegelde. Zelfs vanaf de plek waar ik liep, leek zijn kamer zich in een vreemde stilte te hullen. De herinneringen aan al die avonden waarop ik daar met hem had gezeten om over onze zaken te praten, aan hoe we hadden gelachen over iets wat een getuige had gezegd – het stond me allemaal nog zo levendig voor de geest dat ik bijna zijn stem kon horen en hem een minipretzel in de lucht zag gooien om die vervolgens op te vangen in zijn mond. Verleden tijd. Ik kon de gedachte niet verdragen en begon sneller te lopen.

We betraden de secretariaatsruimte van Eric Northrups kantoor. Ik wist wat er over Jake zou worden gezegd, en ik voelde me al bij voorbaat aangevallen. Ik was klaar om iemand in de haren te vliegen. Melia Espinoza, de afdelingssecretaresse – ook bekend onder de naam *Gossip Central* – hing aan de telefoon.

'We komen voor Eric,' zei ik.

'Momentje,' zei ze. Ze legde haar hand op de hoorn en keek op. 'Hij zit te bellen, en de rest van de afdeling is er nog niet, dus...'

De blik op mijn gezicht gaf aan dat ze niet het lef moest hebben om me te laten wachten, en ze brak haar zin nog net op tijd af om een bezoekje aan het ziekenhuis te voorkomen.

'Ik bel u zo meteen even terug,' zei ze gehaast in de telefoon en hing op.

'Jullie weten toch dat de vergadering over Jake gaat?' vroeg ze.

'Nee, maar jij blijkbaar wel.' Mijn stem was niet vriendelijker dan mijn blik.

'Weet je, ik mocht hem wel. Hij was misschien een beetje *nerdy*. Maar dit verhaal – *ay, Dios mío*. Ik begrijp echt niet wat hij *daar* te zoeken had.' Ze zei het op een toon die het midden hield tussen beschuldigend en afkerig, en ik voelde de neiging opkomen om haar een klap in het gezicht te geven. Keihard.

'We weten nog niet wat er is gebeurd, Melia,' zei ik boos omdat ze direct van het ergste uitging. Ik hoopte dat de inspecteur gelijk had wat betreft het informatie-embargo. Alleen al de plaats waar Jake om het leven was gekomen, zou voeding geven aan de wildste speculaties – en ik wist dat die er zouden komen. Ik kon er maar beter meteen aan wennen, anders zou ik straks echt doordraaien.

Melia trok haar wenkbrauwen op, schonk me een medelijdende blik en zei: 'Sorry, *mija*, ik weet dat jullie bevriend waren, maar jullie trokken toch nooit met elkaar op?'

Ze bedoelde buiten het werk. 'Nee, maar'–

'Mensen hebben soms een duistere kant die ze verborgen houden.'

Ik keek even naar haar terwijl ik de onnozelheid van haar opmerking tot me door liet dringen. Gelukkig slaagde ik erin om mijn gedachten voor mezelf te houden, anders zou ze de eerstvolgende twaalf maanden beslist al mijn berichten kwijtraken. Er volgde geen nieuwe gelegenheid om een rampspoed te veroorzaken aangezien de rest van de hulpofficieren in de secretariaatsruimte verscheen. Eric opende zijn deur en gebaarde met zijn telefoon in de hand dat iedereen binnen moest komen. Toni en ik voegden ons bij de rest.

Als afdelingshoofd had Eric een hoekkantoor met een vergadertafel, een hoop extra ruimte en een panoramisch uitzicht. De meubels waren weliswaar in de bekende foeilelijke functionele overheidsstijl, maar Eric had het vertrek opgeleukt met foto's van zijn vrouw en de tweeling. Aan de muur naast zijn bureau hingen kunstwerken van de jochies. Ik ben dol op kindertekeningen. Op de grootste prijkten een kerstman en een brandweerwagen. Er zou vast wel een thematisch verband tussen de twee subjecten kunnen worden gevonden, maar ik vermoedde dat de combinatie eerder het gevolg was van het feit dat de jonge kunstenaar ruim-schoots over de kleur rood had beschikt. Jarenlange studie stelde me in staat om dergelijke verbazingwekkende inzichten voort te brengen.

Eric, die aan de telefoon zat toen we binnenkwamen, hing op zodra iedereen had plaatsgenomen. Met een blik alsof hij zijn ei-gen zoon had verloren, kamde hij met zijn hand door zijn immer warrige haar, rolde zijn mouwen op tot aan zijn elleboog en stak van wal. 'Ik neem aan dat iedereen inmiddels het nieuws over Jake heeft gehoord. Ik wil jullie vragen geen oordeel te vellen tot-dat het onderzoek achter de rug is,' zei hij, en hij keek ons een voor een aan. Hij leek niet direct optimistisch, en ik kon hem geen ongelijk geven. Maar ik was blij dat hij het probeerde.

Eric vervolgde met een stem die nors klonk van emotie: 'Voor-lopig wil ik alleen kwijt dat ik hem oprecht zal missen. Hij was een fantastische advocaat en een geweldig mens, en hij was heel waardevol voor onze unit.'

Ik keek om me heen en was blij verrast de verslagen blikken te zien op de gezichten van mijn collega-hulpofficieren. Het was een van die zeldzame momenten waarop niet werd voldaan aan mijn lage verwachtingen van anderen. Aan de andere kant; ze wisten niet dat Jake was gevonden met een foto van die knul op zak.

Eric zweeg even en vermande zich. 'Ik heb helaas de trieste eer om de zakelijke kant van deze kwestie af te handelen,' zei hij, en hij schraapte zichtbaar van streek zijn keel. 'Iedereen weet dat Jake een hoop werk verzette. Hij heeft tien zaken lopen die ik nu aan jullie moet toewijzen. Het goede nieuws is dat er voorlopig maar vier moeten worden bijgewerkt.'

Hij begon dossiermappen uit te delen, een of twee per hulpof-ficier. Ik was als laatste aan de beurt. 'Rachel, ik geef jou de zaak waar waarschijnlijk het meeste werk aan zit.' Hij overhandigde me het dossier. 'De zaak-Densmore.'

Densmore – de naam klonk bekend, maar ik kon hem niet plaatsen.

Eric bracht me op de hoogte. 'Het slachtoffer is minderjarig.

Haar vader is een bekende arts – kinderarts. Heel invloedrijk. We hebben nog geen verdachte aangehouden en de vader zit ons op de huid. Hij wil dat we iemand arresteren en de zaak afwikkelen.

Er ging een lampje branden. 'Heeft Jake dit niet pas vorige week op zijn bureau gekregen?'

Eric knikte. 'Vanderhorn heeft speciaal om jou of Jake gevraagd. Aangezien jij met die moord zonder lijk bezig was...'

Jake had me erover verteld. Als de hoofdofficier persoonlijk een zaak toewijst, is het belangrijk. Het was 'maar' een enkelvoudige verkrachtingszaak, geen geruchtmakende moordzaak van het soort dat we normaal gesproken bij Special Trials behandelden. Sterker nog, toen Jake vertelde waar het over ging, kon ik me niet herinneren wanneer ik voor het laatst een levend slachtoffer had gehad. Ik herinnerde me dat ik hem had gevraagd waarom dit een zaak voor Special Trials was.

'Drie keer raden.'

'Nee,' zei ik.

'Kom op, één keer dan,' zei Jake op plagerige toon.

Ik zuchtte, alsof ik geërgerd was, maar in werkelijkheid waren we allebei gek op dit soort spelletjes. 'Oké, best. Vanderhorn is Densmores onwettige zoon.'

Jake schonk me een blik vol afkeer. 'Biologisch gezien onmogelijk – dat is beneden je waardigheid, mevrouw Knight.'

Ik kruiste mijn armen en zweeg. Toen Jake inzag dat ik geen zin had om het spelletje uit te spelen, gaf hij zich gewonnen.

'Die Densmore is me een type, zeg. Ik had me nog niet voorgesteld of hij begon al uit te weiden over hoe geweldig hij Vanderhorn vond. En toen ben ik helemaal zelf op het idee gekomen hoe de vork in de steel zat. Raad eens?'

'De verkiezingen komen eraan,' kreunde ik.

'Tja, clichés zijn nu eenmaal clichés omdat ze waar zijn,' zei Jake vrolijk, en hij schudde zijn hoofd. 'Enfin, je voelt de bui al hangen; Vanderhorn wil elke dag een voortgangsrapport'–

'Sjeez,' zei ik geërgerd. 'Ik snap dat je ervan baalt, Jake, echt

waar. Maar ik moet bekennen dat ik nog nooit zo blij ben geweest dat ik je niet kan helpen.'

'Ja, ik had de zaak graag op jou afgeschoven,' erkende Jake met zijn kwajongensachtige grijns. 'Ik ben blijkbaar de sigaar, maar maak je geen zorgen – als je je schuldig voelt, kun je altijd een aflaat kopen.'

'Niet nodig,' grapte ik. 'Ik bewaar wel wat pretzels en mosterd voor je.'

'Ik had eigenlijk gehoopt dat je zou aanbieden het eerstvolgende rotklusje over te nemen,' antwoordde hij.

'Ik heb hooguit een beetje schuldgevoel, Jake, geen psychose.'

We lachten allebei.

De herinnering veroorzaakte een wee gevoel in mijn maag, en ik voelde de hete tranen opwellen in mijn ogen. Ik schrok, en slikte om mezelf in de hand te houden. Hoewel Eric het ongetwijfeld had begrepen, had ik er een hekel aan om in het openbaar mijn emoties te tonen. Ik sloeg het dossier open. Het eerste wat ik zag, was dat de met het onderzoek belaste rechercheur Hugh Lambkin was – een politieman die de onaardige bijnaam 'Useless' had. Lambkin was dan ook een complete idioot. Er was niets dat me sneller bij mijn positieven had kunnen brengen.

'Mag ik een andere rechercheur op de zaak zetten?' vroeg ik. Eric keek me even zwijgend aan. 'Ik sta achter je, maar verwacht er niet te veel van,' zei hij. De klank van zijn stem gaf aan wat ik al wist: de hoofdinspecteur zou onder geen beding iemand anders op de zaak zetten. Maar met Useless zou ik deze zaak nooit van de grond krijgen, dus ik moest het in elk geval proberen.

Eric sloot de vergadering, en we vertrokken met onze nieuwe dossiers onder de arm. Ik had gezien dat Toni die van haar had doorgebladerd en Jakes samenvatting had gelezen terwijl Eric de rest van de dossiers had uitgedeeld. Toen we in de gang waren, vroeg ik: 'Wat heb jij gekregen?'

'Een dubbele. Echt iets voor jou: drie verdachten, allemaal Russische immigranten. Ze hebben de gasten omgelegd die hen

hiernaartoe hadden gehaald voor een creditcardzwendel, en vervolgens hebben ze de kogels uit de lichamen gehaald om te voorkomen dat de munitie naar hun wapens kan worden herleid'–
'Niet echt dom,' merkte ik op.
'Precies. Je zou dus verwachten dat ze niet zo stom zouden zijn om het mes te vergeten waarmee ze de kogels er uit hadden gepeuterd.'
Ik glimlachte. 'En de politie heeft hun vingerafdrukken op het mes gevonden.'
Toni knikte. Er verscheen een grijns op haar gezicht. 'Jij hebt zo te horen ook een leuke klus.'
'Enkelvoudige verkrachting, geen verdachte aangehouden, een eikel van een rechercheur op de zaak en een vader die vriendjes is met Vanderhorn,' zei ik.
'Lijkt een hoop op die van mij, behalve dat er geen bewijs is en de zaak flink onder druk wordt gezet,' zei Toni droogjes.
'Precies.' Het was alsof ik alle zaken zonder bewijsmateriaal kreeg toegeschoven. 'Misschien moet ik een nieuwe eenheid in het leven roepen: *Crimes withOut Witnesses* – cow. Het wordt wel een kleine unit, alleen ik zit erin, maar dan ben ik wel de baas. Wat denk je?' Ik zweeg even. 'En flauwe grappen zijn verboden.'
'Volgens mij heb jij nog steeds een kater.'
Dat was niet eens zo'n gekke gedachte. Terug in mijn kantoor ging ik met een *woemp* achter mijn bureau zitten en pakte de hoorn van de haak. Ik had gedaan alsof het weinig voorstelde, maar dit was beslist geen sinecure. Ik zou de zaak moeten oplossen én winnen terwijl de vader van het slachtoffer en de officier in mijn nek stonden te hijgen.
'Met Rachel Night. Mag ik Bailey Keller spreken?'
Bailey Keller was een van de beste rechercheurs die ik kende. Vanaf de eerste dag op de academie had ze een zeldzame combinatie van genialiteit en atletische eigenschappen getoond die een bliksemcarrière als rechercheur en een positie bij de Major Crimes Division van de LAPD had voorspeld. Het feit dat ze op de derde dag van haar training een drankwinkeltje was binnen-

gestapt om een Red Bull te kopen en vervolgens in haar eentje drie overvallers in de kraag had gevat die bezig waren de zaak te beroven, had haar vooruitzichten ook niet bepaald geschaad. Daarbij was ze het soort van natuurlijke schoonheid dat geen make-up nodig had, en ze beschikte over de onhebbelijke eigenschap alles te kunnen eten waar ze zin in had zonder ook maar een gram aan te komen. Toni en ik hadden regelmatig complotten gesmeed om haar vanwege dat specifieke talent om zeep te helpen. Tijdens de eerste zaak die we samen hadden gedaan – een seriemoordenaar die zich in oudere vrouwen had gespecialiseerd – waren Bailey en ik onafscheidelijke vrienden geworden. Maar het waren haar professionele vaardigheden die ik op dit moment nodig had.

Bailey kwam aan de lijn.

'Is het niet een beetje vroeg voor een borrel, Knight?' vroeg ze. 'Niet dat ik daar een probleem mee heb.'

'Ik ook niet, maar ik ben bang dat we het nog even moeten uitstellen.' Ik bracht haar op de hoogte van de zaak-Densmore. 'Ik heb je nodig. Ik heb geen zin om met die Lambkin opgescheept te zitten.'

'Ah, "Useless",' Bailey dacht even na. 'Ik heb wel een idee. Ik bel je over een uur terug.'

We hingen op en ik begon het dossier door te nemen. In een zaak als deze met een idioot als Lambkin samenwerken was een nachtmerrie waaruit ik pas zou ontwaken als de zaak was afgerond of mijn carrière voorbij was. Ik had al minstens tien keer naar de telefoon gekeken toen Bailey een uur en vijf minuten later terugbelde.

'Je staat bij me in het krijt,' zei ze met haar warme altstem waarin nu iets van zelfvoldaanheid doorklonk. 'En niet zo'n beetje ook.'

Ik kon haar wel zoenen. Ik was zelfs bereid haar kinderen te baren.

'Hoe heb je dat voor elkaar gekregen?'

'Als ik je dat zou vertellen...'

'Ja, ik weet het, dan zou je me moeten vermoorden.' Ik zei het niet, maar gezien de dingen die ik inmiddels over deze zaak had gelezen, zou dat misschien wel een gunst zijn. 'Kun je een afspraak regelen met het slachtoffer en haar ouders?'

'Als je om halfvier naar beneden komt, dan zie ik je daar,' zei ze, en ze hing op.

Typisch Bailey. Wat een kletskous.

5

We hadden geluk. Er zat aardig beweging in het verkeer op de 101, en een uur later reden we al in westelijke richting over Sunset Boulevard – wat eigenlijk op nog geen halfuur rijden lag. Het was plotseling opgehouden met regenen, en tussen de wolken waren stukken blauw te zien waardoor af en toe een zonnestraaltje op de auto's viel die ons passeerden. We hadden om vijf uur een afspraak met de Densmores, en het was pas kwart voor. Bailey reed rustig naar boven door Pacific Palisades zodat we in de gelegenheid waren de omgeving in ons op te nemen.

Meestal bevonden zich in de buitenwijken goedkope huurwoningen, kleine koophuizen en kleurloze flatgebouwen – ze deden me altijd denken aan het goedkope vastgoed in het bordspel monopoly. Maar aangezien dit 'The Palisades' was, een van de chicste buurten van Los Angeles, waren dergelijke herinneringen aan het echte leven niet toegestaan. Hier hadden de huizen in de buitenwijken al een oppervlak van vierhonderd vierkante meter, en voor minder dan een miljoen dollar was er niets te koop.

De toegangspoort in de muur rond de Cliffs werd geflankeerd door kunstmatige vijvers waarin spetterende fonteinen hun water op neprotsen stortten. Zorgvuldig bijgehouden gazons en fleurige bloemen bedekten het terrein vóór het hoge smeedijzeren hek en de heuvels erachter. Over de oprijlaan die naar de bewaakte ingang voerde, hingen reusachtige, goed onderhouden treurwilgen. Het gebouwtje waarin het beveiligingspersoneel zich ophield, was vormgegeven als landhuis met verticale raamstijlen en houten deuren met decoratieve ijzeren scharnieren. Bij de ingang stond een geüniformeerde bewaker, en Bailey over-handigde hem haar politie-insigne. Hij nam het aan, bestudeerde het even en wuifde dat we verder konden. 'Dr. Densmore ver-wacht u.'

Kijk eens aan, dacht ik. Terwijl we heuvelopwaarts reden in de richting van Susan Densmores huis, werden de gazons steeds groter en groener en de gebouwen steeds indrukwekkender. Sommige waren in ranchstijl en hadden maar één woonlaag, maar dan wel met een oppervlak van honderden vierkante meters. Er stonden natuurlijk niet van die splitlevelranches met vinyl gevel-beplating zoals ze die in mijn jeugd bij ons in de buurt hadden gehad. Maar er waren ook huizen in tudorstijl met dakkapellen en bakstenen gevels, en moderne lichtgeelgeverfde mediterrane gebouwen met witte zuilen en pannendaken. Hoewel de buurt een eclectische bouwstijl had, was wel duidelijk dat hier het grote geld zat. Het was geen verrassing dat de ongerepte, lommerrijke straten alleen bevolkt werden door hoveniers en kindermeisjes die zich plichtsgetrouw ontfermden over de smetteloze huisdie-ren, zwembaden, planten en kinderen.

We stopten op de halfcirkelvormige oprit van een huis in tu-dorstijl met één verdieping en vleugels aan de linker- en rechter-zijde. Nadat we waren uitgestapt, begaven we ons op een bakste-nen pad tussen bloembedden door waarin perfect onderhouden witte rozen stonden. Voor de garage – met plaats voor vier auto's – stond een Porsche Cayenne met achterop een fietsdrager.

'Wat denk je, duizend vierkante meter?' vroeg ik.

'Exclusief het *guesthouse* dat er waarschijnlijk nog achter staat.'

Bailey ging zoals gewoonlijk perfect gekleed – een camel re-genjas en een crèmekleurige coltrui die haar lichte huid en korte blonde haar mooi ophaalden. En met haar een meter vijfenze-ventig en haar slanke figuur stond de broek met de smalle pijpen haar beter dan hij mij zou staan met mijn een zevenenzestig. Ik troostte mezelf opnieuw met de wetenschap dat ik ongestraft ho-gere hakken kon dragen. Het was niet veel, maar meer kon ik er niet van maken. We bereikten de dubbele deuren van massief eikenhout. Bailey negeerde de zware koperen klopper en drukte op de deurbel. Zelfs die klonk warm en rijk. Een forse Latijns-Amerikaanse vrouw deed zo snel open dat het leek alsof ze bij de deur had staan wachten.

'Zijn jullie de rechercheurs?' vroeg ze.

Haar uitspraak van het Engels was zorgvuldig. Waarom denken mensen nog steeds dat rechercheurs eruit moeten zien als Joe Friday?

'Ja,' zei Bailey zonder omhaal. Uitleggen wie wie is, deden we wel aan iemand die het interesseerde.

De huishoudster knikte en gebaarde ons naar binnen. Normaal gesproken zou je het een vestibule noemen. Maar dit was een balzaal. Het plafond was minstens negen meter hoog, en de vloer was een enorme, cirkelvormige oppervakte van roomkleurig marmer dat bezaaid was met diamanten in terracottatonen. Rechts van de deur stond een glanzende teakhouten olifant met wijd geopende bek op paraplu's te wachten. Een wenteltrap aan mijn linkerhand voerde naar de eerste verdieping, waar een open overloop zich vertakte in respectievelijk een noordelijke en een zuidelijke richting, ongetwijfeld naar de beide vleugels die ik buiten had gezien. Aan mijn rechterhand bevond zich een ontvangkamer met een dik tapijt en zware gordijnen. Daarachter lag een open woonkamer met openslaande deuren, en vensters die uitkeken op het park dat de Densmores hun achtertuin noemden. Terwijl de huishoudster ons naar de woonkamer loodste, zag ik een buitenkeuken; luxueuze, baksteenkleurige patiomeubels; een enorm zwembad met een waterval; het golvende terrein gelardeerd met palissanderbomen, bronzen beelden en honderden struiken die gehoorzaam bloeiden in alle denkbare kleurschakeringen hoewel het hartje winter was.

Een perfect verzorgde, haast overdreven gezond uitziende man stond op en stak een hand uit. Hij was ruim een meter tachtig lang en had scherpe trekken, zorgvuldig gekamd haar en een duistere, doordringende blik.

'Dr. Frank Densmore,' zei hij.

Er klonk iets uitdagends in de manier waarop hij het zei. Ik verkeerde in de juiste stemming om die uitdaging aan te nemen. 'Hulpofficier van Justitie Rachel Knight,' antwoordde ik terwijl ik zijn hand extra stevig vastpakte. 'Ik ben als officier op deze zaak gezet.' Hij bewoog mijn hand anderhalve keer op en neer en liet hem vervolgens los. Dat was blijkbaar genoeg. Ik gebaarde naar Bailey. 'Dit is rechercheur Bailey Keller. Zij is met het onderzoek belast.'

Bailey kreeg dezelfde obligate halve handdruk.

Hij richtte zich tot mij. 'Ik heb gehoord wat er met Jake Pahlmeyer is gebeurd. Tragisch voorval.'

Hij klonk absoluut niet alsof het hem speet. 'Ja, het is triest,' zei ik terwijl ik mijn best deed om mijn stem neutraal te laten klinken. Ik vroeg me af wat hij over Jakes dood wist. Aan de toon van zijn stem te horen, was het niet veel. Dat betekende dat Densmore nog niet zo lang deel uitmaakte van Vanderhorns vriendenkring. Aan de andere kant durfde ik te wedden dat Vanderhorn aan niemand iets zou loslaten over wat de politie vermoedde. Ik besloot in elk geval na te gaan wanneer Densmore zich precies had aangesloten bij het clubje dat Vanderhorn bij zijn herverkiezing zou helpen – vóór- of nadat zijn dochter was verkracht. Voor de zaak zou het weinig uitmaken; ik wilde alleen weten met wie ik te maken had.

Densmore richtte zich abrupt tot Bailey. 'Wat is er met rechercheur Lambkin gebeurd?' De dood van Jake was voor hem niet meer dan een personeelswisseling, en zijn toon gaf aan dat iemand die wijziging eerst met hem had moeten overleggen. Niet dat ik verwachtte dat hij vanwege Jakes dood zijn kleren zou verscheuren en zichzelf met as zou bestrooien, maar ik had chimpansees gezien met meer gevoel.

Bailey reageerde onmiddellijk. 'Die is op een oude zaak gezet waarbij nogal wat moet worden gereisd,' zei ze. 'Uw zaak heeft onze volledige aandacht nodig, daarom hebben ze mij erop gezet.'

Verrek, wat was die meid goed. Ik had al meteen de indruk gekregen dat Densmore zo'n type was dat altijd vond dat hem meer toekwam dan ieder ander, en ik had gelijk. Aan zijn tevreden gezichtsuitdrukking was te zien dat Baileys woorden het gewenste effect hadden. Er zou verder niet meer worden gesproken over waarom zij de zaak van Lambkin had overgenomen. En de vraag *wat* Bailey met Useless had gedaan, was nu ook opgelost: ze had een of ander suf klusje verzonnen waarmee hij airmiles kon sparen. Hoe ze *dat* voor elkaar had gekregen, was iets wat ik liever niet wilde weten.

'Goed zo. Dan hoop ik dat we nu een beetje op kunnen schieten,' antwoordde Densmore terwijl zijn blik door het vertrek gleed.

Ik volgde zijn ogen naar de vrouw en het meisje die op een reusachtige goud met beige gestreepte sofa zaten. Op de traditionele plek boven de schoorsteenmantel hing een familiefoto waarop ze in een vrijwel identieke positie zaten: vader Frank stond achter hen met een air alsof hij hun eigenaar was – zijn meisjes. Susan Densmore had Alice-in-Wonderland-lang blond haar en fijngevoelige trekken die afkomstig waren uit de maternale genenpoel. Haar moeder droeg het haar in een lage paardenstaart terwijl dat van Susan bleek en steil was en tot halverwege haar rug reikte. Ze waren allebei slank en zaten stijfjes met de enkels over elkaar en de handen gevouwen in hun schoot – als porseleinen Lladró-beeldjes. Het moest geweldig zijn om in dit huis te wonen.

'Janet, mijn vrouw, en dat is uiteraard Susan,' zei Frank Densmore met een gebaar in hun richting.

Alsof ze op dit teken had gewacht, ontvouwde Janet haar handen en enkels en stond op. Ik liep naar haar toe om haar de hand te schudden.

'Aangenaam kennis te maken, mevrouw Densmore,' zei ik. Het viel me op dat haar handdruk verrassend stevig was – geheel in tegenspraak met haar ingetogen houding.

'Zeg maar Janet,' zei ze, en ze wierp een blik achterom naar haar dochter.

Susan reageerde onmiddellijk. Ze stond beleefd op en pakte aarzelend mijn hand vast, maar ze keek me niet aan. 'Aangenaam,' zei ze op beleefde toon met een stem die nauwelijks meer was dan een fluistering.

'Leuk je te ontmoeten, Susan,' zei ik. Er fladderde een zweem van droefheid en schrik om haar heen, als geknapte draden van een spinnenweb. Ik kreeg er een knoop van in mijn maag. Ik kende dat emotioneel gebroken gevoel maar al te goed – de schokkende ontdekking dat het veiligheidsnet wat je altijd om je heen had gewaand en als zo vanzelfsprekend had beschouwd maar een fabeltje was geweest. Wat hier ook was gebeurd, Susan zou nooit meer dezelfde zijn. Het was een tijd geleden dat ik een zaak had gedaan met een slachtoffer dat nog in leven was, maar mijn ervaring had geleerd dat slachtoffers van een verkrachting vaak niet wisten wie ze meer haatten – de smeerlappen die hen met de nachtmerrie hadden opgezadeld of de rechercheurs en de aanklagers die hen de bezoeking steeds opnieuw lieten doormaken. Ik zou Susans vertrouwen moeten winnen om haar duidelijk te maken dat ik dat besefte.

'Ik hoop dat jullie wel beseffen dat we al weten wie het heeft gedaan,' zei Frank Densmore ongeduldig terwijl hij zijn broekspijpen een stukje optrok en in de leren oorfauteuil ging zitten, ervoor oppassend dat de vouwen netjes recht bleven zitten.

Ik merkte dat Susan plotseling verstijfde, en Janet keek voorzichtig van haar echtgenoot naar haar dochter.

Ik vond het altijd prachtig wanneer getuigen me lieten weten dat ze precies wisten hoe de vork in de steel zat. Maar ditmaal was ik voorbereid, want Jake had een briefje in het dossier gedaan met een notitie over dat punt. De spanning in het vertrek nadat Densmore zijn opmerking had gemaakt, vertelde me dat niet iedereen het met hem eens was. Ik was benieuwd hoe dit zou aflopen. Ik trok dus mijn wenkbrauwen op, maar zei niets.

De vader plaatste zijn handen tegen elkaar zodat ze een soort piramide vormden. 'Susan heeft een knul van Sylmar bijles gegeven – een of ander onbezonnen project van haar school om jonge mensen met verschillende achtergronden met elkaar in contact te brengen. Zodra ik hem zag, wist ik dat het een *gangbanger* was. Ik zei tegen Janet dat we Susan met het project moesten laten stoppen, dat hij een slechte invloed op haar had. Maar ze wilde niet luisteren.' Hij wierp een geërgerde blik naar Janet en vervolgens naar Susan, die blijkbaar tegen hem hadden samengespannen.

'Stel dat hij inderdaad bij een bende zit, waarom denkt u dan dat hij het heeft gedaan?' vroeg ik, bewust op een neutrale toon.

'Dat lijkt me duidelijk – hij heeft gezien hoe we hier wonen,' zei Frank. Hij gebaarde naar het gewelfde plafond en alles wat zich daaronder bevond, 'en toen is hij natuurlijk jaloers en gewelddadig geworden.'

Die verklaring leek eerder bij een inbraak te passen dan bij een verkrachting, maar ik had geen zin om met hem in discussie te gaan. Meningen deden niet ter zake; het ging om bewijzen. 'U kunt ervan op aan dat we alle mogelijkheden onderzoeken, dr. Densmore,' zei ik op kalme toon, in de wetenschap dat de poppen aan het dansen zouden zijn als ik zijn suggestie in de wind zou slaan.

'Doe wat u moet doen,' zei hij onverschillig, en vervolgens voegde hij eraan toe: 'maar verspil alstublieft niet te veel tijd aan rondkijken. Het is duidelijk wie de schuldige is, en ik wil dat de zaak zo snel mogelijk wordt afgehandeld.'

'Ik neem aan dat het voor Susan ook niet gemakkelijk is,' zei ik droogjes. Mijn sarcasme ging aan de beste man voorbij, en ik richtte me tot de dochter. 'Kun je me laten zien waar het is gebeurd?'

'Ze hebben het huis al doorzocht op bewijsmateriaal,' zei Densmore. De blik op zijn gezicht gaf aan hoe geweldig hij het vond dat er forensisch experts door zijn huis banjerden. 'Ik heb er natuurlijk geen bezwaar tegen als jullie willen controleren of er niks over het hoofd is gezien, maar het lijkt me sterk dat jullie nog wat vinden.'

Het leek me niet het geschikte moment om een grapje te maken over 'Useless' Hugh Lambkin, dus ik hield het op een knikje. Densmore stond op en maakte aanstalten om ons voor te gaan.

Ik hield hem tegen. 'U kunt rustig hier blijven. Susan laat me het huis wel zien. Ik wil zelf even zien waar het is gebeurd – het helpt als ik de plaats delict kan visualiseren.' Ik citeerde even uit Baileys werk en voegde eraan toe: 'Ik wil niet meer van uw tijd in beslag nemen dan nodig is.'

Slijmen was eigenlijk tegen mijn principes, maar als ik iets voor elkaar wilde krijgen, kon ik stroopsmeren als de beste. En op dit moment wilde ik Susan alleen spreken zonder dat dr. Blaaskaak ons voor de voeten liep.

Densmore trok zijn wenkbrauwen op, en ik zag dat hij een beschermende blik op Susan wierp. Dat begreep en waardeerde ik. 'Het duurt niet lang, dr. Densmore,' zei ik in een poging hem gerust te stellen met een blik en een stem die aangaven dat we zijn dochter niet zouden doorzagen over wat haar was overkomen.

Hij keek even naar me en knikte vervolgens met tegenzin. 'Best. Ik hoor het wel als u iets nodig heeft. Ik zit hier,' zei hij met iets dreigends in zijn stem.

'Duidelijk,' zei ik.

Susan loodste Bailey en mij met trage loden stappen de brede wenteltrap op. Daarbij greep ze de leuning vast als een negentigjarige vrouw met artritis. Boven aan de trap gingen we naar links. We volgden haar naar de deur aan het einde van de gang, waarop een ingelijste poster van Albert Einstein hing. Niet iets wat ik van dit meisje had verwacht. Ik merkte op dat het glas waarachter de poster hing brandschoon was. Waarschijnlijk had de technische recherche er vingerafdrukken van genomen waarna een stevige schoonmaakbeurt nodig was geweest. Het feit dat het terug was gebracht, gaf aan dat er niets bruikbaars op was aangetroffen.

Susan haalde diep adem. Ze opende de deur, stapte naar binnen en bleef meteen rechts om de hoek staan. Blijkbaar wilde ze niet verder de kamer in dan nodig was. Bailey en ik liepen langs haar heen een vertrek binnen dat groter was dan een gemiddelde woning. Er waren een zitkamer met kasten langs de muur en een reusachtige badkamer met een sauna annex douche. De muur op het zuiden werd vrijwel volledig in beslag genomen door openslaande glazen deuren naar een balkon dat uitkeek over het landschap aan de achterzijde van het huis. Susans kingsize bed – met daarop een op maat gemaakt dekbed met zachtroze en blauwe bloemen – stond links van het venster op nog geen anderhalve meter afstand.

'Zeg, Susan, in welke klas zit je eigenlijk?' vroeg ik op luchtige toon, hoewel ik al wist dat ze vijftien was.

'Ik zit in het tweede jaar van de middelbare school,' antwoordde ze met een stemmetje dat eerder klonk alsof ze twaalf was. Het medisch onderzoek na de verkrachting had doen vermoeden dat ze waarschijnlijk ook nog maagd was geweest. Gezien haar schuchtere gedrag en de preutse wijze waarop ze zich kleedde, leek me dat voor de hand liggen. Ik wist het natuurlijk pas zeker als ik het haar had gevraagd – schijn kan bedriegen. Niet dat het vanuit juridisch oogpunt iets uitmaakte – een verkrachting was nu eenmaal een verkrachting – maar als ik Susans specifieke situatie kende, kon ik de juiste strategie bepalen voor onze vraaggesprekken en de voorbereiding op de rechtszaak. En om dat voor elkaar te krijgen, moest ik ervoor zorgen dat ze me vertrouwde en haar verhaal vertelde – geen sinecure na wat ze had meegemaakt. Ik staarde naar buiten en wenste voor de duizendste keer dat verkrachters gestraft werden met een penisamputatie... met een roestig mes.

'Zit je op Pali High?' vroeg ik. Normaal gesproken zou ik hebben aangenomen dat een meisje uit deze buurt dat in zo'n huis woonde op een privéschool zou zitten. Maar Palisades Charter High School was geen gewone openbare school. Het was in belangrijke mate te danken aan de royale donaties die regelmatig binnenkwamen dat Palisades High alle voordelen had van een privéschool – plus nog veel meer.

Susan knikte, maar zei niets. Ik ging verder met het stellen van niet-bedreigende kennismakingsvragen. 'Hoe bevalt het tweede jaar? Wat beter dan het eerste?'

'Ik geloof het wel.' Haar blik gleed naar de deuropening, waardoor ze waarschijnlijk het liefst meteen zou vertrekken. Vanuit een ooghoek zag ik dat Bailey ondertussen de kamer rondkeek om wat eerste indrukken te verzamelen.

Ik probeerde het opnieuw in de hoop haar even te laten vergeten wat er in deze ruimte was voorgevallen. 'Wat is je favoriete vak?'

Susan haalde haar schouders op. Ze keek nog steeds niet naar me. 'Ik weet het niet. Engels, denk ik.'

Aha. Een aanknopingspunt. 'Echt waar? Dat was ook mijn favoriete vak. Wat zijn jullie aan het lezen?'

'*Animal Farm* van George Orwell,' antwoordde ze, nu met iets meer enthousiasme.

'Dat heb ik ook gelezen,' zei ik met een glimlach. 'Wat vond je ervan?'

'Eh, ik vond het eigenlijk wel leuk,' zei Susan, en ze veegde een haarlok achter haar oor. 'Eerst lijkt het alleen maar een grappig verhaal, maar na een tijdje zie je dat het over veel meer dingen gaat en zo, weet je wel?'

'*Yep*. Dat boek was zo goed dat zelfs de school het niet kon verpesten,' zei ik met een glimlachje.

Ik werd beloond met een samenzweerderige glimlach en een knikje. Het was jammer van het moment, maar we moesten toch een keer over de zaak gaan praten. Ik was van plan om heel voorzichtig te beginnen en haar voorlopig alleen datgene te laten vertellen wat ze kwijt wilde. Voor de dingen die ze nu niet aankon, konden we een andere keer terugkomen. Ik liet mijn blik even door de kamer gaan en keek vervolgens weer naar Susan. Ditmaal keek ze mij ook aan. Ze was er klaar voor.

6

'Was je wakker toen hij je kamer binnenkwam?' vroeg ik.

'Nee, maar ik weet wel dat hij daar naar binnen is gekomen,' zei ze terwijl ze op de openslaande deuren wees die naar het balkon voerden. Ze keek naar het bed, en plotseling kwam alles eruit. 'Ik lag te slapen, en toen sprong hij op mijn bed. Hij drukte een kussen op mijn gezicht, en ik kon niet ademhalen. Ik dacht dat ik doodging.' Ze zweeg even en haalde adem.

Ik durfde te wedden dat er momenten waren waarop ze wilde dat dat werkelijk was gebeurd.

'Susan, we hoeven niet meteen de details door te nemen.'

'Dat zit wel goed... ik vertel liever alles in één keer, dan heb ik het achter de rug, weet je wel?'

Ik wist het inderdaad. Als de vragen die je dwingen je nacht-merrie opnieuw te beleven, onvermijdelijk zijn, is het maar beter om ze meteen te beantwoorden. Dan heb je die ellende in elk geval achter je. Als je het onvermijdelijke uitstelt, resulteert dat alleen maar in dagen van pijnlijk wachten. Ik knikte, kneep even in haar arm om haar gerust te stellen en gebaarde vervolgens naar de gestoffeerde kist aan het voeteneind van het bed. Ik wierp een blik naar buiten door de openslaande deuren en prentte het uit-zicht in mijn geheugen.

Susan haalde opnieuw diep adem. Ze staarde naar de vloer en begon te praten. 'Ik heb hem niet eens gezien. Het enige wat ik me herinner is dat ik wakker werd en hij boven op me lag. Ik probeerde te schreeuwen, maar ik had het kussen op mijn gezicht, dus er kwam niks uit. Toen trok hij mijn nachtpon omhoog en...'

Ze zweeg, en ik wachtte totdat ze zich had hersteld. Ik vond het altijd vreselijk om een verkrachtingsslachtoffer zoiets aan te doen, maar met Susan was het wel erg pijnlijk. Ze leek zo jong en zo kwetsbaar. Net als Romy. Zoals al talloze malen eerder was gebeurd, werden in mijn geest opnieuw mijn laatste momenten met haar afgespeeld: mijn zeven jaar oude ik die zei: *'Toe nou, Romy, je probeert het niet eens! Je moet je beter verstoppen!'* Maar Romy schudde vrolijk haar hoofd en liep weg. Ik voelde hoe de herinnering zich als een ijzeren vuist om mijn hart sloot, en ik moest mezelf dwingen om adem te halen.

Ik stond op het punt om Susan te vragen verder te gaan, toen ik me bedacht. Het was niet nodig. Ik wist dat tijdens het medisch onderzoek geen spermasporen waren gevonden, en dat was geen verrassing – het uitstrijkje van haar vagina had glijmiddel aan-getoond van een type dat vaak op condooms wordt gebruikt. De-ze man was een voorzichtige verkrachter, maar niet voorzichtig genoeg. Op de nachtjapon was DNA aangetroffen dat niet over-eenkwam met dat van Susan of iemand anders in het huis. Dat was het goede nieuws. Het slechte nieuws was dat er ook geen overeenkomsten waren gevonden met iemand in de database van de staat Californië. Degene die dit had gedaan, bezat ofwel geen strafblad, of een strafblad in een andere staat, of hij had nooit lichaamsvloeistoffen afgestaan. Ik zou moeten nagaan of het vermeende bendelid dat bijles van Susan had gekregen in de DNA-database voorkwam. Normaal gesproken zou je ervan uit kunnen gaan dat de eerste rechercheur dat soort routinechecks fatsoenlijk had uitgevoerd, maar met Useless Hugh Lambkin was dat nog maar de vraag.

De foto's en de doktersrapporten die ik had gezien, gaven aan dat het maagdenvlies was beschadigd, wat op penetratie wees. Er waren bovendien scheurtjes in de vagina aangetroffen. Het was beter dan niets, als je seks met wederzijds goedvinden wilde uitsluiten, maar het was geen overtuigend bewijs. Het feit dat er een condoom was gebruikt, hielp ook niet echt. Toch zou Susan, afgaande op wat ik tot nu toe had gezien, een geloofwaardige getuige zijn. Als ik tenminste iemand kon vinden om te arresteren.

'Heb je iets van hem gezien – zijn gezicht, misschien van de zijkant? Of herinner je je een bepaalde geur?' vroeg ik.

Susan schudde bedachtzaam haar hoofd. 'Ik heb geprobeerd het me te herinneren, maar ik durfde het kussen pas van mijn hoofd te halen toen hij weg was. Ik was bang dat hij terug zou komen en...' Ze zweeg en trok een gezicht.

'Ik neem het je niet kwalijk. Ik zou ook bang zijn geweest, Susan,' verzekerde ik haar.

Ze knikte, haalde adem en vervolgde haar verhaal. 'Ik denk dat hij via het balkon weg is gegaan, want de deuren stonden nog open, en ik zou het hebben gehoord als hij de slaapkamerdeur had gebruikt.'

Ik knikte. De openslaande deuren kwamen op een halfrond balkon uit. Inmiddels was er een niet al te fraai slot met een grendel op gemonteerd. Ik liet mijn blik opnieuw door de kamer glijden. Waarschijnlijk had de technische recherche alles gevonden wat er te vinden was. Aan de andere kant, met Lambkin aan het roer was alles mogelijk. Bailey keek me aan en knikte.

'Susan, zou je het goedvinden als we nog een keer een technisch rechercheur een kijkje lieten nemen?' vroeg Bailey. 'We zullen heel voorzichtig zijn.'

'Ik vind het best. Ik slaap hier toch niet meer,' gaf Susan toe. 'Ik heb de oude kamer van de huishoudster genomen. Ik kleed me hier zelfs niet meer aan.'

Ik kon haar geen ongelijk geven. Ik stond op om te vertrekken, maar Susan stak haar hand uit en raakte mijn arm aan om me tegen te houden.

Ik draaide me om.

Ze wierp een steelse blik in de richting van de deuropening en fluisterde vervolgens op indringende toon: 'Jullie moeten niet naar mijn vader luisteren. Het was Luis niet. Ik weet zeker dat hij het niet was!'

Luis was de vermeende gangbanger, zo wist ik uit het dossier. Geraakt door de felheid waarmee ze had gesproken, vroeg ik: 'Waarom zeg je dat?'

Susan schudde somber haar hoofd. 'Jullie denken vast dat ik zo'n rijk beschermd meisje ben, en dat is ook zo. Maar ik ben niet achterlijk. En ik ken Luis. Hij heeft heel hard gewerkt. Hij wil weg uit... uit de situatie waarin hij zit. Je kunt een hoop van hem zeggen – en misschien klopt het allemaal. Maar hij is geen verkrachter. En hij heeft me nooit iets gedaan.'

'Zijn jullie...?' begon ik.

Ze schudde met klem haar hoofd. 'Hij is gewoon een vriend.'

'Enig idee waar we hem kunnen vinden?'

Susan liet het hoofd hangen en keek naar de vloer. 'Nee. Ik weet niet waar hij woont. En ik heb hem niet meer gezien sinds...'

Het was duidelijk dat hij verdwenen was sinds de verkrachting, wat zijn zaak er niet beter op maakte. Susan besefte dat ook. Het was geen wettelijk overtuigend bewijs, maar ik kon het Frank Densmore niet kwalijk nemen dat hij daar anders over dacht. Ik stond aan het begin van een zaak altijd open voor alle mogelijkheden, maar ik moest toegeven dat Luis vinden boven aan ons lijstje stond.

Ik keek naar Susan. Ze was beslist rijk en beschermd, maar afgezien daarvan was ze een dappere meid. En het feit dat ze bereid was om voor die Luis tegen haar vader in te gaan, was indrukwekkend, hoewel het misschien niet verstandig was. Ik had het gevoel dat pa Densmore altijd gelijk had, zelfs als dat niet zo was. Densmore leek me geen type waar je gemakkelijk nee tegen zei.

We begaven ons naar beneden, en iedereen leek opgelucht dat vader Densmore was vertrokken. 'Hij moest naar kantoor,' legde Janet uit. 'Hij staat aan het hoofd van zes gezondheidscentra voor kinderen,' zei ze op verontschuldigende toon. 'Alle kinderen uit de buurt gaan naar hem toe. En dan heeft hij zijn liefdadigheidswerk nog,' zei ze terwijl er iets van trots in de verontschuldiging doorklonk. Ze slaakte een zucht. 'Hij heeft het vreselijk druk.'

Densmore leek me absoluut geen heilige, maar het had weinig zin om dat met mevrouw Densmore te bespreken. Ik nam aan dat al zijn gezondheidscentra in rijke buurten waren gevestigd. Densmore was tegenwoordig meer zakenman dan arts en sprak waarschijnlijk nog zelden een patiënt. 'Geen probleem,' zei ik.

'Trouwens,' zei Bailey, en ze knikte in de richting van de Cayenne die voor het huis stond. 'Wie van jullie fietst er?'

'Wij allebei,' antwoordde Janet. 'Maar Frank is echt fanatiek. Hij rijdt marathons voor het goede doel. Ik heb het ook een keer geprobeerd, maar...' Ze schudde haar hoofd en schonk Bailey een taxerende blik. 'Ik denk dat jij het wel zou kunnen.'

Bailey knikte. 'Niet zonder voorbereiding.'

Dat was gelul, en dat wist ik. Bailey was een monster op de fiets.

Janet keek me vragend aan, maar ik schudde mijn hoofd. 'Niks voor mij. Ik haal de eerste tien kilometer niet eens.' Dat bracht een glimlachje op Janets gezicht. Janet gaf me toestemming om nog een keer langs te komen met de technische recherche en we namen afscheid.

Toen ik bij Bailey instapte, zag ik dat er een surveillanceauto van het beveiligingsbedrijf langsreed. Op het portier aan de bestuurderskant stond PALISADES SECURITY – 24-HOUR PATROL.

'Misschien heeft de beveiliging informatie. Ze weten waarschijnlijk wel wie er toegang heeft tot het huis,' zei ik.

Bailey knikte. 'Misschien staan ze zelf wel op de lijst.'

'Dat is goed mogelijk,' beaamde ik. Het zou niet de eerste keer zijn dat iemand van een beveiligingsbedrijf de dader was, hoewel ik aannam dat een onderneming in een buurt als deze haar werknemers aan een zorgvuldig antecedentenonderzoek onderwierp, al was het maar om de onontkoombare rechtszaak te vermijden als er toevallig een rotte appel door de mazen van het net glipte.

'Heeft Useless bij de mensen in de buurt aangeklopt?'

'Volgens het rapport wel, maar er staat niks over tips of aanwijzingen. Ik durf te wedden dat hij alles wat zijn agenten hebben ontdekt er gewoon uit heeft gelaten zodat hij geen follow-up hoefde te doen. Ik ga het gewoon opnieuw doen met mijn eigen team,' zei Bailey met een stem waarin de afschuw doorklonk. 'We maken voor alle ondervraagden proces-verbaal op, gaan na hoe goed ze de Densmores kennen, onderzoeken alibi's – de hele rataplan. Morgen beginnen we met de buren.'

'Als je toch bezig bent, regel dan ook iemand die achter Luis Revelo aan gaat'–

'Doe ik,' zei Bailey.

Ze had er vreselijk de pest aan als ik haar vertelde wat ze moest doen – vooral als het om voor de hand liggende dingen ging. Niet dat ik me daardoor liet tegenhouden.

'Er lopen daar trouwens ook een hoop bedienden rond,' vervolgde ik. 'Schoonmakers, hoveniers, privétrainers'–

'Aannemers, architecten, timmerlui, schilders – ja, ik weet het.'

De toon in Baileys stem verraadde dat ik me op glad ijs bevond.

'Schilders?'

Ze haalde haar schouders op. 'We mogen de clichés niet vergeten.'

De schilders die ik had ontmoet, hadden niet eens ladders bij zich, dus de kans leek me klein dat ze speciaal zo'n ding meenamen om in de slaapkamer van een jong meisje in te breken. Maar Bailey had gelijk wat de clichés betrof. 'Ga er maar achteraan.'

We reden in oostelijke richting over Sunset. De avondspits was begonnen en we kropen over de weg.

'Wat denk je?' vroeg Bailey.

Ik keek naar buiten, waar de kapitale villa's plaats hadden gemaakt voor eenvoudige straten met winkeltjes en uithangborden waarop dingen in vreemde talen waren geschreven – terug naar 'Af', van St. Charles Place via Oriental Avenue, Baltic Avenue en Mediterranean Avenue.

'Die Luis is plotseling van het toneel verdwenen. Wel heel toevallig, vind je ook niet?' Het was een retorische vraag.

'Zeker weten.'

Ik knikte. 'Daar baal ik goed van.' Maar ik wist dat ik niet naar excuses moest gaan zoeken. Het feit dat Luis' verdwijning zo opmerkelijk was, betekende niet dat hij de verkrachter niet was. Ik had al heel lang geleden ontdekt dat criminelen over het algemeen niet de helderste lichten zijn – als dat wel zo was, zouden we ze nooit te pakken krijgen. En zoals mijn oude mentor altijd zei: 'Als je hoefgetrappel hoort, komen er paarden aan, geen zebra's.'

'Heeft Useless die knul eigenlijk nagetrokken?' vroeg ik.

'Waarschijnlijk niet. Maar dat regel ik wel,' antwoordde Bailey, en ze maakte een notitie in haar nieuwe mobiele telefoon.

'Wat heb je met je BlackBerry gedaan?' vroeg ik. Bailey was een gadgetfreak. Ze was altijd de eerste met nieuwe technische snufjes.

Ze stak de hand met de iPhone naar me uit. 'Dat ouwe ding? In vergelijking hiermee is die BlackBerry een zakrekenmachine.'

Ik schudde mijn hoofd en weigerde de telefoon aan te pakken. 'Je zou ondertussen toch beter moeten weten. Ik help dat ding naar z'n grootje voordat ik een nieuwe ringtone heb geselecteerd.'

'Klopt,' zei Bailey, en ze liet haar gadget prompt in haar zak glijden.

We passeerden een jong meisje in skinny jeans en Conversesneakers dat een ratachtig hondje uitliet. Haar hoofd deinde mee op een deuntje van haar iPod. Plotseling besloot de hond om tegen het bankje bij een bushalte te plassen waardoor het meisje moest blijven staan en haar oordopjes uitvielen. Er gleed even een verdwaasde blik over haar gezicht, alsof ze zich voor het eerst in een wereld bevond waar ze geen doorlopende muziekstroom kreeg voorgeschoteld. En misschien was dat ook wel zo.

Het meisje bracht mijn gedachten op Susans vader. 'Die ouwe Frank is me er een, vind je ook niet?'

'Wat een eikel,' beaamde Bailey. 'Zo'n vent die zijn eigen naam schreeuwt als hij klaarkomt.'

Ik wierp haar een scherpe blik toe. 'Moet dat nou? Nu staat het voor altijd op mijn netvlies gebrand.' Ik kneep mijn ogen dicht en probeerde het beeld van een stuiptrekkende Frank Densmore uit mijn geest te bannen. *Getver.*

Bailey haalde haar schouders op.

Ze had een aangeboren talent voor vunzigheid, maar omdat ze met drie oudere broers was opgegroeid – en met politieagenten moest samenwerken – hadden haar prestaties een olympisch niveau bereikt.

Ik zette het beeld van Densmore uit mijn hoofd en vroeg me af waarom ik me zo aan hem ergerde. Het was niet alleen dat hij een controlfreak en een betweter was; het probleem was dat de hele wereld hoe dan ook om hem draaide – zelfs als het om de verkrachting van zijn dochter ging. Maar eerlijk was eerlijk: ik had even serieuze bezorgdheid om haar gezien. En als hij zich in Vanderhorns vriendenkringetje had ingekocht om extra aandacht voor haar zaak te vragen, was dat een bewijs van oprechte toewijding, zij het van een ziekelijke, manipulatieve soort. Maar het werkte wel.

'Is het je wel eens opgevallen dat klinieken voor rijke mensen altijd gezondheidscentra heten?' vroeg ik.

'Ja,' antwoordde Bailey, en ze fronste een wenkbrauw.

Het volgende moment bewolkte haar gezicht. 'Zeg, Knight. Als die Luis niet onze man is, moeten we wel iets in Susans slaapkamer zien te vinden, anders kunnen we de zaak wel vergeten.' Baileys stem klonk knorrig toen ze vervolgde: 'Heb ik je trouwens al bedankt voor het feit dat je me bij deze klus hebt betrokken?'

'Nee. Maar je bent altijd al een ondankbaar type geweest,' antwoordde ik.

Bailey wierp me een scheve blik toe.

'We weten in elk geval één ding zeker,' zei ik. 'De verkrachter kende de Densmores. Iemand die nooit in dat kasteel is geweest, kan onmogelijk de beveiliging omzeilen en haar slaapkamer vinden.'

'En dan ook nog eens midden in de nacht,' voegde Bailey eraan toe.

7

Het was bijna acht uur toen Bailey voor het Biltmore stopte. Ik was moe, ik had honger en ik had behoefte aan een borrel om de laatste scherpe randjes van mijn kater glad te strijken.

'Zin in een afzakkertje?' vroeg ik.

'Wel twee ook,' zei ze terwijl ze de auto neerzette op een plek die gereserveerd was voor laden en lossen.

We stapten uit, en ik meed met opzet Rafi's blik toen we de ingang naderden. De parkeerhulp was niet echt een fan van me, aangezien ik vrijwel nooit autoreed. Dit zou me niet populairder maken bij hem. Angel, de portier, zag me langs de parkeerhulp sluipen en wierp me een blik van verstandhouding toe terwijl hij ons binnenliet.

Ik was zoals altijd onder de indruk van de enorme schoonheid die de hotellobby uitstraalde: het gebrandschilderde glas dat hoog boven ons in het koepeldak was gezet, de rijkversierde kroonluchter van Lalique en de weelderige oosterse tapijten die verspreid lagen over de hennakleurige marmeren vloeren. Aan de andere kant, in de hoek naast de bar, stroomde de zachte regen van een fontein met waterval over een muur met Italiaanse tegels. Het geheel verleende de weelderige ambiance een rustgevende elegantie. Als ik door de lobby liep, voelde ik me altijd alsof ik door een statige Rubensiaanse vrouw werd omhelsd.

Rechts van mij stond een groep overdreven blonde stellen van middelbare leeftijd naast een stapel bagage met Lufthansa stickers. Ze droegen lompe sandalen, zwarte sokken en bermuda-shorts – met opzet zowel de winter als de mode van L.A. negerend – en wachtten geduldig terwijl hun aanvoerder poogde de kamerreserveringen op te eisen met een zo zwaar accent dat de receptionist de allergrootste moeite had om het te ontcijferen. Ik knikte naar Tommy, de avondmanager. Hij glimlachte even en stak een hand op. Terwijl hij zich in de richting van de receptionist begaf, hoorde ik de stem van de groepsleider luider worden. Hoewel dat nooit werkt, probeert iedereen de taalbarrière altijd met volume te doorbreken.

Ik trok de zware, donkergekleurde glazen deur van de bar open en voelde de vertrouwde rust van het dikke tapijt, de sfeervolle verlichting en de luxe stoffering toen we de koele, stille schemering binnenstapten. Frank Sinatra zong 'Witchcraft' boven het gedempte rinkelen van glazen, en terwijl we in de richting van de bar liepen, nam ik de omgeving in me op.

Een groepje van vier oudere mannen in klassieke donkere kostuums zat in een van de bosgroene lederen zitboxen rechts van de open haard. In het midden van de ruimte zaten twee jonge vrouwen met blote benen in strakke, dure mantelpakjes van *cosmopolitans* te nippen op een van de weelderig beklede sofa's – ofwel advocaten, of hoertjes die op advocaten probeerden te lijken.

Mijn favoriete barman Drew Rayford stond een manhattanglas af te drogen toen Bailey en ik plaatsnamen op de leren krukken op de hoek van de langgerekte en met koper afgewerkte mahoniehouten bar. We gingen zitten onder een foto van een beroemde jockey, het hoofdstel in één hand en de wedstrijdbeker in de andere.

'Rachel, Bailey,' zei Drew, en hij knikte naar ons. Ik voelde Bailey naast me opwarmen terwijl ze zijn begroeting beantwoordde. Hij zag er vanavond erg elegant uit met zijn donkere broek, het witte overhemd en een zwart vest dat zijn walgelijk smalle taille accentueerde. De witte boord vormde een scherp, maar prachtig contrast met zijn zwarte huid, en het diamanten knopje dat hij in zijn linkeroor droeg, fonkelde wanneer hij zich door het zachte licht bewoog dat vanachter de bar op hem viel. Drew was lang, knap en zo soepel als zijde, en hij kon iedere vrouw krijgen die hij wilde. Helaas lag zijn prioriteit bij het openen van een eigen bar voor de goed gesitueerde medemens, en hij was van plan om dat moment zo snel mogelijk te laten aanbreken. Relaties stonden onder aan zijn lijstje. Het gevolg was waarschijnlijk dat geen enkele vrouw hem zelfs maar half zo vaak zag als ik.

'Dames?' vroeg hij.

'Glenlivet met ijs. Water apart,' antwoordde Bailey.

'Doe mij maar een bloody mary,' zei ik.

'Oei,' zei Drew met een glimlachje.

Als ik 's avonds een bloody mary dronk, kon dat maar één ding betekenen – een kater. Niemand wist dat beter dan Drew. Dat was het nadeel als je hier woonde. Iedereen kende me... en mijn gewoonten. Ik rolde met mijn ogen. 'En we eten ook een hapje,' voegde ik eraan toe.

'Kijk eens aan, dat zien we graag. Ik neem aan dat je dit ook wilt,' zei hij terwijl hij ijs in een glas schepte, het aanvulde met water en het voor me op de bar zette. Ik zweeg totdat hij wegliep om de kaart te halen en onze drankjes in te schenken. Ik sloeg het grootste deel van het water in een keer achterover en schoof het glas naar Bailey toe. Drew hoefde niet te weten dat hij mijn fysieke gesteldheid correct had ingeschat – jezus, een mens mag toch wel wat privacy hebben?

'Ik voel me gebruikt,' zei Bailey, en ze schonk me een zijdelingse blik.

Ik reikte naar de zilveren snacktoren die Drew elke week met iets anders vulde. Vanavond waren er *kalamata* olijven, witlof en pittige amandelen in de aanbieding. 'Nog iets over Jake Pahlmeyers zaak gehoord?' vroeg ik aan Bailey terwijl ik mezelf op een olijf trakteerde.

Voordat ze antwoord kon geven, bracht Drew onze drankjes. Hij overhandigde ons de kaart en spreidde grote witte servetten voor ons uit op de bar.

Bailey keek even naar hem. 'Dank je,' zei ze met een loom glimlachje.

Drew beantwoordde Baileys blik door haar – zo kwam het tenminste op mij over – belachelijk lang aan te kijken. 'Graag gedaan,' zei hij met een grijns, en vervolgens liep hij weg.

Ik kreunde bijna hoorbaar. 'Dat meen je niet?' fluisterde ik. 'Hij naait je een keer en zet je daarna bij het grofvuil. Vergeet niet dat ik hier woon en dat we elkaar daarna gewoon hier blijven ontmoeten.'

'Wie zegt dat hij me niet al eerder een paar keer "genaaid" heeft?' Bailey nipte van haar whisky. 'Trouwens,' zei ze op vanzelfsprekende toon, 'niemand zet mij bij het grofvuil.'

Als ik verder op het onderwerp in zou gaan, zou ik ofwel te veel, of te weinig informatie krijgen. Geen van beide opties sprak me aan. Bovendien had ik wel wat anders aan mijn hoofd.

'Laat maar,' zei ik droogjes. 'Maar hoe zit het nou met Jakes zaak?'

'De FBI bemoeit zich er nu officieel mee,' antwoordde Bailey.

Ik zette de bloody mary aan mijn lippen. De eerste slok ging erin als olie in een roestige motor. Ik haalde diep adem en voelde hoe mijn lichaam zich langzaam begon te ontspannen.

'Dus de Feds hebben de zaak overgenomen en jullie zijn eruit gebonjourd?' vroeg ik.

'Nog niet. We werken met ze samen.'

'Wie is de contactpersoon?' vroeg ik. Als meerdere bureaus samenwerkten, hadden ze normaal gesproken allemaal hun eigen aanspreekpunt om de coördinatie efficiënter te laten verlopen.

'Hales. Ken je hem?'

'Ik heb hem wel eens gesproken,' zei ik op vrijblijvende toon, en ik nam nog een slok van mijn drankje.

Bailey had me door. 'Je wilt me toch niet vertellen dat je van de club bent?'

'Welke club?'

'Doe niet zo schijnheilig, zeg. De geile-meidenclub.' Ze nipte van haar drankje. 'Die vent heeft een complete fanclub van hitsige hoertjes die hem aanbidden,' zei ze met een van afschuw vertrokken gezicht.

'En jij bent zeker Emily Dickinson?'

'Ik zeg gewoon waar het op staat,' antwoordde ze. Ze wipte een amandel in haar mond.

Baileys lompheid ten spijt, betekende dit, dat – als Toni gelijk had – Hales' belangstelling voor mij geen reden was om de champagne open te trekken; het was gewoon weer hetzelfde liedje. Ik hield niet zo van clubjes en ik besloot geen lid te worden van Hales' Hitsige Hoertjes.

'Doe me een lol,' zei ik terwijl ik nog een olijf pakte. 'Ben ik ooit wel eens iemands hitsige hoertje geweest?'

Ik keek naar Bailey, die zich gewonnen gaf. 'Niet dat ik weet.'

'Precies.'

Ik vertelde haar hoe ik met inspecteur Graden Hales in contact was gekomen. Bailey knikte ernstig. Toen ik mijn verhaal had afgerond, dronk ik mijn glas water leeg om vervolgens opnieuw de aanval te openen op de bloody mary.

Bailey keek me peinzend aan. 'Hales is misschien wat populair voor mijn smaak, maar volgens mij is het een prima vent,' zei ze terwijl ze haar glas naar haar mond bracht. 'Het zou geen slecht idee zijn als je Daniel eens een keer zou proberen te vergeten.'

Ik opende mijn mond om te zeggen dat ik ondertussen wel over Daniel heen was en dat het al een jaar geleden was dat ik hem de bons had gegeven. Maar ik wist wat Bailey bedoelde, en hoewel ik het niet wilde toegeven, besefte ik dat ze gelijk had. Het was geen duidelijke breuk geweest. Daniel Rose, een succesvol strafpleiter, was een van 's lands meest gevraagde Strickland experts – advocaten die als getuige-deskundige worden opgeroepen om vragen te beantwoorden inzake de competentie van andere advocaten. Ik had hem ontmoet toen een verkrachter-moordenaar – die door mijn toedoen levenslang had gekregen zonder de mogelijkheid van vervroegde invrijheidstelling – geprobeerd had zijn vonnis te laten vernietigen op grond van het feit dat zijn advocaat incompetent was omdat hij geen ontoerekeningsvatbaarheid had gepleit. Ik had Daniel als getuige opgeroepen om de eis te weerleggen, en vanaf onze eerste ontmoeting had ik een elektriserende spanning tussen ons gevoeld. Ik had er geen idee van gehad dat hij hetzelfde had gevoeld – tot op de dag waarop we de zaak hadden gewonnen.

Daniels verklaring had korte metten gemaakt met de list van de verdediging. Enkele minuten nadat Daniel de getuigenbank had verlaten, was het voorstel om het vonnis te vernietigen door de rechter verworpen. Daniel had me die avond op kantoor gebeld om te vragen wat de rechter had geoordeeld, en nadat ik het hem had verteld, had hij een overwinningsdrankje voorgesteld. Het drankje had zijn vervolg gehad in een etentje, lange gesprekken tot in de kleine uurtjes en de volgende dag een lunch. Tegen het einde van de week hadden we plannen voor het weekend.

De eerste paar maanden waren idyllisch geweest. Een dergelijk gevoel van geluk was mij compleet onbekend. Daniel was mijn minnaar, mijn beste vriend, mijn cheerleader – en iemand die me partij kon geven. Opwinding, steun en een uitdaging, en dat alles in één verpakking. Voor het eerst in mijn leven liet ik mezelf helemaal opgaan in een relatie met een man in plaats van hem op een afstand te houden. Ik voelde weliswaar angst, maar ik was tegelijkertijd vervuld met verwondering – een bleke holbewoonster die voor het eerst in de zon kwam.

Als ik er even rationeel over had nagedacht, had ik kunnen voorspellen wat de ondergang van onze relatie zou zijn geworden – maar ik wilde het niet weten. En zo slopen de vernietigende krachten geruisloos en onmerkbaar mijn onderbewustzijn binnen om vervolgens traag uit te lopen en te stollen in de ruimte die tussen ons was ontstaan.

Aangezien Daniel een bekend expert was, moest hij overal in het land verklaringen afleggen voor rechtbanken en gaf hij regelmatig spreekbeurten. Maar toen we elkaar ontmoetten, was het lezingenseizoen niet afgelopen. Ik had dus niet beseft hoeveel tijd hij normaal gesproken op pad was. Toen zes maanden later het seizoen weer begon, was hij minstens twee weken per maand de deur uit om voordrachten te geven en verklaringen voor rechtbanken af te leggen.

Zonder het zelfs maar te beseffen, begon ik afstand te nemen. Ik had plotseling geen tijd om Daniels telefoontjes te beantwoorden, vervolgens vergat ik hem terug te bellen en op dagen dat hij in de stad was, moest ik altijd langer doorwerken dan anders – wat gezien mijn gebruikelijke werktijden betekende dat ik soms pas rond middernacht het kantoor verliet. In het begin accepteerde Daniel mijn smoesjes – een lastige zaak, een onwillige getuige – maar uiteindelijk begon hij te vragen of er iets aan de hand was. Een zwak stemmetje diep vanbinnen fluisterde dat er inderdaad iets mis was, maar ik wilde het niet weten. Daniel was niet zo'n kei in ontkenning als ik, en uiteindelijk, tijdens wat een romantisch etentje bij kaarslicht bij hem thuis had moeten zijn, vroeg hij me zonder omhaal of ik iemand anders had. Ik was verbijsterd en wist even niets te zeggen. Toen ik uiteindelijk mijn stem terug had, slaagde ik erin te vragen hoe hij zoiets kon denken. En hij vertelde het: alle avonden waarop ik het te druk had gehad om bij hem te zijn, alle telefoontjes die ik niet had opgenomen – en nooit had beantwoord. Ik vertelde hem dat er niemand anders was, en dat was de waarheid. Maar ik zei ook dat ik zo weinig tijd had gehad omdat ik tot over mijn oren in een dubbele moord zat en ik me moest voorbereiden op de rechtszaak. Hoewel ik heel graag wilde geloven dat het waar was, was dat niet zo.

De waarheid was dat mijn oude littekens weer op begonnen te spelen; de littekens die al mijn relaties hadden verziekt; de littekens waarvan ik dacht dat ze eindelijk waren verdwenen nu ik Daniel had. Carla, mijn psycholoog, noemde het een probleem met objectconstantie. Na op jonge leeftijd het traumatische verlies van Romy te hebben meegemaakt, had ik op emotioneel vlak nooit geleerd dat mensen die vertrekken ook weer terugkomen. Het gevolg was dat, steeds wanneer Daniel de stad uitging, een deel van mij, diep in mijn onderbewustzijn, op slot ging tegen de pijn van het afschuwelijke verlies waarvan mijn 'kindzelf' wist dat het aanstaande was. Natuurlijk wist ik dat op dat moment niet. Pas nadat we met elkaar hadden gebroken, wees Carla me erop en besefte ik wat er was gebeurd.

Het trieste is dat ik, zelfs als ik het eerder had beseft, nooit in staat zou zijn geweest om dit tegen Daniel te zeggen. Het maakte me zwak, en dat vond ik afschuwelijk. Bovendien wilde ik hem niet over Romy vertellen. Erger nog dan het erkennen van zwakte was het bekennen van schuld.

We hebben de boel wel weer gelijmd, maar problemen die je

niet oplost, gaan niet vanzelf weg. Ze blijven loeren vanuit hun donkere hoeken waar ze etteren en zweren – totdat uiteindelijk alles ermee is overwoekerd. Gedurende de zes maanden die volgden, gaf Daniel regelmatig aan dat ik me weer terugtrok. En dan bood ik mijn verontschuldigingen aan waarna hij me vergaf. De rest van dat jaar modderden we op die manier voort. Maar ten slotte, vlak voor kerst, accepteerde ik het feit dat mijn demonen me opnieuw hadden verslagen en maakte ik er een einde aan. Het verdriet en de tranen in Daniels ogen boorden zich met fysieke pijn in mijn hart. Het jaar dat op de breuk volgde, schuurde de scherpe kantjes van de pijn maar deed hem niet verdwijnen. Steeds als ik merkte dat ik een paar dagen niet aan Daniel had gedacht, feliciteerde ik mezelf met het feit dat ik over hem heen was... en dan zag ik hem weer in het gerechtsgebouw. Dan kwamen alle oude gevoelens weer boven, vermengd met de wanhoop van het verlies; dan voelde ik opnieuw de pijn, waardoor mijn adem stokte. Bailey en Toni gaan nooit tegen me in als ik zeg dat ik over hem heen ben, maar ze weten allebei wel beter. Ik hoop dat het, als ik het maar blijf zeggen, ooit waar wordt.

'Dus ze hebben Graden Hales op Jakes zaak gezet,' zei ik om het gesprek weer terug te brengen op het onderwerp.

Bailey knikte. 'Voorlopig gaan ze ervan uit dat de knul die ze bij Jake vonden, hem chanteerde. Er zat een naaktfoto van die jongen in het borstzakje van Jakes overhemd. Jake kon hem niet betalen waarna hij instortte en besloot er een einde aan te maken en die knul met zich mee te nemen.'

'Je meent het?' zei ik, plotseling woest om die nonchalante conclusie. 'Is er ook maar iemand die beseft dat het hele verhaal voor geen meter strookt met de persoon die Jake in werkelijkheid was? Er klopt geen donder van!'

Bailey trok een wenkbrauw op. 'De persoon die Jake in werkelijkheid was? Is er soms iets dat ik niet weet over jou en'–

'Doe niet zo idioot,' zei ik op verhitte toon. 'Het klopt gewoon niet. Jake was een goed mens, en hij verdient beter dan een onzinverhaal over... dit soort shit.'

Bailey knikte toen Drew terugkwam. Terwijl ze haar eten bestelde – met de wellustigste stem die ik ooit buiten een James Bondfilm had gehoord – dwong ik mezelf tot rust te komen. Het was niet Baileys schuld dat iedereen zo nonchalant met deze misdaad omging. Toen Drew naar mij keek, voelde ik even de neiging om het verstand overboord te zetten en de scampi te nemen die Bailey had besteld. Maar ik koos voor mijn taille en ging voor de salade niçoise. Drew trok een gezicht dat zei *Alweer?* maar ik negeerde hem. Hij was waarschijnlijk sinds zijn geboorte geen ongewenst grammetje aangekomen.

Toen Drew vertrok om onze bestellingen door te geven, zei ik: 'Sorry, Bailey. Maar ik vraag me alleen af waarom niemand wat dieper graaft. Ik kende Jake behoorlijk goed, en ik'–

Ze stak een hand op om me het zwijgen op te leggen. 'Je preekt voor eigen parochie. Maar wees eens eerlijk: hoe goed kende je Jake echt? Ben je wel eens bij hem thuis geweest? Is hij hier geweest? Ken je zijn familie? Zijn vriendin? Hebben jullie ooit iets anders samen gedaan dan op kantoor zitten en werken?'

Ik schudde zwijgend mijn hoofd. En voor zover ik dat wist, was er geen vriendin. Een ongevraagd zweempje twijfel sloop mijn gedachten binnen. Op Jakes leeftijd, en met zijn uiterlijk en charme zou er beslist een vrouw of een man of wie dan ook in zijn leven moeten zijn of zijn geweest; iemand die op zijn minst een keer ter sprake was gekomen. Hoewel ik zelf vrij gesloten was, had ik Daniels naam zeker een paar keer genoemd. Deze geschiedenis begon een wending te krijgen die me absoluut niet beviel. 'Luister, ik zeg niet dat je geen punt hebt, oké? Ik wil alleen zeker weten dat ze de zaak niet sluiten voordat ze alle mogelijkheden hebben verkend.'

'Waarom praat je niet met Hales?'

'Dat heb ik al gedaan. Hij zegt ongeveer hetzelfde als jij. En om een of andere reden wil hij er bijna niks over loslaten,' mopperde ik.

'Waarschijnlijk hebben ze hem onder druk gezet om niks te lekken.'

Ik nam nog een slok van mijn drankje en overwoog wat ik zelf kon doen. Als openbaar aanklager was ik – zoals ze dat zo mooi zeggen – niet geheel zonder middelen.

Bailey schonk me een taxerende blik. 'Wat ben je van plan?'

'Nog geen idee.'

Drew bracht mijn salade en Baileys scampi. Mijn maag knorde toen ik de rijke aroma's inhaleerde die van haar bord kwamen. Bailey glimlachte. 'Ook een hapje?'

'Ik dacht dat je het nooit zou vragen,' zei ik, en ik pakte mijn vork van de bar.

'O, en... Rache?'

'Ja?' zei ik terwijl ik me concentreerde om een flinke hap van Baileys bord te prikken. De garnaal smolt bijna in mijn mond en ik genoot van de smaaksensatie. Plotseling besefte ik dat Bailey nog steeds naar me keek. Ik beantwoordde haar blik.

'Ik help je.'

Ik stopte met kauwen. Voor iemand door dik en dun gaan is één ding; maar van de klippen springen is een heel ander verhaal. Als ze betrapt werd terwijl ze met haar vingers in deze koektrommel zat te graaien, zou ze enorm in de problemen raken – ze had niets met deze zaak te maken. Ik wist niet wat ik moest zeggen. Eigenlijk wilde ik haar tegenhouden, maar aan de andere kant wilde ik de zaak per se oplossen. Ik besloot niet tegen te sputteren en het aanbod te accepteren. Het enige wat mijn schuldgevoel een beetje temperde, was de gedachte dat ik zou proberen Bailey op de achtergrond te houden en haar zo min mogelijk om hulp te vragen. Ik kon geen woorden vinden om mijn dankbaarheid te tonen, daarom knikte ik en liet ik mijn blik en mijn stilzwijgen voor zich spreken.

Bailey nam nog een slok van haar drankje. De smaak van haar scampi deed me watertanden en ik kon mezelf niet inhouden. Ik bewoog opnieuw mijn vork naar haar bord en richtte op een garnaal. Maar Bailey toonde aan dat zelfs een hechte vriendschap als de onze haar grenzen kent, en ze trok haar bord opzij.

Ik haalde met tegenzin mijn vork weg en richtte mijn aandacht op de salade. Mijn blik viel op een plakje hardgekookt ei. Ik deed alsof het er verrukkelijk uitzag.

8

Toen ik de volgende ochtend mijn ogen opende en zag dat het pas halfnegen was, kroop ik nog eens lekker weg in de luxe Frettelakens. Bailey had om halfelf met de technische recherche afgesproken bij Susan thuis, en ik had aan Melia doorgegeven dat ik de deur uit was voor de zaak-Densmore. Een plaats delict bezoeken was een uitstekende manier om niet op kantoor te hoeven zitten, en in dit geval een zeldzame gelegenheid om uit te slapen.

Het was een heldere, maar frisse ochtend, dus ik kleedde me warm aan in een lange wollen stretch rok en laarzen tot kniehoogte. Ik voelde me een stuk beter nu ik geen kater meer had, en ik zwoer dat ik mezelf nooit meer zoiets zou aandoen. Ik belde naar Rafi, de parkeerhulp, en vroeg hem mijn auto voor te rijden ter compensatie van het feit dat hij geen fooi had gekregen toen Bailey de avond ervoor de auto had geparkeerd. Ik reed zelden, dus ik was niet bang dat ik een financieel precedent zou scheppen wat ik niet kon bijbenen. Ik schrok even toen hij mijn kleine Accord langs het trottoir zette. De auto zag er stoffig uit, en ik had geen tijd om hem door de wasstraat te rijden. Mooie manier om je opwachting te maken in Richie Rich-land. Nou ja, het was niet anders. Ik sloot mijn iPod aan en selecteerde de playlist met mijn jazzmix. Even later was ik onderweg op de muziek van Stanley Turrentine en Maceo Parker. Ik merkte het andere verkeer haast niet op.

Toen ik bij het huis van de Densmores arriveerde, was Bailey al bezig. Ze stond bij een geopende kofferbak met een technisch rechercheur te praten. Ik besefte opgelucht dat het Dorian was. Dorian was een kort, stevig no-nonsensetype en een van de weinige ervaren criminalistes. Ze had gedurende haar twintig jaar bij de politie meer plaatsen delict verwerkt dan veel collega's in een complete carrière. Met Bailey wist je zeker dat je het beste kreeg.

'Hé, Dorian, je bent terug,' zei ik. Ze had het afgelopen jaar voor de Firearms Identification Unit gewerkt.

'Ja, het was voor een tijdje wel leuk, maar ik miste het werk op straat,' zei ze. Dat was voor Dorian een lang, ingewikkeld verhaal. Ze pakte haar onderzoekskit uit de kofferbak. 'Zullen we beginnen?'

'Ik denk niet dat je nog vingerafdrukken vindt,' zei ik terwijl we naar het huis liepen. 'Die kerel is behoorlijk voorzichtig geweest, dus ik acht de kans op aarde of vezels groter.'

Dorian knikte. Dezelfde huishoudster als de dag ervoor deed de deur open. Ze gebaarde dat we binnen konden komen. Ditmaal was Dorian degene die sceptisch werd aangekeken. Dankbaar voor het feit dat ik geen scheve blikken kreeg toegeworpen, keek ik naar Dorians reactie. Als ze het al merkte, liet ze het in elk geval niet zien. We begaven ons naar Susans kamer en bleven voor de deur staan. Dorian zette haar koffertje neer. Ze trok latex handschoenen en papieren overschoenen aan, trok een haarnetje over haar hoofd en ging aan het werk.

'Ik neem aan dat jullie hier al zijn geweest,' zei Dorian terwijl ze het vertrek binnenging. We knikten. Ze gebaarde dat we buiten moesten blijven en schudde enigszins geërgerd haar hoofd.

Ze had gelijk. We hadden niet naar binnen moeten gaan zolang ze de kamer nog niet had onderzocht, maar inmiddels had de hele wereld er al rondgelopen. Niettemin kon wat extra voorzichtigheid geen kwaad. Ik overwoog dat de wereld een stuk beter georganiseerd zou zijn als Dorian de leiding zou hebben.

'Ik heb monsters nodig van jullie haar en jullie kleren – om jullie uit te sluiten. Ook van haar,' zei ze, en ze knikte in de richting van de huishoudster. 'En de ouders en iedereen die hier is geweest. Ik neem aan dat het een flinke waslijst is.'

Bailey en ik knikten gehoorzaam, en ik wierp opnieuw een blik op de openslaande deuren van Susans slaapkamer in een poging me voor te stellen hoe de verkrachter erin was geslaagd om binnen te komen via een venster op de eerste verdieping. Het balkon was nog een flinke klim. De vluchtroute was geen mysterie. Gezien de grootte van het huis had de dader waarschijnlijk al op de snelweg gereden toen iemand Susan had horen schreeuwen. Ik besloot het terrein rond Susans venster te onderzoeken.

'Ik loop even een rondje,' zei ik tegen Bailey.

'Ga gerust mee,' zei Dorian afgemeten. Ze keek even naar Bailey alvorens haar inspectie van het venster te vervolgen.

Ik probeerde een lachje te verbergen door mijn keel te schrapen – maar dat mislukte. Bailey stak haar neus in de lucht, snoof verachtelijk en beende de gang in. Ik slenterde achter haar aan en nam het huis in me op; iets waartoe ik de vorige keer niet in de gelegenheid was geweest. Aan de muren hingen authentieke schilderijen – een beetje te modern en te abstract voor mijn smaak, maar ik herkende de schilders en wist dat de werken een klein vermogen moesten hebben gekost. Kosten noch moeite waren gespaard. Alles was tot in het kleinste detail uniek en van de allerhoogste kwaliteit, zoals een antieke miniatuurbel van kristal die op een geïmporteerd Italiaans dressoir met ingelegd hout stond; en een dik zijden koord in subtiele gouden kleurschakeringen waarmee het gordijn in de ontvangkamer open werd gehouden. Hier stond voor meer geld dan ik ooit van dichtbij had gezien. Ik bleef met mijn onhandige tengels overal van af en haastte me naar de achterzijde van het huis, waar ik via de voorspelbaar reusachtige keuken – twee vaatwasmachines, twee Sub-Zero inbouwvriezers – en vervolgens de dienstingang in de achtertuin belandde.

Bailey, die me met grote stappen voor was gegaan, stond op de patio achter het huis onder Susans balkon. Ik voegde me bij haar en keek omhoog. Het balkon bevond zich op een meter of zes. Ik keek om me heen, op zoek naar een manier om boven te komen. Dat kostte niet veel tijd. Tegen een hoge peperboom stond een schildersladder die tot een lengte van minstens tien meter kon worden uitgeschoven.

'Wordt er hier ergens geschilderd?' vroeg Bailey terwijl ze om zich heen keek.

Ik schudde mijn hoofd. We liepen over de patio langs de achterkant van het huis. Even verderop zagen we inderdaad schilders werken aan de balustrades van een balkon dat volgens mij bij de ouderslaapkamer hoorde.

'Als je er nog aan twijfelt of onze dader een bekende is van de familie...' Bailey bracht een hand boven haar ogen en keek omhoog naar het huis.

'Dat deed ik toch al niet, maar dit geeft de doorslag. Wie het ook was – hij wist in elk geval waar Susan zat en dat er ladders tegen de muur stonden.'

En dat maakte deze verkrachting nog akeliger dan de meeste andere zaken. Hoewel de overgrote meerderheid van de verkrachtingen wordt gepleegd door iemand die het slachtoffer kent, gaat het meestal om een *date-rape*situatie. Dit leek de werkwijze van een serieverkrachter – maar serieverkrachters kozen over het algemeen geen slachtoffers die ze kenden. Niets aan deze zaak leek te kloppen.

We wandelden om het huis heen naar de voorkant. 'Zou mevrouw Densmore aanwezig zijn?' vroeg Bailey.

Terwijl we langs de woonkamer liepen, dacht ik even een waas van beweging te zien. Ik wenkte Bailey, begaf me naar de voordeur en belde aan.

Het was opnieuw de huishoudster die opendeed. Ze zag er ditmaal nog minder enthousiast uit toen ze ons zag. Ik vroeg: 'Is mevrouw Densmore thuis?'

Ze schonk ons een sceptische blik, alsof we in werkelijkheid maar wat aan het klungelen waren en de vrouw des huizes helemaal niet nodig hadden. Ik zette mijn meest dreigende Humphrey Bogart-gezicht op om te laten zien dat het ons ernst was. Ze gebaarde dat we in de hal konden wachten en verdween. Twee minuten later verscheen Janet Densmore. Ze zag eruit alsof ze zo uit een catalogus van het kledingmerk St. John was gestapt.

'Het spijt me dat we u lastigvallen,' zei Bailey op een toon die duidelijk het tegenovergestelde kenbaar maakte.

'Dat zit wel goed – ik ben blij dat ik jullie kan helpen,' zei Janet beleefd en ogenschijnlijk oprecht.

'Wat ik wilde vragen,' zei ik, 'gaat Susan ook naar een kliniek van uw echtgenoot?'

Janet schudde haar hoofd. 'Zijn eerste gezondheidscentrum lag in een slechte wijk, en we wilden niet dat ze... in aanraking kwam met die omgeving. Toen hij centra in betere buurten begon te openen, was Susan al zeven en was ze gewend aan haar eigen arts. We vonden het niet nodig om haar de overstap te laten maken.'

'Waar gaat Susan dan naartoe?' vroeg ik.

'Waarom vraag je dat?' wilde Janet weten.

'Ik vraag me af of er plaatsen zijn waar iemand misschien informatie over Susan heeft zonder dat ze zich daarvan bewust is. Degene die dit gedaan heeft, wist waar ze sliep en hoe hij bij haar moest komen,' antwoordde ik.

Janet keek geschokt. 'Maar een gezondheidscentrum? Je zou toch denken...' Ze slaakte een zucht en wendde haar blik even af, ontzet bij het idee dat Susan zou zijn gestalkt.

'We moeten in dit stadium met alles rekening houden, mevrouw Densmore,' zei ik.

'Janet, alsjeblieft,' zei ze. 'Maar ligt het dan niet voor de hand dat het de jongen was die ze bijles gaf?'

'Absoluut,' antwoordde ik. 'Maar, zoals ik al zei, we kunnen het ons niet veroorloven om nu al mogelijkheden uit te sluiten.'

Dat leek haar enigszins gerust te stellen. 'Ik zal jullie het adres van het centrum geven,' zei ze. Ze zweeg even, en er verscheen een glimlach op haar gezicht. 'Maar ik denk niet dat het nodig is om met haar arts te praten. Hij is een jaar of vijfenzeventig. Ik zie hem niet door een raam een huis binnen klimmen.'

We wisselden een glimlach, en ik vervolgde: 'Ik heb de lijst die jullie aan Jake hebben gegeven met alle plaatsen waar Susan regelmatig komt en alle mensen die bij jullie over de vloer komen. Is er nog iemand die we vergeten zijn?' Het was een verrassend kort lijstje. Het enige dat er niet op stond was Susans kliniek. Zelfs Useless had zo ongeveer iedereen die erop stond al gecheckt.

Janet dacht even na en schudde vervolgens haar hoofd.

'Nog twee dingetjes,' zei ik. 'We hebben haar- en vezelmonsters nodig van jou en je echtgenoot, de huishoudster en van iedereen die toegang had tot Susans kamer. Tenzij dat al is gebeurd,' zei ik, en ik zweeg om haar te laten bevestigen wat ik al wist: Lambkin had geen bal gedaan.

Ze schudde haar hoofd. 'Komt er iemand hier naartoe of moeten we naar het bureau?'

'We laten Dorian het hier doen. En weet je nog wanneer de

schilders aan dat balkon zijn begonnen? Dat van de ouderslaapkamer?'

Janet knikte. 'Natuurlijk. Hij is binnengekomen door het
raam.' Ze staarde even naar de vloer. 'Volgens mij was het ongeveer een week voordat... voordat het is gebeurd. Maar ik kan
de papieren wel even nakijken om de exacte datum te zoeken als
dat nodig is.'

'Heel graag. Dat is voorlopig alles. Als je het goedvindt, gaan
we nu even kijken hoever Dorian is.'

'Natuurlijk. Zal ik Esperanza even roepen om jullie de weg te
wijzen?'

'Ik denk dat we het zelf wel kunnen vinden.' Ik draaide me om
en zei: 'We doen ons best om zo snel mogelijk weer weg te zijn.'

'Neem gerust de tijd, en roep me als jullie iets willen weten.
Ik werk met alle liefde mee. Ik wil dat monster achter de tralies
hebben.'

Janet leek geen emotioneel type, dus als ze ons dit liet zien,
moest ze van binnen wel koken. Ik begreep alleen echt niet wat
zo'n geweldig mens als zij met een zakkenwasser als Frank Densmore deed. Aangezien ik er zelf een paar keer in was getuind,
weigerde ik te geloven dat het alleen om het geld ging.

'Bedankt, Janet,' zei ik. 'Wij ook.'

Ze knikte en liep terug naar de achterzijde van het huis om
verder te gaan met datgene waar ze mee bezig was geweest. We
waren halverwege de trap toen ik een sleutel in het slot van de
voordeur hoorde en Susan naar binnen zag glippen. Ze sloot de
deur zachtjes achter zich en merkte ons in eerste instantie niet
op. Ik keek op mijn horloge: 12:30. Dat leek me nogal vroeg om
uit school te komen.

Ik had het gevoel dat dit veel vaker gebeurde dan haar familie
wist, en ik twijfelde niet aan het waarom. Tienermeiden zijn van
nature *drama queens*. Het deed er niet toe hoe aardig haar klas-
genootjes waren, de tragedie die Susan had doorgemaakt, zou
nog weken een hot topic zijn op Twitter.

Na wat er met Romy was gebeurd, wist ik uit de eerste hand
dat het leven een hel was als je het voorwerp was van dat soort
aandacht.

'Hé, Susan, hoe is het?' vroeg ik zachtjes. Ik hoopte dat de toon van mijn stem duidelijk maakte dat ik haar geheim zou bewaren, en ik had bewust geen opmerking gemaakt over haar vroege thuiskomst.

Susan keek geschrokken omhoog. Er lag een schuldige blik op haar gezicht, maar ik schonk haar een geruststellende glimlach. 'We gaan kijken of de technisch rechercheur iets heeft gevonden. Heb je zin om mee te gaan?'

Ik ben het niet eens met het idee dat slachtoffers in het ongewisse moeten worden gelaten over het onderzoek. Volgens mij spaart dat hun gevoelens absoluut niet. Sterker nog, het versterkt alleen hun besef van machteloosheid. Ik vraag ze liever of ze op de hoogte willen worden gehouden. Als ze aangeven dat ze geen informatie willen, is dat in elk geval hun eigen keus.

'Eh, oké,' antwoordde Susan enigszins verrast.

We haastten ons geruisloos naar Susans kamer en bleven in de deuropening staan. Ik zag dat Dorian een groot aantal vingerafdrukken had genomen van de vensters en het lijstwerk van de openstaande deuren en alle plekken van daar tot aan het bed. Op de grond waren nette rijen met papieren zakjes uitgestald, en Dorian was bezig haar aantekeningen op het klembord te controleren. Bewijsmateriaal in de vorm van haar en vezels kan het beste in papieren zakjes worden bewaard. Zo blijft het materiaal droog terwijl het toch kan ademen. Ik zag dat alle zakjes aan de bovenkant dicht waren gevouwen, behalve een.

Dorian keek op. 'Ze hebben het beddengoed zeker meegenomen?'

'Ja, dat kan zelfs Useless nog wel bedenken,' merkte Bailey op.

'Is er al naar gekeken?' vroeg Dorian. De toon van haar stem gaf aan dat ze het antwoord al wist.

'De nachtjapon heeft nog geen treffer in de database opgeleverd, dus ze maken geen haast. De spullen liggen in de *cleanroom*,' antwoordde Bailey.

Het gerechtelijk laboratorium zat tot aan de nok toe vol en zou pas wat met ons bewijsmateriaal gaan doen wanneer we iemand hadden opgepakt. Bijvoorbeeld iemand als Frank Densmores favoriete verdachte, Luis.

'Iets gevonden?' vroeg ik aan Dorian.

'Geen idee. Misschien.' Ze pakte het papieren zakje op dat nog niet was dichtgevouwen en kwam naar ons toe. 'Deze zaten in het hoofdeinde,' zei ze, en ze hield het zakje op ongeveer een meter van ons vandaan. We bogen ons naar voren om beter te kunnen zien, waarop ze onmiddellijk het zakje terugtrok. 'Blijf waar je bent en gebruik je ogen.'

Ik kneep zachtjes in Susans arm om aan te geven dat Dorian weliswaar blafte, maar niet beet, en we rechtten onze ruggen. Dorian draaide de bovenkant van het zakje in onze richting en we keken naar binnen. Er zaten wat lichtgekleurde haren in. Mijn blik gleed naar het hoofdeinde van het bed. Het was van hout, witgeverfd en met krullen versierd. Ik kon me voorstellen dat er haren in konden blijven zitten als iemand er met zijn hoofd tegenaan kwam. Alleen Dorian zouden de lichte haren in de witte krullen van het hoofdeinde zijn opgevallen. Maar aangezien Susan blond was, zag ik niet in wat er nu zo interessant was. Ik schonk Dorian een vragende blik.

'Ze zijn synthetisch,' zei ze.

'Zoals van een pruik?' vroeg ik.

Ze knikte. 'Of een pop. Als ze wel eens een pop mee naar bed nam, kunnen de haren daarvan afkomstig zijn.' Ze richtte zich tot Susan. 'Heb je hier poppen?'

Susan liep naar een grote witte kleerkast met gouden versieringen en opende de deuren. Drie planken waren gevuld met poppen in alle soorten en maten – Barbie, Skipper en een hoop die ik niet herkende. Het zou een nachtmerrie worden om uit te zoeken of de haren in het hoofdeinde afkomstig waren van een of meer ervan. Maar als de poppen konden worden uitgesloten, vormden de haren mogelijk een aanwijzing.

Dorian liet haar blik langs alle poppen glijden, en ik voelde hoe ze in gedachten uitrekende hoeveel uur het haar zou kosten om ze allemaal met elkaar te vergelijken. Ze draaide zich om naar Susan en zei: 'Ik moet ze allemaal meenemen.'

Susan knikte zwijgend.

'Maak je geen zorgen, we brengen ze terug,' zei ik.

Susan knikte opnieuw, maar zei niets. En terwijl ik toekeek hoe Dorian elke pop in een afzonderlijke zak verpakte, bekroop me het gevoel dat we bezig waren de laatste resten van Susans kindertijd weg te halen.

9

Ik was blij dat ik met mijn eigen auto was gekomen. Ik was niet in de stemming om te praten tijdens de lange rit terug naar het centrum. En eerlijk was eerlijk, Bailey zag er ook niet bepaald vrolijk uit. We stapten allebei in onze auto en ik reed terug naar het Biltmore, ditmaal zonder muziek van mijn iPod. Nadat ik de auto aan Rafi had gegeven – wiens grijns me vertelde dat ik langzaam maar zeker weer bij hem in de gratie begon te komen – liep ik naar kantoor. Soms kreeg ik van de wandeling een beter humeur. Maar vandaag niet.

Maar ik besefte er wel door dat ik honger had. Ik had zoals gewoonlijk een eiwitomelet als ontbijt gegeten, maar de energie daarvan was inmiddels allang verbruikt. Mijn maag rommelde hoorbaar toen ik me naar de lift van het gerechtsgebouw haastte. Hoewel de deuren al dichtgleden, slaagde ik er nog net in mezelf naar binnen te wurmen. Het liep tegen het einde van de lunchpauze en de lift was tot aan de nok toe gevuld. Ik draaide me om naar de deuren en hield mijn adem in. Toni had ooit verteld dat de lucht in dit soort liften een broedplaats was voor bacteriën – veel te veel mensen met veel te veel ziektekiemen die in een veel te kleine ruimte waren gepropt. Sindsdien probeerde ik in drukke liften altijd mijn adem in te houden.

Ik sprong naar buiten op de twaalfde en liep naar de kantine, me een weg banend tussen de mensen door die op de middagzitting stonden te wachten. Ik zag Toni door de glazen deur van de koeling turen, op zoek naar iets eetbaars. Dat was altijd een hele uitdaging.

'Zit er nog wat lekkers bij?'

Toni draaide zich naar me om en rolde met haar ogen. 'Wat lekkers? Ik ben al blij als ik iets kan vinden dat niet giftig is.'

We kozen kalkoen met Zwitserse kaas op tarwebrood, namen er een mineraalwater bij en liepen de gang in waar de laatste wachtenden de rechtszalen binnenstroomden. Onderweg naar de liften zag ik inspecteur Graden Hales Zaal 125 binnenstormen met een stapel papier onder zijn arm – waarschijnlijk politierapporten. Toni volgde mijn blik. 'Wil je hem een keer in actie zien?'

Ik had eigenlijk helemaal geen tijd om te spijbelen. Ik was ervan overtuigd dat de stapel telefoonberichten, verzoeken en andere papieren ondertussen tot aan het plafond reikten. Aan de andere kant voelde ik me behoorlijk depri na het bezoekje aan Susan, en een verzetje was misschien toch niet zo'n slecht idee.

'Ach, waarom ook niet,' zei ik.

Ik zag dat Toni een blik de gang in wierp in de richting van Zaal 130 – het werkterrein van rechter J.D. Morgan. De uitdrukking op haar gezicht vertelde me dat de schakelaar van hun knipperlichtrelatie op 'uit' stond. Het was onduidelijk of dat deze keer haar initiatief was of dat van hem. Ze trokken om beurten de stekker eruit.

Toni zag dat ik naar haar keek en haalde haar schouders op. Ik kneep haar zachtjes in de arm en we liepen de wachtkamer van de rechtszaal binnen, gevolgd door een gepensioneerde *court watcher*. Hij keek even nieuwsgierig naar ons, opende de deur en schuifelde de zaal in. Terwijl de deur achter hem dichtviel, wierp ik snel een blik naar binnen. Ik zag dat de juryleden op hun plek zaten en Graden in de getuigenbank had plaatsgenomen. De advocaat van de verdachte stond juist op voor het kruisverhoor. We glipten naar binnen en gingen op de achterste rij zitten naast de court watcher en zijn bejaarde collega's.

Het was een eenvoudige zaak die steeds duidelijker werd naarmate het kruisverhoor vorderde. De verdachte had tijdens een feestje ruzie gekregen met zijn vriendin. Er was iemand tussenbeide gekomen, waarna de verdachte was vertrokken om de vrouw op te wachten achter een afvalcontainer in de buurt van haar auto. Terwijl ze naar haar auto liep, was hij tevoorschijn gekomen en had hij haar doodgestoken.

De advocaat van de verdachte probeerde Graden te laten toegeven dat er veel meer mensen op het feest aanwezig waren geweest die de moord hadden kunnen plegen. Maar Graden was geen gemakkelijke getuige – hij was rustig, beheerst en onverzettelijk. Na een minuut of twintig werd het duidelijk dat de strafpleiter niet verder kwam en maar wat stond te vissen om het verhoor zo snel mogelijk af te ronden en zijn gezicht te redden. Hij had beter kunnen stoppen voordat hij klem was komen te zitten.

'Dus, inspecteur Hales,' donderde de advocaat, 'is het dan niet zo dat Sonia Fontina de laatste is geweest die het slachtoffer levend heeft gezien?'

Graden dacht even na en antwoordde vervolgens rustig: 'Nee, meneer. Uw cliënt is de laatste die het slachtoffer levend heeft gezien.'

De strafpleiter probeerde bezwaar te maken tegen het antwoord, maar het bezwaar werd verworpen en de advocaat keerde zwakjes terug naar zijn stoel. De officier van Justitie was zo verstandig om de sterke finish niet te verprutsen en besloot de getuige niet opnieuw te verhoren.

Aangezien we achter in de zaal zaten, naast de court watchers, merkte Graden ons niet op toen hij uit de getuigenbank stapte en vertrok.

Toni keek hem na en richtte zich vervolgens tot mij. 'Prima getuige, maar hij is wel een beetje een wijsneus.'

Persoonlijk hield ik er wel van als mijn getuigen wat wijsneuzerigs hadden. 'Ja, maar het werkt wel.'

'Klopt,' zei Toni met iets van een grijns, en vervolgens slaakte ze een zucht. 'Oké. Aan de slag dan maar weer.'

We glipten stilletjes naar buiten en namen de lift naar boven.

Terug op kantoor werkte ik me door mijn dossiers heen totdat de zon achter het Times-gebouw was weggezonken en de trottoirs bijna leeg waren. De dagelijkse avondstilte was neergedaald over het parket. Ik haalde diep adem, strekte mijn armen boven mijn hoofd en rechtte mijn rug om mijn stijfheid weg te werken. Ondertussen keek ik naar de hemel die steeds donkerder werd. In deze tijd van het jaar viel de avond vroeg en snel. Nu ik mijn achterstand had ingehaald en de zaak-Densmore goed op de rit had gezet, kon ik het me permitteren om over Jakes zaak na te denken. Omdat ik Bailey zo min mogelijk wilde belasten, haalde ik mijn mobiele telefoon tevoorschijn en liep de lijst met contacten na. Ik stopte bij de letter 'F' en keek naar de klok op het Times-gebouw. Het was tien voor halfzes. Ik draaide het nummer van Scott Ferrier, de assistent-lijkschouwer. Ik had geluk. Scott was nog niet weg.

'Ik neem aan dat het rapport over Jake ondertussen klaar is,' zei ik. Het was vreemd en afschuwelijk tegelijk om over een rapport van een patholoog-anatoom te praten dat betrekking heeft op een vriend.

'Vraag dat soort dingen niet van me, Rachel.'

'Te laat. Trouwens, je weet dat het bij mij veilig is.'

'Veel te riskant. Als iemand ontdekt dat jij een kopie hebt, lig ik eruit.'

'Wie zou dat dan moeten ontdekken? De schoonmaakploeg? Zelfs als ik het hier midden in de kamer op de grond leg, zien ze het nog niet.'

'Ik weet het niet...'

Ik bespeurde zijn zwakte en greep de gelegenheid onmiddellijk aan. 'Lunch bij Engine Company Nummer 28. Ik betaal.' De oude omgebouwde brandweerkazerne was een van Scotts favoriete restaurants.

Hij slaakte een zucht, verslagen door de verleiding van gastronomische extase. 'Wanneer?'

'Morgen,' zei ik, en ik probeerde de triomf uit mijn stem te houden.

Scott ging akkoord en ik hing op. Ik was tevreden. Het voelde alsof ik in die ene minuut het werk van een complete dag had gedaan. Tijd om te vertrekken. Ik pakte mijn spullen in en vroeg me af of ik langs de sportschool zou gaan, maar ik kon me er niet toe zetten. Ik troostte me met de gedachte dat de wandeling naar Chinatown vergelijkbaar was met een cardiosessie, en ik vertrok. Het Oolong Café was Toni's ontdekking. Ze had haar best moeten doen om me voorbij het felgekleurde roze en groene neonbord te krijgen, maar ik was blij dat ze het had gedaan. Het eten was er verbazingwekkend goed – en je werd er snel geholpen. Binnen een paar minuten had ik een grote boodschappentas met daarin gebakken rijst, kip in sinaasappelsaus en *beef chow mein*, en een kleinere tas met een portie gestoomde groenten.

Ik liep in stevig tempo naar de *West Side* van Broadway, op zoek naar een bepaalde plek. Toen ik de hoek van Broadway en 1st had bereikt, zag ik het: een hoop smerige dekens met daarop een afgedragen Lakers pet.

'Hé, meissie, alles kits? Hoe staan de zaken?' zei een krakende stem, die zo diep was dat hij uit het middelpunt van de aarde leek te komen in plaats van onder de dekens vandaan.

'Alles goed, Cletus,' zei ik. 'En met jou?'

'Ik mag niet klagen,' zei de stem onder de dekens.

'Ik had vandaag zin in kip in sinaasappelsaus,' zei ik, en ik zette de grote tas naast hem neer.

Er kwam een hand onder de dekens vandaan die de tas naar zich toetrok. 'Zo te ruiken heb je ook chow mein meegenomen. Goeie keus, goeie keus.'

'Dank je,' antwoordde ik. 'Pas goed op jezelf.'

'Jij ook,' riep hij naar me.

'Bon appétit,' zei ik, en ik zwaaide.

Met mijn zielige portie gestoomde groenten begaf ik me op weg naar huis.

10

De volgende ochtend begon winderig en koud, maar helder. Ik besloot Scott te verrassen door met de Accord te gaan. Ik bedacht me opnieuw dat ik de auto eigenlijk zou moeten wassen. Aan de andere kant, iemand die in een auto met dode mensen rondreed, zou een paar lege koffiebekers waarschijnlijk niet eens opmerken.

Ik pikte Scott vlak voor twaalf uur op zodat we voor de grote drukte konden lunchen. Na twintig jaar was Engine Co. No. 28 nog steeds een populaire locatie. Het deed me altijd denken aan de oude grillrestaurants in San Francisco. De brandweerkazerne die al sinds 1912 op deze plek stond, was gerestaureerd. Er waren mahoniehouten zitboxen en een fantastische bar, en achter in het restaurant stond nog steeds de oorspronkelijke brandweerpaal.

Ik bestelde een *Cobb salad* en Scott nam spareribs. Scott, die enigszins paranoïde was, bleef om zich heen kijken nadat we een plekje hadden gekregen, en het leek me verstandig om het niet over Jakes zaak te hebben. Ik dwong mezelf om over koetjes en kalfjes te praten, maar kneep onder tafel mijn servet fijn terwijl de minuten zich voortsleepten. Eindelijk bracht de kelner de rekening. Ik betaalde contant om verder uitstel te voorkomen. Toen we in de auto zaten, opende Scott het handschoenenvak. Vervolgens haalde hij het rapport uit zijn jack.

'Berg het op achter slot en grendel,' zei hij terwijl hij het in het opbergvak schoof. 'En zorg ervoor dat niemand je ermee ziet.'

Ik knikte en moest mijn uiterste best doen om geen snelheidsrecord te vestigen toen ik Scott terugreed naar zijn kantoor.

Nadat ik hem had afgezet, reed ik naar Elysian Park, een groengebied in de buurt van de politieacademie in het centrum. Ik parkeerde onder een boom op een plaats waar niemand in de buurt kon komen. Scott was misschien paranoïde, maar het was beter om voorzichtig te zijn dan het risico te lopen dat ik hem in de problemen bracht.

Ik bladerde gehaast door de beschrijvingen van Jake en de jongen die bij hem was gevonden – ene Kit Chalmers – en begon met de informatie waar het om ging. Bij geen van beide slachtoffers waren aanwijzingen gevonden dat ze rook hadden ingeademd. Ze waren dus allebei al dood geweest toen de brand was uitgebroken. Dat kon betekenen dat iemand anders ervoor verantwoordelijk was geweest. Jake had niet gerookt, maar de kans was groot dat Kit dat wel had gedaan. Misschien had Kit een sigaret opgestoken die hij was vergeten. Of misschien was er iets mis geweest met de elektrische bedrading. Verdomme. Veel te veel opties. Ik bladerde verder naar het stuk van Scott. Een assistent-lijkschouwer beschrijft de plaats delict, zij het over het algemeen minder gedetailleerd dan het politierapport. Maar Scotts beschrijvingen waren altijd uiterst nauwgezet, en dit was geen uitzondering. Hij had in zijn stukje de meest walgelijke vuiligheid vermeld, zoals gebruikte condooms in de badkamer, sigarettenpeuken en zelfs een rubberen 'tie' – een riem die junks gebruiken om te kunnen fixen. Geweldig. Het was natuurlijk mogelijk dat een van die sigarettenpeuken de brand had veroorzaakt doordat hij was blijven smeulen. Het lag niet voor de hand, maar het was een optie aangezien het vuur vrij snel was geblust.

De FBI zou het DNA op de peuken met dat van Jake en Kit moeten vergelijken, dacht ik. Maar zelfs als er geen matches werden gevonden, zou dat nog niet veel zeggen. Een kamer in zo'n motel werd hooguit twee keer per jaar gestofzuigd.

Ik ging verder met het toxicologisch rapport. Sporen van THC – marihuana – in Kits bloed, maar Jake was helemaal clean. Dat was geen verrassing. De teer in Kits longen bevestigde dat hij een roker was. De kans dat de brand door zijn sigaret was ontstaan, was hierdoor groter geworden. En als het inderdaad Kits sigaret was geweest, kon mijn theorie dat iemand anders de brand had aangestoken om het bewijsmateriaal te vernietigen, naar de prullenbak worden verwezen.

Ik sloeg een paar alinea's over totdat ik bij de doodsoorzaak kwam. Die was zoals voorspeld bij beiden een schotwond in het hoofd. Vlak naast Jake was een niet-geregistreerde .38 Smith & Wesson gevonden. De tests toonden kruitsporen aan op zijn rechterhand. Niet veel voor een zelfmoord, maar kruitresten waren sowieso erg onbetrouwbaar. Hoewel het niet Scotts taak was om getuigen te verhoren, las ik verder om te zien of er misschien toch nog iemand werd genoemd. Niks. Maar in zo'n luizig motelletje moest je twee pistoolschoten toch kunnen horen? En er was toch vast wel iemand geweest die zijn hoofd om de deur had gestoken om te zien wat er aan de hand was? Ik moest de politierapporten te pakken zien te krijgen, dan zou ik er wel achter komen. Als niemand iets had gehoord, kon dat erop wijzen dat er een geluiddemper was gebruikt. Maar aangezien er volgens Scotts rapport geen geluiddemper op de plaats delict was gevonden, kon dat betekenen dat er alsnog een derde persoon bij de zaak betrokken was geweest.

Het stelde niet veel voor, maar ik was vastbesloten het na te trekken. Onderweg naar kantoor voelde ik een begin van goede moed. Ik reed het parkeerterrein op dat voor ambtenaren was gereserveerd, en Julio, de bewaker, liet me vlak bij het gebouw parkeren. Ik beloofde mezelf opnieuw een work-out wanneer ik thuiskwam, en ik keek op mijn horloge terwijl ik de trap opliep. Het was al kwart voor drie – de tijd vliegt als je gestolen rapporten van de lijkschouwer leest. Ik haastte me naar binnen en moest rennen om de lift te halen.

Toen ik de gang naar mijn kantoor inliep, riep Melia naar me. '*Mija*, kun je even komen?'

Ik liep terug en bleef in de deuropening van de secretariaatsruimte staan. 'Ja?'

Melia knikte naar het kantoor van de baas. 'De *jefe* wil je spreken.'

Eric was aan de telefoon toen ik mijn hoofd naar binnen stak. Hij maakte met zijn vinger een rondcirkelend gebaar om aan te geven dat zijn gesprekspartner niet van ophouden wist en wenkte dat ik kon gaan zitten. *Oké*, zeiden mijn lippen geluidloos, en hij glimlachte.

Ik nam plaats en maakte van de gelegenheid gebruik om van het 180-graden panorama te genieten. Vanaf deze locatie op de zeventiende verdieping had ik een schitterend uitzicht over de straten en de trottoirs en de mensen die zich erover voortbewogen. Links liep een jonge zwarte man in jeans en een *hoodie* over Spring Street, zijn sierlijke tred in het ritme van de muziek uit zijn hoofdtelefoon.

Eric onderbrak zijn gesprekspartner; hij klonk geërgerd. 'Luister, ik heb echt wat meer informatie nodig voor ik daar antwoord op kan geven. Ik stel voor dat je een andere keer terugbelt.' Hij rolde met zijn ogen en schudde zijn hoofd.

Ik knikte begripvol en wierp opnieuw een blik uit het raam. De jonge zwarte man was inmiddels dichterbij. Ik zag nu dat de plug aan het kabeltje van zijn koptelefoon loshing en vrolijk danste in de wind zonder ergens op te zijn aangesloten.

Eric beëindigde zijn telefoongesprek. 'Sorry,' zei hij.

'Dat zit wel goed. Wat is er aan de hand?'

Eric slaakte een zucht – nooit een goed teken – en trok een gezicht dat aangaf dat hij eigenlijk niet wilde zeggen wat hij zou gaan zeggen. Ik zette mezelf schrap.

'Frank Densmore heeft gebeld.'

'Kijk eens aan,' zei ik, niet verrast. 'En hij is over de zeik omdat...?'

'Hij wil dat de zaak wordt afgehandeld. Hij weet wie het heeft gedaan, dat heeft hij Jake verteld, hij heeft het jou verteld en hij baalt ervan dat hij moet wachten totdat de politie en het OM eindelijk zo ver zijn als hij.'

Ik trok een gezicht. '"Zo ver zijn als hij" – nou, daar kunnen we het weer mee doen.'

'We zullen moeten proberen hem tevreden te houden. Hij heeft een gewillig oor gevonden in Vanderhorn'–

'Oor?' onderbrak ik. 'Bedoelde hij niet per ongeluk een ander onderdeel van Vanderhorns anatomie?'

Het moest gezegd worden: Eric keek net zo geërgerd als ik me voelde. 'Hij wilde je vanmiddag spreken, maar je was er niet. En toen werd ik met hem opgescheept.'

O-o. Ik zag plotseling waar dit naartoe ging, en dat was niet zo mooi.

'Luister, Rachel, ik weet dat je niet blij bent met een aantal aannames over Jake en wat er is gebeurd. Maar het is niet jouw zaak, en je kunt een stevige aanklacht wegens insubordinatie verwachten als je blijft rondsnuffelen. Ik ben bereid om mijn hand over mijn hart te strijken... voor deze keer. Begrepen?'

Ik knikte, perste er met moeite een schijnheilige verontschuldiging uit en verexcuseerde me voordat hij de kans kreeg om mijn geïnsubordineerde geest te lezen.

Ik ging terug naar mijn kantoor, liet me in mijn stoel vallen en overdacht mijn opties. Ik kon natuurlijk een geruststellend telefoontje plegen naar pa Densmore, maar ik ben een waardeloze hielenlikker, en de kans was groot dat ik het alleen maar erger zou maken. Daarbij geloof ik heilig in gedragsmodificatie. Als ik hem nu zou bellen, zou dat hem alleen maar belonen voor het feit dat hij Vanderhorn erbij had gehaald, en dan zou hij dat steeds opnieuw doen als hij wat te mekkeren had. Het was beter om Densmore in zijn sop gaar te laten koken en hem te laten zien wie hier de baas was.

Maar Vanderhorn was een ander verhaal. Hem kon ik niet negeren. Ik slaakte een zucht. Een beetje stroop smeren om mijn baan veilig te stellen. Helaas was er maar één manier om Vanderhorn onschadelijk te maken. Uitleggen hoe de vork in de steel zat, betekende voor hem niets. Hij wilde horen dat we vorderingen maakten. Nieuw bewijsmateriaal. Een verdachte die was opgepakt, zou bijvoorbeeld leuk zijn. Ik nam de telefoon op.

'Hallo, met Rachel Knight. Is Dorian aanwezig?' Ik wachtte terwijl de man die de telefoon had beantwoord haar naam riep. De stem kwam me niet bekend voor. Technisch rechercheurs kwamen en gingen tegenwoordig bij de Scientific Investigation Division (SID). Het was net een goedkoop motel. Oude rotten als Dorian werden langzaam maar zeker steeds zeldzamer.

'Hier is ze niet. Probeer anders haar mobieltje even,' zei de man.

'Ik heb het nummer, bedankt,' antwoordde ik, hoewel hij niet had aangeboden het door te geven.

Ik verbrak de verbinding en koos Dorians mobiele nummer. Nadat de telefoon vier keer was overgegaan, nam ze op. 'Yep?'

'Met Rachel. Nog nieuws over het haar en de vezels?'

Dorian snoof. 'Tuurlijk. Ik heb hier ongeveer vijfduizend poppen liggen. Als je even blijft hangen, doe ik de resterende vierduizend ook nog snel.'

Ik had eerlijk gezegd ook nog geen resultaat verwacht. We hadden meer dan dertig poppen uit Susans slaapkamer meegenomen, en zelfs een haastklus zou nog heel wat tijd kosten. Maar de perfectionist Dorian deed niet aan haastklussen, dus ik wist dat dit nog wel een tijdje zou duren. Ik pleegde dit telefoontje om Vanderhorn in elk geval iets als zoenoffer te kunnen aanbieden. Dorian las de korte stilte die in de lucht hing als een boek met grote letters.

'Zeg maar tegen je baas dat hij het snel kan krijgen of goed, maar niet allebei,' blafte ze.

'Van wat ik heb gehoord, wil hij het snel... als je begrijpt wat ik bedoel,' antwoordde ik korzelig. Het ergerde me dat ik niet alleen Vanderhorn zoet moest zien te houden, maar dat ik daardoor ook nog eens de wind van voren kreeg van Dorian.

'Het is wel goed met je, Knight. Zeg maar tegen hem dat het klaar is wanneer het klaar is, en als dat hem niet bevalt, kan hij de pot op,' gromde Dorian, en ze hing op.

De volgende die ik belde was Vanderhorn.

Hij was niet aanwezig. Waarschijnlijk controleerde hij de scheiding in zijn haar of bleekte hij zijn tanden – druk bezig om het pad naar zijn herverkiezing te effenen. Ik was blij dat ik hem niet hoefde te spreken en liet een boodschap achter met de mededeling dat de resultaten van de haar- en vezelmonsters eraan kwamen. Vervolgens leunde ik achterover om te bedenken wat ik nog meer voor de zaak-Densmore kon doen. We hadden de plaats delict opnieuw afgewerkt en Bailey was bezig met het politiebericht van Luis Revelo. Er waren agenten in de weer om al het andere te controleren dat we hadden bedacht, zoals de huisschilders, de mensen van het beveiligingsbedrijf en alle buren en hun bedienden. We hadden in een paar dagen een hoop werk verzet. Ik kon op dit moment niets anders doen dan wachten tot er wat aanwijzingen zouden opduiken die we konden volgen. Aangezien ik me wat betreft mijn belangrijkste officiële zaak op dood spoor bevond – in elk geval voorlopig – richtte ik mijn aandacht op mijn onofficiële klus en overwoog mijn volgende zet.

Zoals ik het zag, moest ik de zaak van twee kanten bekijken: Jakes privéleven, en de achtergrond en de vrienden van de knul die ze bij hem hadden gevonden, Kit Chalmers. Ik kon in elk geval beginnen aan de eerste routineklusjes met betrekking tot Jakes privéleven. Ik belde een vriend bij de afdeling Planning en Training – waar alle nieuwe officieren begonnen en onze persoonlijke gegevens waren opgeslagen – en bracht het onderwerp op

Jake en zijn familie. Dat was niet moeilijk – het hele kantoor was geobsedeerd door het onderwerp. Nadat ik alles had wat ik kon krijgen, hing ik op en toetste het volgende nummer in.

11

Vijf minuten later baande ik me een weg door de mensenmassa's in de lobby, op weg naar het Police Administration Building, liefdevol het PAB genoemd. Het was druk op straat, wat me verraste, en ik keek op mijn horloge. Het was al halfvijf. Jezelf indekken kost een hoop tijd. Het tijdstip verklaarde de hoeveelheid mensen en auto's voor het gebouw: de exodus uit de binnenstad was begonnen. Dat was een meevaller, want daarmee was de kans kleiner dat ik betrapt zou worden bij wat ik van plan was. Als ik mijn baan wilde houden – en dat wilde ik – zou ik slimmer te werk moeten gaan en ervoor moeten zorgen dat ik een paar geloofwaardige verhalen achter de hand had. Een bezoekje aan Bailey was veilig omdat we samen aan de zaak-Densmore werkten, maar ik wilde Bailey niet meer belasten dan noodzakelijk was.

Ik probeerde me voor te stellen wat ze zouden doen als ze er achter kwamen dat ik nog steeds met Jakes zaak bezig was. Zouden ze me overplaatsen naar een of ander gat in de provincie waar ik de rest van mijn carrière overtredingen van de sproeiverordening moest afhandelen? Dat zat er wel in. Eerst een schorsing... en daarna de overplaatsing? Dat was ook mogelijk. Ontslag wegens insubordinatie? Het zou me niet verbazen. Het was een pijnlijk realistische optie. De gedachte veroorzaakte een wee gevoel in mijn maag. En als ik ontslagen werd, wat moest ik dan? Een advocatenpraktijk openen en schorriemorrie verdedigen? Ik schudde mijn hoofd – *been there, done that*, al meteen na mijn studie. Daar kon ik onmogelijk naar terug. En wat bleef er dan nog over – stripteasedanseres? Daar had ik te weinig boezem voor en te veel praatjes. Sterker nog, mijn grote mond zou een probleem worden bij elke denkbare baan van hier tot aan Fox News.

Buschauffeur, cocktailserveerster, lingerieverkoopster – zeg het maar.

Het piekeren over alle manieren waarop mijn obsessie met Jakes zaak tot mijn ondergang kon leiden, hield me bezig tot aan het moment waarop ik op de tweede verdieping van het PAB uit de lift stapte. Precies op dat moment herinnerde ik me dat Hales Baileys meerdere was, wat betekende dat hij hier ook werkte. Het feit dat hij bij de lift stond, hielp ook mee.

'Hé,' zei ik.

'Hé,' antwoordde hij. 'Hoe is het?' Zijn stem had iets onverwachts; iets wat ze vriendelijkheid noemen.

Ik voelde een elektrisch stroompje in mijn buik, maar negeerde het resoluut. 'Wel goed, geloof ik,' zei ik met een nonchalant schouderophalen. *Hé, kijk eens hoe cool ik ben.*

De liftdeuren gingen weer dicht, maar hij stak een hand naar binnen en hield ze open. Macho, maar niet overdreven. Of misschien gewoon beleefd. Ik ben niet zo goed in die dingen.

Hij keek me even zwijgend aan. 'We zijn nog steeds bezig met de zaak van die vriend van je, Rachel. Ik zal ervoor zorgen dat de Feds hem niet afsluiten zolang we de onderste steen niet boven hebben.'

Ik knikte om mijn waardering te tonen. Ik besloot dat hij niet hoefde te weten dat ik juist hier was om me daarvan te verzekeren.

De lift begon uit protest te brommen, en Graden stapte naar binnen. Ik draaide me om, stapte naar buiten en wilde weglopen, maar hij trok de stopknop uit om een einde te maken aan het gebrom en riep mijn naam.

'Lunch jij wel eens?' vroeg hij met een lome, scheve grijns die waarschijnlijk goed bij vrouwen werkte. Het feit dat ik me daarvan bewust was, betekende dat hij bij mij ook werkte.

'Soms,' zei ik.

De grijns ging over in een brede glimlach. Hij drukte de stopknop weer in en zei: 'Ik bel je wel.'

Ik wilde me weer omdraaien, maar bedacht me. 'Ik ben niet veel op kantoor,' zei ik om hem te laten weten dat hij moeite voor me moest doen. Maar de deur gleed dicht voordat mijn opmerking hem kon bereiken.

Ik probeerde Hales' karakteristieke glimlach van me af te zetten en begaf me naar Baileys kantoor.

Ze zat als een zielig hoopje achter haar pc. Ze was dol op gadgets, maar had de pest aan computers. Waarschijnlijk omdat die met administratief werk werden geassocieerd. Ik moest de eerste politieagent nog ontmoeten die van administratie hield. Ik bracht dus niet alleen haar carrière in gevaar – ik maakte haar ondertussen ook nog eens het leven zuur. Het perfecte voorbeeld van de universeel inzetbare vriendin.

Ik rolde een stoel naar haar toe. 'Heb je al wat?'

Bailey keek even om zich heen om zich ervan te verzekeren dat er niemand meeluisterde en antwoordde: 'Die knul, Kit Chalmers, heeft een strafblad.'

Aangezien Kit een jonge jongen was die om het leven was gekomen in een groezelig motelletje dat uurprijzen rekende voor de kamers, was dit even verrassend als een ex-bajesklant die in een wasstraat werkte.

'Waar is hij op gepakt?' vroeg ik.

'Vooral een hoop kleine dingetjes. Hij is begonnen op zijn negende. Diefstal, bezit van marihuana, verstrekken van valse informatie aan een politieagent. Maar het laatste feit is de echte knaller.' Bailey zweeg even. 'Prostitutie.'

Precies wat ik niet wilde horen.

'Hoe lang is dat geleden?' vroeg ik.

'Twee jaar.'

'Dus toen was Kit...'

'Vijftien,' antwoordde Bailey.

'Nog iets na die laatste arrestatie?'

'Nada.'

Bailey en ik keken elkaar aan. We dachten hetzelfde. Toen Kit werd aangehouden voor prostitutie zat hij waarschijnlijk al meer dan zes jaar in de criminaliteit. Het feit dat hij op zijn negende was opgepakt, betekende niet dat het zijn eerste misstap was. Het lag dus niet echt voor de hand dat hij op zijn vijftiende plotseling het rechte pad had gekozen. Daarvoor was hij te vaak betrapt. Alles aan deze zaak was vreemd. En niet op een goede manier.

'Hebben we voor die laatste zaak een rekest ingediend?' vroeg ik. Omdat zaken tegen minderjarigen niet onder het strafrecht vielen 'om het kind te sparen' – ja hoor – hadden ze hun eigen jargon. Je werd dus niet in staat van beschuldiging gesteld, maar er werd bij de rechtbank een rekest ingediend. En een minderjarige werd niet wegens een strafbaar feit veroordeeld, maar 'het rekest werd bevestigd'.

Bailey tikte op de toetsen van haar computer om de informatie op het scherm te brengen die ze had gevonden. 'In Eastlake.'

Eastlake Juvenile Court bevond zich even ten zuiden van de binnenstad, en omdat deze rechtbank zich nabij de territoria van allerlei groeperingen uit de onderwereld bevond, was het er een komen en gaan van de meest onverbeterlijke criminelen. Ik had gehoord dat hier meer moordzaken werden ingediend dan bij het gerechtsgebouw, wat ongetwijfeld verklaarde waarom rond het parkeerterrein voor het personeel een cementen muur met prikkeldraad was neergezet.

'Staat de beschikking erin?' vroeg ik omdat ik wilde weten wat voor straf hij had gekregen.

Ik had wel een idee, en ik hoopte dat ik het mis had.

Bailey trok een gezicht naar het scherm.

'Ga 's opzij. Ik weet waar ik moet zoeken,' zei ik. Ik duwde haar uit haar stoel en ging zelf achter de computer zitten.

Ik was net bezig naar beneden te scrollen toen een zware stem veel te dicht bij mijn hoofd zei: 'Het is vast puur toeval dat u Kit Chalmers' meest recente zaak op het scherm heeft.'

Ik kon alleen met de allergrootste moeite voorkomen dat ik van mijn stoel sprong. Zodra ik weer adem kon halen, draaide ik me half om zodat ik kon zien van wie de stem was. Achter me stonden twee goedverzorgde, gespierde mannen in vlotte kostuums. Echte FBI-types.

'Ja, grappig hè?' zei ik in een poging nonchalant over te komen. Ik besefte heel goed dat ik de sigaar was als ik op rapport werd gezet omdat ik opnieuw mijn neus in de zaak had gestoken terwijl ik net een waarschuwing had gekregen. Maar mannen met gezag zijn net paarden – als je bang overkomt, laten ze je alle hoeken van de kamer zien; maar gedraag je je arrogant, dan laten ze je met rust. Ik was niet van plan om ze te laten weten dat ik ze nauwelijks kon horen boven het bonkende geluid van mijn hart.

De blondste van de twee antwoordde: 'Ik zou niet graag een officier van Justitie laten ontslaan wegens insubordinatie omdat ze niet weet wat het begrip "gewraakt" betekent.' Zijn toon vertelde me echter dat hij daar absoluut geen probleem mee zou hebben.

'Deze officier weet anders heel goed wat "gewraakt" betekent,' zei ik opgewekt. 'En nu mag ik: weten jullie wat "bemoei je godverdomme met je eigen zaken" betekent?' Ik leunde achterover en glimlachte triomfantelijk.

Maar de mannetjesputters keken niet alsof er over hen was 'getriomfeerd'. Ze schonken me een veelbetekenende blik – hun versie van het laatste woord hebben – en vertrokken.

Bailey vouwde haar armen over elkaar en bleef de bullebakken met een stalen blik nakijken. Ik wist dat ze hen graag de wind van voren had gegeven, maar daarmee zou ze alleen maar extra aandacht op ons hebben gevestigd. Ik draaide me weer om naar het beeldscherm, haalde een paar keer diep adem om mijn hart tot bedaren te brengen en scrolde door het verslag van de zitting. In eerste instantie weigerden de letters een herkenbaar patroon te vormen, maar het ging beter toen ik probeerde me te concentreren, en even later slaagde ik erin de tekst te ontcijferen.

De laatste keer dat Kit Chalmers was gearresteerd, had hij vijf 'bevestigde rekesten' op zijn naam gehad. Voor een zesde feit dat zo ernstig was – prostitutie – hadden ze hem naar een kamp moeten sturen. Een kamp is een soort kruising tussen een justitiële jeugdinrichting en een echte gevangenis die eufemistisch CYA wordt genoemd – de California Youth Authority.

Maar Kit was niet naar een kamp gestuurd. Hij was niet eens in een jeugdinrichting beland. Ze hadden hem in het HOP-programma gedaan: *Home on Probation*. Een onzinstraf die helemaal geen straf was. Het kwam erop neer dat hij gewoon naar huis was gestuurd en er alleen maar voor had hoeven zorgen dat hij niet opnieuw in de problemen raakte. Hij had zich niet eens bij een reclasseringsambtenaar hoeven melden. Dit was een lachertje. Bailey vertolkte mijn gevoelens toen ik op het scherm wees om haar te laten zien wat er onder 'Beschikking' stond.

'En daarna helemaal niks?' fluisterde ze ongelovig.

Ik schudde mijn hoofd. Het beviel me absoluut niet wat ik zag, maar ik scrolde verder omlaag in de hoop nog een verklaring tegen te komen die de vieze smaak in mijn mond zou doen verdwijnen.

'Nou, dat was het dan,' zei Bailey toen ik onder aan de pagina was gekomen zonder op verdere informatie te zijn gestuit.

'Wacht eens even,' zei ik zachtjes, en ik scrolde weer een klein stukje omhoog om de laatste alinea te lezen.

En daar was het. Het antwoord waar ik bang voor was geweest. Jakes laatste baan voordat hij twee jaar geleden bij Special Trials was gekomen: hulpofficier van Eastlake Juvenile. De deal met Kit in de prostitutiezaak was geregeld door niemand anders dan Jake Pahlmeyer.

12

Er zat meer slecht nieuws in dit verhaal dan alleen het laten vallen van een prostitutiezaak. Het was ondenkbaar dat een knul als Kit de afgelopen twee jaar niks had uitgespookt. Oké, er was misschien een onschuldige verklaring, en ik zou bereid zijn om daarvoor te vechten. Maar ik vond het wel erg verdacht dat Kits dossier sinds de prostitutiezaak geen enkel delict meer bevatte. En hoewel ik misschien de eerste was die de puntjes met elkaar had verbonden, zou ik beslist de laatste niet zijn.

Bailey en ik staarden naar het scherm en probeerden in stilte de betekenis van dit alles te bevatten. Aangezien ik me bewust was van het feit dat de onverschrokken *feebies* – of God mocht weten wie het waren geweest – elk moment weer achter ons konden staan om mee te kijken over onze schouder, duwde ik mijn stoel van het bureau weg en liet Bailey het programma afsluiten en onze sporen wissen. Ze deed het zonder een woord te zeggen terwijl ik mijn aktetas inpakte. We verlieten zwijgend het gebouw. Het was inmiddels halfzes, en de straten waren bijna leeg. Op de hoek van First en Main keek ik om me heen om te zien of onze vrienden van de FBI zich niet toevallig achter een lantaarnpaal hadden verstopt.

Bailey perste haar lippen op elkaar. 'Dit ziet er slecht uit, Knight.'

'Ik kan het nog steeds niet geloven,' zei ik. Maar terwijl de woorden over mijn lippen kwamen, besefte ik dat mijn volmaakte beeld van Jake kleine barstjes van twijfel begon te vertonen.

Ik staarde naar de straat en zag een gehavende taxi voorbijratelen die op weg was naar de oprit van de snelweg op Broadway. Boven ons strekten de zwarte fluwelen vingers van de avond zich langs de hemel uit om de laatste stralen van de zon te grijpen, zodat de kilte zich door de lucht kon verspreiden. Ik huiverde, ondanks de wollen voering in mijn jas, en ik begon sneller te lopen om weer warm te worden. Ondertussen keek ik naar Bailey.

'Ik geef het niet op,' zei ik, 'maar ik heb er alle begrip voor als jij'–

Ze stak abrupt haar hand op om me te onderbreken. 'Ik stop pas als jij ermee ophoudt.'

'Ik meen het, Bailey. Dit kan wel eens een heel smerig zaakje worden.'

Ze bleef staan en keek me recht in de ogen. 'Daar ben ik van overtuigd. Maar je hebt gelijk: dit is nog maar het begin, en het is duidelijk dat vanaf dit moment alles mogelijk is. Ik doe mee.'

Haar steun was de balsem die ik nodig had om mijn gebarsten herinnering te verzachten. Ik kon niet in woorden uitdrukken wat ik voelde, daarom ging ik voor de tweede keus. 'Zullen we naar El Chavo gaan?'

Dit gezellige restaurantje serveerde zo ongeveer het beste Mexicaanse eten en de strafste margarita's van L.A. tot Baja.

'Perfect.'

Terwijl we naar Baileys auto liepen, begon mijn mobiele telefoon *The Crystal Ship* van The Doors te spelen – een van mijn favoriete rockklassiekers.

'Dat is Toni,' zei ik terwijl ik mijn telefoon tevoorschijn haalde.

'Vraag of ze ook komt,' zei Bailey. 'Ik heb haar al tijden niet gezien.'

Twintig minuten later stapten we uit de auto op het minuscule parkeerterreintje. We slenterden naar het oude adobe gebouw dat was opgetuigd met veelkleurige kerstverlichting die het hele jaar bleef hangen. In het claustrofobisch kleine halletje werden we begroet door Blanca, de vrouw van de eigenaar, die er eerder uitzag alsof ze zijn dochter was.

'Jullie vriendin is er al,' zei ze met een glimlach. Ze pakte twee gelamineerde menu's en gebaarde dat we haar moesten volgen, het smalle trapje af. Toen onze ogen aan het schemerlicht waren gewend, zagen we dat Toni al aan een van de lange picknicktafels zat. Terwijl ik om me heen keek, verbaasde ik me er opnieuw over hoe zoiets simpels als wat slingers met kleine gekleurde lampjes een ruimte in zo'n warme, rozige gloed kon dompelen. Het voelde als een feest zonder einde.

We bestelden een karaf margarita en brachten Toni op de hoogte van wat we te weten waren gekomen. Ze bleef onvermurwbaar. 'Het gaat heel wat meer kosten dan dit om mij te laten geloven dat Jake een moordzuchtige pedofiel met zelfmoordneigingen was.'

Deze simpele, provocerende verklaring deed de rillingen over mijn rug lopen, en ik kon voelen dat ook Baileys humeur een sprongetje maakte. We hieven gezamenlijk het glas in een zwijgende toost en namen een grote, zalige slok.

'En wat nu?' vroeg Toni.

'Ik heb wel een paar ideeën,' begon ik, maar vervolgens liet ik mijn blik door het vertrek glijden. Ik keek even naar Bailey, en de blik op haar gezicht bevestigde wat ik voelde. 'Straks,' zei ik terwijl ik Toni recht in de ogen keek. Ze knikte.

We waren niet de enigen in de business die regelmatig bij El

Chavo kwamen, en ik was al twee keer betrapt omdat ik met mijn neus in Jakes zaak had zitten wroeten. Ik had geen behoefte aan een derde confrontatie.

Ik overwoog even hen te vertellen over Graden Hales' uitnodiging in de lift, maar besloot het niet te doen. Er was nog niets gebeurd, en misschien zou er ook nooit iets van komen. Daarbij was het niet ondenkbaar dat Bailey, aangezien ik officieel van de zaak was gehaald en zij haar nek uitstak om mij te helpen, helemaal niet blij zou zijn als ze zou horen dat de agent die aan het hoofd van de operatie stond – haar baas – mij probeerde te versieren. En nu ik er eens over nadacht, was dat misschien ook niet zo'n goed idee. Het was allemaal net wat te dichtbij om je nog lekker bij te voelen. *En nu we het daar toch over hebben...* dacht ik, en ik richtte me tot Bailey.

'Hoe zit het eigenlijk met jou en Drew?' vroeg ik haar.

'Inderdaad! Ik wil alle sappige details horen,' zei Toni enthousiast.

Bailey lachte, en we bogen ons alle drie een stukje naar voren terwijl ze begon te vertellen over haar fantastische date met Drew in de Rooftop Bar van het Standard. Twee karaffen margarita later belde Bailey een patrouillewagen om ons naar huis te rijden. De agent bleek een enorm stuk. Een trots voorbeeld van de crème de la crème van de LAPD. Toni zat op de bijrijdersstoel. Het zou me niks verbazen als ze hem een nachtzoen heeft gegeven. Hij was de verpersoonlijking van de belangeloze devotie: *To Protect and Serve*. Het motto was nog steeds springlevend in L.A.

13

De volgende ochtend werd ik vroeg wakker, slechts lichtelijk gehavend na het uitje van de avond ervoor. Ik had een afspraak met Jakes zus, Jennifer. Haar nummer had ik mijn collega van de afdeling Planning en Training afgetroggeld. Ik had er geen idee van of het iets zou opleveren, maar alles was beter dan wat ik nu had. Terwijl ik me aankleedde, drong het tot me door hoe triest het

eigenlijk was dat je zo lang met iemand kon samenwerken zonder
ook maar iets van hem te weten. We zijn in wezen maar een eenzame soort. Ik wandelde naar de parkeerplaats achter het gerechtsgebouw, waar ik mijn auto had achtergelaten. Het stoffige
interieur was klam van ochtenddauw – modderige dauw. Geweldig.

Jennifer woonde in Glendale, een slaapstadje op tien minuten
ten noordwesten van het centrum. Ze had er een maisonnette aan
een rustige straat met aan weerszijden bomen. Voor de gevels
stonden ouderwetse bloembakken met weelderig bloeiende blauwe hortensia's. Alles groeide hier als een gek. In de jaren veertig
en vijftig was het gebied ingericht voor tuinbouwdoeleinden en
waren er wagonladingen aarde van topkwaliteit gestort. Maar
de boomgaarden hadden moeten wijken toen onroerend goed te
waardevol begon te worden om het aan fruit te verspillen. De
grond was echter nog steeds fantastisch. Als je een zaadje uit-
spuugde, had je een week later een hele plantage. Ik drukte op
de bel naast de hordeur en deed een stap naar achteren om mezelf
niet op te dringen. Door de deur hoorde ik dat de televisie aan-
stond met het ochtendnieuws. Ik had voldoende tijd om te kunnen horen dat het niet de bekende slappe plagerijtjes waren tussen
onnozele presentatoren, dus het was geen commerciële omroep.
Waarschijnlijk CNN. Een serieus type, die Jennifer.

Ze opende hijgend de deur; ze stond blijkbaar op het punt om
naar haar werk te gaan. Hoewel ik uit Jakes bio van Planning en
Training wist dat ze negenentwintig was, vijf en half jaar jonger
dan haar broer, had ze door kunnen gaan voor een middelbare
scholiere. Tenger, geen make-up, zacht golvend bruin haar tot
over haar schouders – Jennifer was de vrouwelijke versie van
Jake. De overeenkomst gaf me een vertrouwd gevoel, ondanks
de brok in mijn keel. Maar waar in Jake een intens vuur had ge-
woed dat zijn snelle spraak en de passie voor zijn werk had aan-
gewakkerd, straalde Jennifer een zachtblauwe gereserveerdheid
uit. De zon en de maan. En door de manier waarop ze nauwelijks
mijn vingers aanraakte toen ik haar een hand gaf, wist ik dat ze
niet veel onder de mensen kwam.

94

'Hoi, Jennifer, ik ben Rachel Knight. Fijn dat je even met me wilt praten. Ik weet dat het een rottijd voor je is.'

Ze opende de hordeur, deed een stap naar achteren en liet me binnen. 'Dat zit wel goed. Ik was eigenlijk blij dat je belde,' zei ze, en ze veegde een pluk haar achter haar oor. 'Ik heb nooit een van Jakes vrienden ontmoet... Jij bent eigenlijk de enige die hij met name heeft genoemd,' zei ze met een zachte, verdrietige stem. Ik vroeg me af of hij buiten mij nog andere vrienden had gehad. Of zou ik de enige zijn geweest waarover hij iets had *kunnen* vertellen? Ik zette direct het nare idee van me af, maar ik voelde hoe in mijn onderbewustzijn de draden van een herinnering werden verweven.

'Heeft er iemand van kantoor gebeld?' vroeg ik.

'O ja. Ja, ze hebben wel gebeld. Maar, eh... dat is niet hetzelfde, weet je wel...?' Haar stem stierf weg en ze wendde haar blik af. Ze loodste me naar de woonkamer en ik ging zitten op de sofa. Ik deed mijn best om niet te denken hoe vreselijk het moest zijn geweest om een broer onder dergelijke omstandigheden te verliezen en dan ook nog eens niemand te hebben om herinneringen mee op te halen. Ik had een hoop doorgemaakt toen ik Romy kwijt was geraakt, maar ik had nooit hoeven raden naar wie ze in werkelijkheid was geweest. Ik kon me niet voorstellen hoeveel erger dat moest zijn. Aangenomen natuurlijk dat de verhalen over Jake niet klopten. Ik keek om me heen terwijl Jennifer ook plaatsnam op de bank. Een huis zegt veel over de bewoner.

Jennifer had de kleine ruimte slim ingericht – alleen een sofa, een salontafel en een mini-*entertainment center* tegen de muur. Het vertrek was op unieke wijze verstoken van persoonlijkheid. Er stond alleen een ingelijste foto van Jake en haar op de schoorsteenmantel, en te oordelen naar de kleren die ze droegen, nam ik aan dat hij minstens vijf jaar oud was. Geen planten, geen huisdieren, geen kunst. Iedereen had hier kunnen wonen.

'O, heb je misschien zin in een kop koffie... of iets anders?' vroeg ze terwijl ze aanstalten maakte om op te staan.

'Nee, dank je,' zei ik, en ik gebaarde dat ze kon blijven zitten. 'Ik wil eerst even duidelijk maken dat ik niet Jakes enige vriend was. Iedereen op kantoor mocht hem.'

Jennifer beet op haar onderlip en knikte zwijgend. Ik kon zien dat ze moeite moest doen om haar tranen te verdringen. Ze wilde niet uithuilen op de schouder van een vreemde – en misschien ook niet op die van een ander. De inrichting van de kamer gaf aan dat Jennifer niet iemand was die zich gemakkelijk blootgaf.

'Ben je advocaat?' vroeg ik.

Ze schudde haar hoofd. 'Nee, ik ben psycholoog.'

Dat zou beslist niet mijn eerste gedachte zijn geweest. Ik hield mijn gezichtsuitdrukking met opzet neutraal. 'Heb je een eigen praktijk?'

'Ik ben niet *zo'n* psycholoog. Ik voer tests uit voor onderzoek. Momenteel werk ik aan de gegevens voor de volgende editie van de DSM.'

Dat paste perfect. Als onderzoeker zou Jennifer geen patiënten behandelen; ze verzamelde data die gebruikt zouden worden om te bepalen hoe patiënten moesten worden behandeld. De *Diagnostic and Statistical Manual of Mental Disorders* is een soort bijbel voor de geestelijke gezondheidszorg. Psychologen die in een rechtszaak voor de verdediging getuigen, maken er vaak melding van als ze proberen duidelijk te maken waarom de verdachte niet verantwoordelijk was voor verkrachting, moord of het in brand steken van een dozijn bejaarde vrouwen. Ik was net zo dol op dit soort getuigenverklaringen als Keith Olbermann was op Bill O'Reilly.

'Ik had de indruk dat Jake en jij een hechte band hadden,' zei ik.

Die indruk was niet gebaseerd op dingen die hij had gezegd, want Jake had nooit over zijn privéleven gesproken. Het was meer de manier waarop hij haar naam had genoemd – de warmte en de oprechte genegenheid in zijn stem.

'Dat was ook zo,' zei Jennifer. Ze keek even naar de foto op de schoorsteenmantel. 'Toen we opgroeiden in New York hebben we veel met zijn tweeën gedaan. We hebben zelfs een tijdje samen een appartement gehad in de East Village – voordat alles gerenoveerd werd en het onbetaalbaar werd.'

Haar blik dwaalde af en ze glimlachte om de dierbare herinnering.

'Zijn jullie met je ouders hiernaartoe verhuisd?'

Jennifer knipperde even met haar ogen, en ik zag dat mijn vraag haar op hardhandige wijze terug had gebracht in de realiteit. 'Nee. Jake en ik... we hadden genoeg van de kou, en we zagen Californië wel zitten. Dus we hadden wat geld gespaard en zijn hier samen naartoe verhuisd.'

Ze keek naar de grond en slikte. Ik had geweten dat dit gesprek pijnlijk zou zijn, maar het beklemmende gevoel in mijn keel gaf aan dat ik het had onderschat. Ik gaf Jennifer even de tijd om zich te herstellen en vroeg vervolgens: 'Hoe lang is dat geleden?'

'Tien jaar geleden. Hij is rechten gaan studeren. Ik kreeg een beurs en heb een opleiding psychologie gevolgd. We aten af en toe wel samen, maar we kregen het steeds drukker en zagen elkaar steeds minder...' Haar stem stierf weg, en ze zweeg even om zichzelf weer onder controle te krijgen. Ze vervolgde: 'Op een gegeven moment ging hij bij het OM werken en kreeg ik de baan die ik nu heb. Uiteindelijk zagen we elkaar hooguit één keer per maand bij een etentje of zo.'

Ik zag dat ze zich dingen herinnerde en knikte om haar aan te moedigen verder te gaan.

'Maar hij stond altijd voor me klaar, weet je. Het maakte niet uit hoe druk hij het had of hoe moe hij was – hij was er als ik hem nodig had.' Plotseling vertrok Jennifers gezicht van pijn, en ze gooide haar frustraties eruit. 'En hij was niet een of andere gestoorde kinderverkrachter! Het kan me niet schelen wat anderen zeggen, maar dat is gewoon een smerige leugen!'

Ze bedekte haar gezicht met haar handen, boog voorover en begon te snikken. Ik schoof naar haar toe en sloeg mijn armen om haar heen. Ze liet haar hoofd op mijn schouder rusten en huilde alsof het de eerste keer was dat iemand haar iets van troost had geboden. En misschien was dat ook wel zo.

Ik streelde haar haar en wreef zachtjes over haar rug.

'Ik weet het,' zei ik. 'Jake was niet zo iemand.'

Dat hoopte ik tenminste. Ik wilde alle twijfel uit de weg ruimen – zowel van mij als van anderen. De ontmoeting met Jennifer had me nog meer gesterkt in mijn overtuiging dat ik Jakes onschuld moest bewijzen. Ik legde uit dat ik van plan was om me in de zaak te verdiepen en uit te zoeken wat er echt was gebeurd. 'Weet jij iets van zijn privéleven? Wat deed hij in zijn vrije tijd?'

'Vrije tijd?' Jennifer produceerde een vreugdeloos lachje. 'Daar geloofden we niet in. Zoals gezegd, we aten één keer in de maand samen. We gingen uit of ik maakte hier wat klaar.'

Ze zag dat ik naar haar vlekkeloos schone keukentje keek en voegde eraan toe: 'We aten meestal buitenshuis.'

Ik knikte en schonk haar een glimlach. 'Ik woon in een hotel, en wat ik daar vooral waardeer is de roomservice.'

'Dat lijkt me fantastisch – nooit meer vuile borden,' zei ze, en er verscheen een glimlach op haar gezicht. Het was een vriendelijke glimlach. Ik wilde haar helpen die te houden.

'Weet je ook of er vrienden of mensen van buiten het werk waren waar hij mee omging?'

Ze schudde haar hoofd. 'Ik denk niet dat die er waren. Ik heb ze ook niet,' zei ze zacht.

Ik was getroffen door de eerlijkheid van haar opmerking. Dit waren twee rasechte einzelgängers die nauwelijks in staat waren gebleken om met elkaar in contact te blijven, laat staan met andere mensen. De enige echte binding die ze hadden gekend, was die met hun werk. En Jennifer *voelde* zich niet alleen eenzaam – ze *was* ook echt eenzaam. Haar isolement was compleet. Ik voelde wat ze doormaakte, alsof ik het was – waarschijnlijk omdat ik het op zoveel manieren inderdaad was.

Ik probeerde nog wat meer informatie los te peuteren, maar na een paar minuten vruchteloos vragen stellen moest ik mijn nederlaag erkennen. Jennifer had alles gegeven wat ze had, en momenteel werd ze overmand door verdriet dat veel verder ging dan de pijn van Jakes dood.

Ik zei dat ik contact zou houden en dat ze me altijd kon bellen als er iets was. Ze gaf aan dat ze dat zou doen, maar ik geloofde haar niet. En dat deed er ook niet toe. Ik was van plan om haar regelmatig bellen, totdat ze besefte dat ik het meende – of me liet weten dat ik ermee op moest houden. Ik nam afscheid en kneep mijn ogen dicht toen ik haar omhelsde in de deuropening. Terwijl ik naar de auto liep, plande ik in gedachten al lunches met haar en de hulpofficieren van de unit. In hun beroep waren het jakhalzen, maar voor Jennifer zouden ze beslist hun best doen. Ik ging linksaf, de snelweg op, en begaf me in de richting van de binnenstad. De verkeersdrukte viel mee. Pas toen ik de afslag bij Broadway naderde, besefte ik dat ze het niet één keer over haar ouders had gehad.

14

Ik stond voor een stoplicht op de kruising van Temple en Broadway en keek naar de wirwar van werkenden en getuigen die via het zebrapad op weg waren naar het gerechtsgebouw. De laatste oversteek werd gemaakt door een zwangere moeder en haar zoontje. Het knulletje bleef staan om een kauwgomverpakking van de straat te trekken die glinsterde in de zon. 'No papi, es sucio,' zei de vrouw op berispende toon, en ze pakte zijn hand vast en sleurde hem met zijn tenen over het asfalt naar het trottoir.

Het licht sprong op groen en ik reed de kruising over. Toen ik even verderop rechts afsloeg en Spring Street inreed naar het parkeerterrein voor personeelsleden, kwam de herinnering die me sinds het gesprek met Jennifer langzaam steeds meer dwars was gaan zitten, eindelijk uit de schaduwen tevoorschijn. Ik zette de auto aan de kant en liet mijn gedachten de vrije loop.

Ik was net terug van een lange zitting met vier van de grootste idioten van strafpleiters die ik – tot mijn grote spijt – ooit tegenover me had gehad. Ik liep Jakes kantoor binnen om even stoom af te blazen en trof hem voorovergebogen over zijn bureau met zijn hoofd omlaag terwijl hij geconcentreerd met iemand telefoneerde.

'Maak je geen zorgen,' zei Jake op geruststellende toon. 'Ik regel het wel, oké?'

Hij luisterde even, keek vervolgens op en zag mij in de deur-
opening staan. Zijn mond sprak geluidloos: 'Ik kom zo bij je,'
en hij gebaarde in de richting van mijn kantoor.
   Ik knikte en liep de gang weer in. Even later kwam Jake hoofd-
schuddend mijn kamer binnen.
   'Sorry. Ik had net de rechercheur aan de lijn die over die stal-
kermoord gaat,' legde hij uit. 'Hij is pas begonnen, en ik moet af
en toe zijn handje vasthouden.'
   'Geen punt,' antwoordde ik.

Maar ik had geweten dat het een leugen was. Ik had het nummer
op het display van zijn telefoon herkend. Het was van Central
Juvenile Hall.

Ik had toen niet begrepen waarom hij had gelogen, maar ik
heb het onderwerp nooit ter sprake gebracht. Er waren zat onschuldige redenen te bedenken waarom Jake iemand van Juvenile
Hall zou moeten spreken. Sommige daarvan eisten misschien
zelfs geheimhouding, bijvoorbeeld als een minderjarige getuige
met het OM samenwerkte en er rekening moest worden gehouden
met wraakacties van bendeleden. Ik had het wel vreemd gevonden dat Jake me niet met die informatie had vertrouwd, maar ik
had aangenomen dat hij het zekere voor het onzekere had moeten
nemen.

Nu moest ik met een andere, veel beangstigender mogelijkheid
rekening houden. De herinnering – en wat die mogelijk betekende – was uiterst verontrustend. Hoe kon ik me zo in Jake hebben
vergist? Hoe kon ik een kant van hem hebben gemist die zo weer-
zinwekkend en verdorven was? Ik wilde met alle geweld bewijzen
dat het niet waar was, dat het telefoontje niets had betekend.
Daar zou ik wel wat voor moeten rondsnuffelen, en ik kende geen
veilige manier om dat te doen.

Boos en gefrustreerd richtte ik mijn gedachten op Kit Chalmers. Ik nam aan dat er nog wel wat speelruimte was om meer
informatie over hem te verzamelen, maar veel was het niet. En
het was ook niet zo dat ik niks anders te doen had. Ik stond onder
grote druk om vorderingen te maken in de zaak-Densmore, en

dan had ik de rest van mijn dossiers nog. Ik begon langzaam in paniek te raken toen ik besefte hoeveel werk ik nog moest verzetten. Ik dwong mezelf om te ontspannen en na te denken.

Ik keek even om me heen om te zien of er agenten rondliepen. Vervolgens legde ik mijn mobieltje in mijn schoot, klapte het open en draaide Baileys nummer.

'Zo meteen bij mij op kantoor,' zei ik. Ze verbrak de verbinding zonder de moeite te nemen om antwoord te geven.

Ik liep nog even de kantine binnen om een kop koffie te halen. Toen ik in mijn kantoor kwam, was Bailey er al. Ze had haar voeten op het bijzettafeltje onder het venster gelegd en tuurde door het raam naar beneden.

'Je laat er geen gras over groeien,' zei ik. Ik zette mijn tasje op de grond naast mijn bureau en liet me in mijn stoel vallen.

Bailey draaide haar hoofd om zodat ze me kon zien zonder haar positie te veranderen. 'Heb je de zus gesproken?'

Ik knikte en bracht haar op de hoogte. Ze kreunde. 'Dus we hebben niks aan haar informatie – alles ligt nog open. Geweldig.'

Vervolgens vertelde ik haar over Jakes telefoontje met iemand van Juvenile Hall.

Bailey fronste haar wenkbrauwen en zweeg even. 'We kunnen geen telefoonbestanden controleren zonder dat iemand het merkt,' zei ze ten slotte.

'Nee.'

'De kans is groot dat het volkomen onschuldig was,' voegde ze eraan toe.

'Die kans is groot.'

We zwegen een tijdje en dachten allebei hetzelfde: we konden niet uitsluiten dat het telefoontje mogelijk bewees dat Jake een ongezonde belangstelling had voor kinderen uit maatschappelijk zwakke groepen.

Maar voorlopig leidden deze gedachten nergens toe, en ik stapte over op een onderwerp dat hopelijk productiever zou blijken. 'Heb je die Luis uit de zaak-Densmore nog nagetrokken?'

'Wat dacht jij dan? Ik moest wel een rekruut een schop onder zijn hol geven om het voor elkaar te krijgen, maar daar zit ik niet mee,' zei Bailey, en ze zwaaide met een stapeltje papier.

Het was niet alleen dat ze er niet mee zat; ik wist dat Bailey genoot van elke kans die zich voordeed om lijntrekkers aan het werk te zetten.

Ze begon te lezen: 'Opgepakt wegens bezit van marihuana op zijn twaalfde, gearresteerd wegens inbraak toen hij veertien was.' Bailey zweeg even om spanning op te bouwen. 'Geen bevestigde rekesten.'

'Echt waar?' zei ik ongelovig. Bailey knikte. Ze vond het ook onvoorstelbaar. Het was zo gemakkelijk om voor de kinderrechter een rekest bevestigd te krijgen dat het een verrassing was wanneer iemand vrijuit ging.

'Vorig jaar opgepakt voor het in bezit hebben van cocaïne. Hij beweerde dat iemand anders het spul in de auto had laten liggen'–

Ik fronste mijn wenkbrauwen bij de populaire 'iemand anders heeft het gedaan'-verdediging. Bailey keek me veelbetekenend aan en las verder. 'Heeft alsnog schuld bekend in ruil voor twee dagen hechtenis, die hij heeft uitgezeten.'

'En niemand heeft ooit een wangslijmvlies-uitstrijkje afgenomen voor zijn DNA?' vroeg ik.

Bailey haalde haar schouders op. 'Het stelde niet zoveel voor allemaal.'

'Maar toch,' zei ik geërgerd. Elke verkrachter moet *ergens* beginnen. Waarom niet bij een arrestatie wegens cocaïnebezit? 'Zit hij nog in zijn proeftijd?' vroeg ik.

Bailey las verder en antwoordde: 'Yep. Wacht even.' Terwijl ze door de papieren bladerde, gebaarde ik dat ik naar het toilet ging, en ze wuifde me weg.

Toen ik terugkwam, liet ze haar telefoon in haar jaszak glijden. 'We hebben een gesprek met de reclasseringsambtenaar over' – ze keek op haar horloge – 'een halfuur.'

Ik knikte. Als we meteen vertrokken, zouden we het precies redden. Het enige probleem was dat ik, toen ik na mijn gesprek met Jennifer uit Glendale was vertrokken, geen honger had gehad, maar nu voelde mijn maag hol. 'Ik moet zo even wat te eten halen in de kantine.'

Ik belde Melia. 'Wil jij Eric laten weten dat ik met Bailey naar Pasadena ben voor de zaak-Densmore?' vroeg ik. Ik wilde per se dat het duidelijk was dat ik niet aan Jakes zaak werkte – om een wit voetje te halen.

'Eh, oké,' zei Melia afwezig.

Ik had haar waarschijnlijk gestoord tijdens het zwijmelen bij de bio's van de hoofdrolspelers van Hollywood Men, een populaire stripshow vol gespierde kerels. *Gustavo houdt van strandwandelingen bij zonsondergang...* Normaal gesproken zou het me niet kunnen schelen, maar ditmaal was het belangrijk dat ze de informatie bij de hand had voor het geval Vanderhorn weer een verrassingsbezoekje zou afleggen.

'Melia, dit is belangrijk. Even concentreren, oké?'

Toen ze eindelijk klonk alsof ze half aanwezig was, herhaalde ik de boodschap en vroeg ik of ze hem nog een keer wilde voorlezen. Nadat ik de naam 'Densmore' voor de derde keer had gespeld, kreeg ik de indruk dat ze het had begrepen. Ik kon er alleen maar het beste van hopen. Ik pakte mijn jas en mijn aktetas, klopte op mijn zak om te voelen of mijn .22 er nog in zat en gebaarde naar Bailey dat ik zover was.

We waren zo snel in Pasadena dat ik nauwelijks tijd had om mijn *chicken Caesar-wrap* naar binnen te werken. Ik veegde mijn mond af met het zielige servetje dat de kantine had meegegeven en keek in de spiegel of er geen kruimels op mijn gezicht zaten. Tegen de tijd dat ik klaar was, had Bailey de auto geparkeerd.

In het onopvallende gebouw met zijn muren van beton en de lelijke groene overheidsverf kon elke denkbare regeringsinstantie zijn ondergebracht. Bailey toonde haar politie-insigne, en de verveeld uit zijn ogen kijkende receptionist gebaarde dat we door konden lopen en zoemde ons door de veiligheidsdeur.

De reclasseringsambtenaar van Luis Revelo was een corpulente zwarte man met een open, vriendelijk gezicht die gekleed ging in een gemakkelijk zittend kobaltblauw poloshirt en een kakibroek. Volgens het naambordje op zijn bureau spraken we met iemand die Tyrone Jackson heette.

Hij gebaarde dat we konden gaan zitten terwijl hij zijn dossier van Revelo nog even doornam. Een paar minuten later was hij er blijkbaar van overtuigd dat hij op de hoogte was van de belangrijkste zaken. Hij sloot het dossier, leunde gevaarlijk ver achterover in zijn stoel en zei: 'Er zijn geen problemen meer met Luis geweest. Geen nieuwe aanhoudingen en geen positieve tests.' Hij keek van mij naar Bailey. 'Kan ik verder nog iets voor u doen?'

'Wanneer heeft u hem voor het laatst gesproken, meneer Jackson?' vroeg ik.

'Zeg maar Tyrone,' corrigeerde hij terwijl hij naar de laatste pagina van het dossier bladerde. 'We hadden een afspraak op 24 januari, maar volgens mijn aantekeningen is hij niet komen opdagen. Hij zei dat hij ziek was, dus ik heb hem maar een vinkje gegeven.'

Ik keek naar Bailey. 24 januari was de dag na de verkrachting.

'Heeft hij nog een nieuwe afspraak gemaakt?' vroeg Bailey.

'Nee, maar aangezien hij niet in de problemen zat, leek het me geen spoedgeval.' Tyrone gebaarde naar een stapel dossiers van een meter hoog die achter hem op de grond stond. 'Daar heb ik er namelijk genoeg van om ook zonder de lichte gevallen voorlopig nog vooruit te kunnen.'

Ik zou geen probleem hebben gehad met zijn logica, ware het niet dat Luis Revelo de eerste en enige verdachte was in een verkrachtingszaak. Voor mij was deze knul daarmee een typisch spoedgeval. Maar ik had het gevoel dat Useless – als hij Tyrone al had gesproken – niks over de zaak Densmore had gezegd. Het antwoord op Baileys volgende vraag gaf aan dat ik gelijk had.

'Wist je dat Revelo verdacht wordt van de verkrachting van een jong meisje in de Palisades?'

Tyrone fronste zijn wenkbrauwen. 'Daar weet ik niks van.' Hij zweeg even en zei vervolgens: 'Hij lijkt me niet het type dat zoiets doet, maar het zou niet de eerste onaangename verrassing zijn die ik op mijn bord kreeg.'

'Zou je hem even kunnen bellen om te zeggen dat hij langs moet komen voor een routinecontrole?' vroeg Bailey.

In plaats van te antwoorden, pakte Tyrone de telefoon op. Nadat aan de andere kant een keer of drie het belsignaal was overgegaan, vroeg hij in het Spaans met een zwaar Engels accent of hij Luis kon spreken. Nadat hij had opgehangen, zei hij: 'Volgens zijn moeder ligt hij te slapen. Hij heeft de hele nacht gewerkt.'

Hij keek naar Bailey. 'Hebben jullie een arrestatiebevel?'

Ze schudde haar hoofd. 'Daar is nog niet genoeg bewijsmateriaal voor.'

'En daarom hebben jullie mij nodig,' zei Tyrone.

Bailey en ik knikten.

'Oké, laten we dan maar gaan,' zei hij, en hij stond op om zijn insigne en zijn wapen aan zijn riem te bevestigen.

15

Luis Revelo woonde aan de verkeerde kant van het spoor in een arbeidersbuurt in Sylmar, een stad in het noorden van de San Fernando Valley. De grotendeels Spaanstalige stad was relatief rustig en beschaafd geweest, totdat de gangbangers er binnen waren getrokken en het in een oorlogsgebied hadden veranderd. Er waren nog steeds enclaves die bevolkt werden door de fatsoenlijke, hardwerkende armen van alle rassen die ooit kenmerkend waren voor Sylmar, maar die lagen inmiddels ook onder beleg.

We parkeerden voor een 'tuintje' waar alleen autobanden, achtergelaten speelgoed en lege bierflessen groeiden. De verf op de voordeur was zo sterk afgebladderd dat ik niet kon zien welke kleur hij had gehad, en de sierstrip van de linkerdeurpost was verdwenen. We liepen het pad op en trapten lege flessen opzij.

Een kleine vrouw met een lange, ongekamde vlecht deed open.

'Mevrouw Revelo?' zei Tyrone.

Ze leek oud genoeg om Luis' grootmoeder te zijn, maar ze was waarschijnlijk zijn moeder. Mensen werden een stuk sneller oud als het leven zo zwaar was.

'Sí. Estás buscando a Luis?'

Het feit dat ze onmiddellijk wist voor wie we kwamen, gaf aan dat ze weinig illusies had wat haar zoon betrof.

'Sí, yo estoy el oficial de'—

'*Sí, sí, entiendo,*' onderbrak de vrouw. Ze wees op een deur in de woning en legde uit: '*El está durmiendo.*'

Tyrone gebaarde dat we bij de voordeur moesten wachten. We hadden geen arrestatiebevel en konden Luis dus niet in zijn eigen huis aanhouden. Tyrone beende regelrecht naar de deur en bonsde er luid op. 'Luis, hier is je reclasseringsambtenaar. Doe open.'

Geen antwoord. Hij klopte opnieuw en herhaalde zijn boodschap, ditmaal luider. Geen reactie. 'Luis! Ik kom je kamer in!'

Het volgende moment hoorden we het geluid van brekend glas, gevolgd door een harde bons. Tyrone ramde zijn schouder tegen de deur en Bailey haalde haar .44 tevoorschijn om hem rugdekking te geven. Ik stak mijn hand in mijn zak, zette de veiligheidspal van mijn .22 om en rende langs de buitenkant van het huis.

Toen ik de hoek omging, zag ik een jonge man op blote voeten in een mouwloos t-shirt en jeans in de richting van de omheining in de achtertuin rennen. Ik schoot een keer in de lucht en riep: 'Politie!'

Maar dat wist hij natuurlijk al – daarom rende hij weg. Ik aarzelde een fractie van een seconde, onzeker of ik het schot kon rechtvaardigen. We hadden hem nog niet officieel met de verkrachting in verband gebracht en hij werd ook nergens anders voor gezocht. Hij was dus niet noodzakelijkerwijs een misdadiger op de vlucht. Die korte aarzeling was alles wat hij nodig had. Luis, of wie het ook was, zwaaide zijn lichaam over de omheining en verdween uit het zicht. Een seconde later stormden Bailey en Tyrone de achterdeur uit in de richting van het hek, maar het was te laat. Ik keek of er nog iemand anders uit het huis kwam, maar ik zag alleen de dunne stof van een goedkoop gordijn uit een geopend slaapkamerraam wapperen.

'Verdomme!' zei Tyrone volledig buiten adem. Bailey, die er niet uitzag alsof ze zich had ingespannen, liet zich een aantal kleurrijker krachttermen ontvallen.

Ik stak geërgerd mijn Beretta in mijn zak. 'Het is mijn schuld,' zei ik. 'Ik had hem makkelijk kunnen raken. Ik had het moeten doen.'

'Er was geen reden om te schieten,' zei Bailey op nuchtere toon.

Daarbij bezat ik geen wapenvergunning.

Tyrone, die met zijn handen op zijn knieën voorovergebogen stond om zijn ademhaling onder controle te krijgen, kwam overeind. 'Ik zal een herroeping van de voorwaardelijke invrijheidstelling indienen zodat jullie een arrestatiebevel kunnen regelen,' zei hij. Hij richtte zich tot mij. 'We pakken hem vroeg of laat wel op, maak je geen zorgen.'

Ik maakte me geen zorgen over de vraag of we Revelo op zouden pakken; het waren de woordjes 'vroeg of laat' die me niet aanstonden. 'We moeten dit als een overwinning laten klinken,' zei ik, 'anders hangt Frank Densmore straks weer met Vanderhorn aan de telefoon om zich te beklagen dat we zijn hoofdverdachte door de vingers hebben laten glippen.'

'Daar heeft ze wel gelijk in,' merkte Tyrone op. Bailey schonk hem een dreigende blik, en hij wierp zijn handen in de lucht. 'Zo is het toch?' Terwijl we terugliepen naar de auto haalde Tyrone zijn mobiele telefoon tevoorschijn om het herroepingballetje aan het rollen te brengen.

Toen Bailey en ik op kantoor arriveerden, waren we het eens over hoe we de zaak zouden brengen. Ik belde Eric en vertelde hem ons verhaal, zodat hij het aan Vanderhorn kon doorgeven.

'We stonden op het punt om hem aan te houden, maar iemand moet hem hebben gewaarschuwd. Geen idee waar hij is, maar we hebben een arrestatiebevel uitgevaardigd zonder mogelijkheid tot borgtocht. Gezien de haast die hij had om weg te komen, ziet het ernaar uit dat hij schuldig is aan de verkrachting. We weten niet of hij nog andere dingen op zijn geweten heeft. Kortom, je kunt tegen Vanderhorn zeggen dat we de zaak voor kunnen laten komen zodra hij is opgepakt.'

'Maar we weten dus niet wanneer dat is.' Eric slaakte een zucht. 'Oké, ik geef het door. Nemen jullie contact op met Densmore?'

'Het lijkt me dat Vanderhorn dat maar moet doen. Het is zijn vriendje. En dan voelt hij zich eens nuttig voor de verandering,' antwoordde ik.

Ik hoorde de glimlach in Erics stem toen hij zei: 'Ik had nooit verwacht dat je de woorden "nuttig" en "Vanderhorn" nog eens in combinatie zou gebruiken.' Hij zweeg even en vervolgde op ernstiger toon: 'Ik twijfel er niet aan dat Vanderhorn meteen de kans aangrijpt om een potentiële donateur als Densmore van dit nieuws op de hoogte te brengen. Ga er maar van uit dat het telefoontje voor het einde van de dag wordt gepleegd. Zodra Densmore het hoort, verwacht hij binnen vijf minuten een arrestatie. Hou maar vast rekening met een hoop tegenwind als dat niet gebeurt.'

Ik had mijn mobieltje nog niet dichtgeklapt of de standaard ringtone klonk – 'FM' van Steely Dan. Ik staarde even naar de onbekende cijfercombinatie en klapte de telefoon weer open in de veronderstelling dat iemand een verkeerd nummer had ingetoetst. Het was Graden Hales. Natuurlijk. Ik was moe, gefrustreerd en had een rothumeur omdat ik Revelo had laten lopen, en Bailey stond met haar neus boven op me. Logisch dat hij nu belde.

'Je zult ondertussen wel trek hebben,' zei Graden op luchtige toon.

Ik besefte dat hij me mobiel had gebeld terwijl ik hem mijn nummer niet had gegeven. Aan de andere kant zou dat geen verrassing moeten zijn – hij was tenslotte een politieagent. 'Je had me ook op mijn werk kunnen bellen. Ik zit gewoon op kantoor.'

'Ik wilde indruk op je maken met mijn vindingrijkheid.'

Het was niet echt een inbreuk op mijn privacy. Ik gaf mijn mobiele nummer tenslotte ook regelmatig aan strafpleiters. Toch zat het me niet helemaal lekker. 'Nou, ik ben onder de indruk,' zei ik droogjes.

De stilte aan de andere kant vertelde me dat hij slim genoeg was om te beseffen dat deze superkracht van hem niet tot mijn favorieten behoorde.

Bailey trok een wenkbrauw op; ze had door dat het telefoontje niks met werk te maken had. Ik kon haar niet zeggen dat het Graden was aangezien ik haar niets had verteld over zijn lunchuitnodiging en het niet het soort nieuws was waarmee je haar plotseling overviel. Maar ik had er wel iets over willen zeggen, en nu wilde ik dat ik het had gedaan. Ik knikte om te bevestigen dat het privé was en zei geluidloos: *Ik vertel het nog wel.* Bailey knikte terug, gebaarde dat ik haar later moest bellen en vertrok.

De toon van Gradens stem was verzoenend. 'Ik weet het goed gemaakt. Als je morgen met me gaat lunchen, regel ik een geheim nummer voor je. Niemand komt het te weten. Ik ook niet.'

Hij was behoorlijk snel van begrip. Ik dacht even aan Baileys waarschuwing – dat hij een vrouwenverslinder was – maar een lunchafspraak was geen grote verplichting. Trouwens, wat had ik te verliezen? Ik keek in mijn agenda. Die stond vol met hoorzittingen voor mijn andere zaken. Ik had ze achter elkaar gepland om er in één keer vanaf te zijn.

'Morgen zit ik helemaal vol. Wat denk je van volgende week?'

We werden het eens over dinsdag.

'Wat denk je van twaalf uur?' vroeg hij. 'We zien elkaar voor het gebouw.'

Ik zei dat het in orde was, maar zodra ik de telefoon had dichtgeklapt, begon ik me af te vragen of het wel zo'n goed idee was. Ik was niet zo goed in het maken van nieuwe vrienden, tenzij ze in de jurybanken zaten; van een eerste afspraakje werd ik altijd nerveus en humeurig. Toen kwam ik op het idee dat ik van de gelegenheid gebruik kon maken om hem uit te horen over Jakes zaak. Die gedachte stelde me onmiddellijk gerust.

Ik bracht de rest van de middag door met het mezelf voorbereiden op de komende hoorzittingen: in welke zaken ik voorstellen zou doen en welke op de gewone manier zouden worden afgehandeld – de complete procedure, zonder voorstellen en deals. Om vijf uur had ik zin in een borrel, en ik liep naar Toni's kantoor.

'Wat dacht je van Charlie O's?' vroeg ik. Charlie O's was een gezellige jazzbar zonder fratsen; een van onze favoriete kroegen.

'Ik ga me meteen bekeren tot de god die jou met deze blijde boodschap heeft langs gestuurd,' zei Toni. Ze had ineengedoken achter haar computer gezeten, maar nu leunde ze naar achteren en slaakte een diepe zucht. 'Ik heb alleen niet echt zin om terug te rijden. Kan ik vannacht bij jou op de bank pitten?'

Toni's woning, een klein, maar ontzettend knus huisje met twee slaapkamers, bevond zich boven aan een van de lange kronkelwegen in Laurel Canyon. Zelfs overdag was het een rotweg, dus na een avondje uit sliep ze liever bij mij dan dat ze zich aan een rit in het donker waagde. En omdat Toni en ik ongeveer dezelfde maat hadden, hoefde ze zich geen zorgen te maken over kleren. Uiteraard klaagde Toni – omdat ze nu eenmaal Toni was – regelmatig over het feit dat mijn garderobe zo saai was. Haar kleding was vrouwelijker met frutsels en tierlantijntjes. Daarbij was ze van boven wat ruimer toebedeeld dan ik. Maar ik loste het probleem altijd op door te zeggen dat ze de volgende dag ook gewoon dezelfde outfit weer aan kon trekken – wat voor haar hetzelfde was als voorstellen om in een felgekleurde hippiejurk en enkelkettinkjes naar het werk te gaan.

'Geen probleem,' zei ik.

'Komt Bailey ook?' vroeg Toni. 'Ik heb die meid al tijden niet gezien.'

'Het is nog geen dag geleden,' antwoordde ik geamuseerd. 'Ik bel haar wel even.'

Ik sprak af dat we Bailey om halfacht voor het hotel zouden ontmoeten. Toen ik thuiskwam, trok ik een spijkerbroek aan waarvan ik de pijpen in mijn kniehoge motorlaarzen stopte. Ik maakte het plaatje af met een Harley-Davidsonvest. Toni ontdekte mijn sandalen met bandjes en koos voor jeans in combinatie met de rozerode trui die ze na een vorig uitje had laten liggen. Om vijf voor halfacht waren we klaar met de finishing touch en haastten we ons naar beneden, precies op tijd om te zien hoe Bailey aan kwam rijden.

Charlie O's was geen chique tent. Het was een kleine ruimte met een plafond in cottagecheese-stijl dat grauw was geworden door de walm van miljoenen sigaretten uit de tijd waarin roken nog was toegestaan. Aan de muren hingen portretten van jazzcoryfeeën als Miles Davis, Sonny Rollins, en McCoy Tyner. Bij de achterdeur, waar de stamgasten binnenkwamen, hing een vrolijk schilderij van het exterieur van de club dat was gemaakt door een voormalig cocktailserveerster.

Het was een fantastische avond. Tenorsaxofonist Pete Christlieb gaf leiding aan een strak kwartet, en de martini was vrijwel zeker de beste die ik ooit had gedronken.

'Proost,' zei ik. 'We hebben de week weer overleefd.'

'Daar drink ik op,' zei Toni gemeend.

We klonken met onze glazen, lieten de muziek over ons heen komen en ontspanden ons. Toen de band zijn eerste pauze nam, bestelden Toni en ik nog een drankje. Bailey, die de bob was, schakelde over op mineraalwater met limoen.

'Ik ga maandag zelf even de huizen in de buurt van de Densmores langs. Misschien vind ik nog getuigen,' zei Bailey nadat de serveerster was vertrokken.

'Denk je niet dat die Luis het heeft gedaan?' vroeg ik.

'Ik wil er zeker van zijn dat we alle andere opties hebben uitgesloten wanneer we hem vinden. Dan kunnen we meteen verder.'

Ik keek Bailey onderzoekend aan, wat niet eenvoudig was in de schemerige club. Als ze bereid was om zelf zo'n rotklusje op te knappen, was er iets gaande.

'Heeft Densmore je chef gebeld?' vroeg ik.

'Yep,' gaf Bailey toe.

Ik slaakte een zucht en we pakten allemaal ons glas op. Het was de laatste keer die avond dat we over het werk spraken.

16

Ik was van plan geweest om mijn ochtend zoals gewoonlijk om halfacht te beginnen en had mijn wekker dan ook op dat tijdstip gezet. Maar het leven werkte – ook zoals gewoonlijk – niet mee. Op het barbaarse tijdstip van halfvijf jengelde mijn telefoon me hardhandig uit een diepe slaap waardoor ik plotseling met bonkend hart en in een soort versufte staat van alertheid recht overeind in bed zat. Ik pakte geërgerd de hoorn op en zei met schorre stem: 'Lo?'

'Rachel, met Elan.'

Mijn slaapdronken brein kwam niet verder dan de vraag: *Elan? Welke Elan?* Maar hij vervolgde: 'Van de hotelbeveiliging. Iemand heeft je auto beschadigd'–

'Hé?' zei ik, nog steeds niet helemaal wakker. 'Maar die staat in de garage'–

'Klopt, je auto staat in de garage. En het lijkt me beter dat je beneden komt, want ik ga de politie bellen,' zei hij op overdreven geduldige toon.

'Ik kom eraan,' zei ik, en ik verbrak de verbinding. Een adrenalinestoot lanceerde me uit bed in de richting van de kledingkast. Mijn hersenen probeerden te bedenken wat er kon zijn gebeurd, maar dat leidde tot niets. Ik friste me even op, kamde mijn hand door mijn haar en trok een spijkerbroek en een hoodie aan. Toni lag vredig te pitten op de slaapbank, dus ik liep op mijn tenen de kamer uit en rende naar de lift.

Onderweg naar de garage probeerde ik me te herinneren waar Rafi normaal gesproken mijn auto parkeerde, maar toen de deur open gleed, bleek dat probleem alvast opgelost. Ik hoefde alleen de jankende sirenes van het alarm maar te volgen. Ik rende in de richting van het lawaai met de afstandsbediening in mijn hand. Zodra ik aan de andere kant van de garage mijn Honda zag, begon ik verwoed op de knop te drukken. Het lawaai hield op, en door de contrasterende vroege-ochtendstilte voelde de lucht ineens als een compacte massa. De weerkaatsing van mijn voetstappen leek uit de verte te komen en voegde een surrealistisch uittredingseffect toe aan een toch al bizar moment.

Ik had verwacht dat de wagen was aangereden en dat de dader er tussenuit was geknepen, en ik vreesde een flinke deuk aan te treffen. Maar toen ik me op een meter of tien van mijn auto bevond, wilde ik dat het een aanrijding was geweest. De motorkap, de kofferbak, de deuren en zelfs het dak waren bespoten met felgekleurde verf in een duidelijk leesbaar schrift. 'Lil' Loco' van de 'Sylmar Sevens' was hier geweest; mijn kleine zuinige karretje was getekend voor het leven. En voor het geval ik had gedacht dat alleen overspuiten het probleem zou verhelpen, was het woord *'puta'* – hoer – in het linkervoorportier gekrast. De kerf was zo diep dat het metaal zichtbaar was.

De Sylmar Sevens waren ongetwijfeld Revelo's bende. Dit was hun manier om aan te geven dat ik van hun *homie* af moest blijven. Vlak beneden de verwarring en de woede voelde ik een siddering van triomf. Dit betekende dat we onze verkrachter hadden gevonden. Densmore had toch gelijk gehad. Verdomme. Ik draaide me om naar Elan, die foto's stond te nemen met een geavanceerd uitziende digitale camera.

'Ik stel het op prijs dat je mij eerst hebt gebeld,' zei ik.

'Dat zit wel goed,' zei hij afwezig terwijl hij doorging met het maken van foto's.

'Voor mij hoef je dat niet te doen, hoor. Dat regelt de politie wel,' zei ik terwijl ik Baileys mobiele nummer intoetste.

Elan wierp een blik op de foto's die hij net had genomen, en het duurde even voordat hij besefte wat ik had gezegd. Hij keek even op en antwoordde: 'Deze zijn niet voor jou.'

Ik keek hem aan, plaatste mijn handen in mijn zij en wachtte op de verklaring die me ongetwijfeld niet blij zou maken. En ik werd niet teleurgesteld.

'Het is voor een fotoboek waar ik aan werk... over L.A., mijn zwager is agent. Hij zegt dat hij een uitgever voor me kan vinden.' Hij begon opnieuw om mijn auto heen te lopen. Ik kreeg er de kriebels van, alsof een of andere perverseling foute foto's van een kleuter maakte.

Gelukkig wilde hij geen regisseur worden. Even later arriveerde Bailey met een technisch rechercheur die zulke kleine oogjes had dat ik me afvroeg of we straks foto's van het dak van de garage zouden krijgen. Ik wendde de rechercheur mijn rug toe en fluisterde tegen Bailey: 'Probeer de foto's van Elan te pakken te krijgen. Hij heeft er zeker honderd.'

Bailey slenterde op hem af en duwde haar leren bomberjack open zodat het pistool op haar heup was te zien. Ik ging ervan uit dat Elans foto's over vijf minuten op haar bureau lagen. Samen met een of andere door haar ondertekende flauwekulovereenkomst die haar verbood om de foto's zonder zijn toestemming te publiceren.

Toen de technicus was vertrokken, nam ik de schade aan mijn nu veelkleurige autootje op. 'Ik neem aan dat ik er nog wel mee kan rijden.'

'Dan zou ik wel eerst die vier doorgesneden banden vervangen,' merkte Bailey nuchter op. 'Maar gezien de manier waarop jij rijdt, zul je nauwelijks verschil merken.'

In alle opwinding had ik op een of andere manier over het hoofd gezien dat mijn auto een stuk lager stond dan normaal. De banden waren inderdaad kapot. De verf was tot daaraan toe – ik kon de carrosserie vrij goedkoop over laten spuiten. Maar de banden?

'Hoe moet ik in vredesnaam vier nieuwe banden betalen?'

'Dat hoef je niet. Voorlopig niet, tenminste. Zolang Luis Revelo nog niet achter de tralies zit en we geen informatie over die bende hebben, rij je met mij mee.'

Ik opende mijn mond om te protesteren, maar sloot hem onmiddellijk weer toen Baileys woorden tot me doordrongen. De realiteit was dat de vernielingen aan mijn auto als waarschuwing en misschien zelfs als doodsbedreiging waren bedoeld. Mijn adrenalinerush maakte plaats voor een kille bonk angst in mijn maag. *Ze weten waar ik woon*, dacht ik. *Ze weten in welke auto ik rij.* Ik schoof mijn handen in de zakken van mijn sweater om te verbergen dat ze beefden, en mijn rechterhand zocht instinctief naar het geruststellende staal van mijn .22 Beretta. Toen herinnerde ik me dat ik hem in mijn kamer had laten liggen. Plotseling werd ik overweldigd door een gevoel van zwakheid en kwetsbaarheid – iets waaraan ik een ontzettende pesthekel had. Normaal gesproken zou ik me hebben beklaagd over het verlies van zelfstandigheid dat Baileys voorstel met zich meebracht, maar in dit geval moest ik met het schaamrood op de kaken bekennen dat het me eigenlijk een verrekte goed idee leek. Maar dat hoefde Bailey niet te weten – niet meteen.

'Doe me een lol en meld dit niet meteen.'

'Hoezo?' vroeg Bailey verbaasd.

'Zodra ze dit op kantoor te weten komen, krijg ik een stel beveiligers achter me aan.'

Bailey knikte en maakte mijn gedachten af: 'En dan kunnen we Jakes zaak verder wel vergeten.' Ze zweeg even en knikte vervolgens. 'Revelo zit voor je het weet achter de tralies. Zodra we hem hebben en het nieuws zich heeft verspreid, laten ze jou met rust.'

'Precies,' antwoordde ik. Gangbangers mochten dan misschien dom zijn; ze waren zeker niet gek. De zaak-Densmore zou aardig wat publiciteit krijgen, en als Revelo eenmaal was gearresteerd, had het weinig zin om onnodig risico te lopen door achter de aanklager aan te gaan. Als ze één hulpofficier van Justitie zouden afschrikken, zou het OM gewoon een andere op de zaak zetten. Daarbij hadden de Sylmar Sevens het veel te druk met drugshandel en autodiefstal; ze zouden geen kostbare tijd gaan verspillen aan iets wat geen cent opleverde, zoals het treiteren van een officier van Justitie.

Ik zag dat Bailey gaapte. Nu de opwinding was weggezakt, begon ik het ook te voelen, en ik bracht een hand naar mijn mond toen ik een geeuw voelde opkomen.

'Wil je bij mij pitten?' vroeg ik 'Toni ligt op de slaapbank, maar als we haar opzijschuiven, pas jij er nog wel naast.'

Bailey knikte, en we namen de lift naar mijn verdieping. Toen we de deur openden, lag Toni nog steeds te slapen, luid snurkend en zich nergens van bewust.

Bailey en ik glimlachten naar elkaar. Ik fluisterde: 'Trusten,' liep mijn slaapkamer in en sloot de openslaande deuren.

Ik bestelde alvast het ontbijt. 'En doe er een extra portie bacon bij,' zei ik in de hoorn. Na alle consternatie kon ik me dat wel veroorloven.

17

'Hoe heb ik daar in godsnaam doorheen kunnen slapen?' vroeg Toni terwijl ze de tweede pot koffie aansprak.

Bailey bedankte; ik verwelkomde het kostbare vocht.

'Jij slaapt nog door het einde der tijden heen. Herinner je je dat tripje naar Vegas nog?' vroeg ik.

Toni wierp me een scherpe blik toe. 'Ik was moe, en we hadden de hele avond *craps* gespeeld.'

Ik lachte toen ik eraan terugdacht. 'Het stel in de kamer naast ons maakte een vreselijke scène,' zei ik tegen Bailey. 'Wat ik ervan kon horen, was dat een van hen meer geld had verloren dan ze hadden afgesproken. Ze hebben wel een uur tegen elkaar staan schreeuwen, en op een gegeven moment begonnen ze zelfs met dingen te smijten. Dat leek me een opportuun moment om'–

'Opportuun?' zei Bailey met een opgetrokken wenkbrauw. 'Is het niet een beetje vroeg voor dat soort taal?'

'Ze heeft de "advocaatschakelaar" omgezet,' merkte Toni droogjes op.

'Een opportuun moment om de manager erbij te halen. Iedereen in die vleugel bleek het te hebben gehoord, zo heftig ging het eraan toe.' Ik zweeg even en knikte in Toni's richting. 'Alleen juffrouw Thang hier heeft natuurlijk overal doorheen geslapen.'

Bailey gniffelde, en Toni gooide een stuk bagel naar me. Ik dook net op tijd weg en hoorde het de muur achter me raken. Mijn vork bewoog zich ongemerkt in de richting van Baileys omelet met avocado, kalkoen en Zwitserse kaas en prikte een hapje weg. Het was zalig.

'Trouwens, Bailey, nu we het toch over mijn advocaatschakelaar hebben,' zei ik. 'Aangezien we waarschijnlijk onze hoofdverdachte in de verkrachtingszaak hebben, moesten we maar eens haast gaan maken met het uitsluiten van de rest.'

Bailey knikte. Zelfs als we het troffen met een nette DNA-match, konden we het onderzoek niet stopzetten. De verdediging zou dan stellen dat we voor het gemak de meest voor de hand liggende verdachte hadden opgepakt en de 'echte' boosdoener hadden laten ontkomen.

'Ik heb nog geen goed alibi voor die rare beveiligingsvent,' zei Bailey. Ze zag dat ik voor de tweede keer mijn vork in de aanslag bracht en trok voor de zekerheid haar bord weg. 'Weet je wat: als jij me mijn eigen ontbijt laat opeten, beloof ik dat ik hem nog een keer natrek.'

'"Raar" en "beveiligingsvent" – is dat geen pleonasme?' merkte Toni op.

'Volgens mij wel,' zei ik terwijl ik mijn aandacht op Toni's toast richtte. Ik slaagde erin om met mijn *stealth*vork heimelijk een stukje te bemachtigen.

'Jouw maag is altijd groter dan je mond, hè?' zei Toni met voorgewende ergernis.

Ik negeerde de retorische vraag. 'Hoe zit het met die tuinman die eerder is veroordeeld wegens seks met een minderjarige?' vroeg ik aan Bailey.

'Ik ben nog steeds bezig met zijn alibi,' antwoordde ze. 'Maar ik heb wel ontdekt dat de aanklacht is afgezwakt. Zij was bijna zeventien en hij was net achttien, blablabla – je kent het wel.'

Dat was inderdaad het geval. Sommige dingen zijn minder erg dan ze lijken.

'Maar ik trek de zaak nog wel even na, dan weten we het zeker,' beloofde Bailey.

'Hoever zijn jullie eigenlijk met Jakes zaak?' vroeg Toni. Ze legde haar servet naast haar bord en haalde haar spiegeltje en wimperkruller tevoorschijn. Hoewel het zaterdag was en Toni waarschijnlijk niet veel interessanters te doen had dan kleren wassen, zag ze er altijd pico bello uit. Mijn make-upritueel bestond meestal uit datgene waarvoor ik op dat moment het geduld had. Als gevolg daarvan was het resultaat nogal onvoorspelbaar.

'Ik zit op een dood spoor met Jakes achtergrond, dus ik moet achter Kit aan. Ik ga beginnen met zijn schoolgegevens,' antwoordde ik. Bailey schonk me een vragende, sceptische blik. 'Wat? Ik ken een hoop mensen – denk je soms dat ik geen telefoontjes kan plegen?'

'Laat me in elk geval even weten wat je ontdekt,' zei Bailey. Ze gooide haar servet op tafel, stond op en liep naar de badkamer, waar ik haar extra tandenborstel en kam bewaarde.

Ik zette de zilveren cloche op mijn bord met de half opgegeten eiwitten en liep naar de spiegel in de woonkamer. Ik bond mijn haar in een paardenstaart, wikkelde een zwarte sjaal om mijn hals en trok mijn zwarte, met wol gevoerde regenjas aan. Zwart op zwart. Ik was Rachel Knight, de sexy spionne. Met een likje stroop op haar gezicht, zag ik.

'Zeg, Rache, kan ik een jas van je lenen?' vroeg Toni. 'Het is buiten stervenskoud.'

Ik keek uit het raam. Boven de stad hadden zich wolken samengetrokken en de wereld zag er grauw en kil uit. Ik gaf haar mijn jopper. Bailey kwam naar buiten met een walgelijk frisse blik op haar gezicht en hield de deur open terwijl ik de serveerboy de gang in rolde, waarna we een voor een naar buiten liepen.

'Zal ik jullie even naar kantoor brengen?' vroeg Bailey.

'Dat zou geweldig zijn,' zei Toni. Ze had haar auto op het werk laten staan toen we de avond ervoor naar Charlie O's waren gegaan, en ze was niet het type dat genoot van een wandeling, zoals ik. Ik vermoedde dat de sandalen die ze nog steeds droeg er iets mee te maken hadden. Toni had haar werkkleren van de dag ervoor in een waszak gedaan en mijn nieuwe rode sweater met v-hals aangetrokken.

'Die staat je zo goed dat ik hem misschien niet eens terug wil,' zei ik tegen haar.

Toni wierp haar hoofd in haar nek alsof ze werd gefilmd voor een shampoocommercial. 'Ik hoop dat je niet de pest aan me hebt omdat ik zo knap ben.' Ze lachte. 'Jou zou deze sweater ook goed staan, dame. Het is een fantastische kleur rood.'

Ik deed een stap achteruit en bekeek haar. Het was inderdaad een fantastische kleur rood. Ik vond het heerlijk dat Toni zulke dingen wist.

We stapten in de lift, en Bailey draaide zich naar me om. 'Waar ga jij naartoe?'

'Niet ver,' zei ik. 'De Hall of Records.'

'De Hall of Records? Op zaterdag?' vroeg Toni.

De liftdeur gleed open. We stapten de lobby in en liepen naar de ingang. 'Ik heb een afspraak met Kevin,' zei ik. 'Ik leg het een andere keer wel uit.' Ik wilde mijn missie niet in het openbaar bespreken.

Ik had eigenlijk zin om te voet te gaan. Dan kon ik me ontspannen en mijn hoofd leegmaken. Maar ondanks de geladen

.357 in mijn tasje was ik nog steeds aangeslagen door de gebeurtenissen van de afgelopen nacht. Bailey zette me af op de hoek van Temple en Broadway en ik zwaaide toen ze wegreed. Terwijl ik de Hall of Records binnenging, moest ik erkennen dat de mogelijke doodsbedreiging van de Sylmar Sevens me meer raakte dan ik had verwacht. Ze waren duidelijk niet van plan om me op een feestje uit te nodigen. Ik troostte mezelf met de wetenschap dat het niet persoonlijk was. Ze kenden me tenslotte niet. Met een beetje geluk zou daar op korte termijn verandering in komen. Dan zouden ze echt een reden hebben om de pest aan me te hebben. Die gedachte vrolijkte me op in de lift omhoog naar Kevins kantoor.

Kevin Jerreau, een vriend uit mijn studietijd en inmiddels jeugdofficier van Justitie, was akkoord gegaan met een afspraak bij hem op kantoor. Voor een aanklager was hij opvallend knap – het *surferboy* type – en alle meiden in mijn trainingsgroep waren verliefd op hem geweest. Het was hilarisch geweest om te zien hoe ze zich in allerlei bochten hadden gewrongen om tijdens de lessen of de lunch naast hem te kunnen zitten – want ik had gezien wat zij blijkbaar niet konden zien: Kevin was homo. En we mochten elkaar vanaf het eerste moment. Gezien de beroerde relaties die ik achter de rug had – ook toen al – vond ik zijn gezelschap verfrissend. Kevin was op zijn beurt blij dat hij niet alweer een hijgende vrouw teleur moest stellen. Hij maakte me wegwijs in de hiphop, wat mij ertoe bracht hem de meest heteroseksuele homo te noemen die ik ooit had ontmoet. In ruil daarvoor leerde ik hem wat goede jazz was – met als gevolg dat hij het aanlegde met een tenorsaxofonist.

Hij gebaarde dat ik binnen kon komen en nam het vel papier aan dat ik hem overhandigde. 'Is dit de knul die ze bij Jake hebben gevonden?' vroeg hij terwijl hij zijn stoel een stukje opzij rolde om iets in te typen op zijn computer.

'Ja, en ik ben al op mijn vingers getikt omdat ik me met de zaak bemoeide, dus als je'–

Kevin gebaarde dat hij het begreep. 'Toen je vroeg of ik op zaterdagochtend naar kantoor wilde komen, wist ik meteen hoe laat het was,' zei hij terwijl hij met half dichtgeknepen ogen naar het beeldscherm tuurde. Uiteindelijk slaakte hij een zucht en zette zijn leesbril op. 'Marsden High,' zei hij.

Kevin keek me van opzij aan. 'Ken je Marsden High?'

Ik schudde mijn hoofd.

'Typische probleemschool, veel drop-outs.' Hij keek weer naar het beeldscherm. 'Die knul van jou zat in het derde jaar. Nooit een hoger cijfer gehaald dan een D.' Kevin scrolde verder. 'O, ik zie dat ik het mis heb. Hij had een C voor autotechniek. Goed werk, Kit.'

'Heeft hij aantekeningen? Is hij wel eens geschorst? Ik heb echt een aanknopingspunt nodig.'

Kevin boog zich naar voren. 'Honderdduizend keer te laat,' zei hij terwijl hij verder omlaag scrolde. 'En... een keer betrapt wegens spijbelen.'

Bingo. Ik rechtte mijn rug. 'Wanneer?'

'Twee maanden geleden.'

'Kijk eens aan.' En nu de hamvraag. 'Waren er ook anderen bij?'

Kevin bestudeerde opnieuw het beeldscherm. 'Twee andere jongens, allebei van dezelfde school.' Hij voelde mijn volgende vraag aankomen en noteerde de namen op een schrijfblok dat naast het toetsenbord lag. Vervolgens scheurde hij het vel van het blok en overhandigde het aan mij.

'Je bent een held, Kev,' zei ik. Nadat ik een blik op het papier had geworpen, vouwde ik het op en stak het in mijn jaszak.

'Zeker weten. Maar dit is vast niet de reden.' Kevin leunde naar achteren in zijn stoel, vouwde zijn handen over zijn buik en keek me bedachtzaam aan. 'Waarom heb je het me niet gevraagd?'

'Wat gevraagd?'

'Of ik wist dat Jake homo was.'

'Omdat hij, als hij iets met Kit had, niet homoseksueel was, maar pedofiel,' antwoordde ik op effen toon.

Kevin knikte met een triest glimlachje. 'Dank je.'

We keken elkaar even recht in de ogen, en het trof me hoe

moeilijk het nog steeds was om anders te zijn in deze wereld. Kevin had het op een of andere manier altijd gemakkelijk doen lijken.

18

Op maandagochtend nam ik contact op met de directeur van Marsden High. Daarna belde ik Bailey om haar te vragen of ze zin had om met me mee te gaan.

'Ik zat net te denken dat ik de middelbare school zo vreselijk mis,' antwoordde Bailey.

We spraken af dat we elkaar tien minuten later beneden zouden ontmoeten. In de wetenschap dat het me alleen al zoveel tijd kon kosten om een lift te pakken te krijgen, griste ik haastig een notitieblok van tafel inclusief het vel papier met de namen van Kits collega-spijbelaars en rende de deur uit.

Toen ik de grote glazen deur openduwde om het gebouw te verlaten, hing de vroege belofte van een zonnige, heldere dag in de lucht. Het was nog fris, maar de hemel was felblauw en het zonlicht begon krachtiger te worden ter voorbereiding op de lente. Typisch L.A. – we hadden maar een paar kille maanden gehad, en de stad liet de valse schijn van de winter alweer vallen. Ik was blij dat ik mijn sjaal thuis had gelaten.

De middelbare school bevond zich op Sycamore, even ten westen van het centrum, in een deprimerend stuk stad met goedkope betonnen kantoorpanden en familiewinkeltjes in de levensmiddelen- of spiritualiënbranche. De school zag eruit alsof hij aan de East Coast had moeten staan: een groot, bakstenen gebouw met één verdieping en een brede promenade die naar twee paar hoge glazen deuren voerde. Een van die deuren was dichtgetimmerd met triplex. Ze zouden ofwel moeten overschakelen op metaal, of op kogelwerend glas. Hoe dan ook, het was een indrukwekkend bouwwerk. Wat het geheel nog imposanter maakte, waren het drie meter hoge hek rond de school en de stalen poort. Bailey reed rond de school om een parkeerplaats te zoeken, maar de straten stonden vol met auto's. Uiteindelijk vonden we vier blokken verderop een plekje, vlak bij een onbebouwd stuk grond. Op weg naar de school bleek dat de lucht nog steeds koud genoeg was om onze adem te laten condenseren.

Rond deze tijd was de poort open. Toen we erdoor liepen, had ik het gevoel dat we een gevangenis binnengingen. Ik twijfelde er niet aan dat de meeste leerlingen elke ochtend precies hetzelfde dachten. Een jongen met een superzwarte hanenkam, eyeliner en overal piercings gooide een glazen deur open en stormde naar buiten. Ik zag dat er binnen metaaldetectors stonden. Ik haalde mijn insigne tevoorschijn zodat ik mijn pistool kon gebruiken, en vanuit een ooghoek zag ik dat Bailey hetzelfde deed. Het was een geruststellend gevoel dat we ons in elk geval een weg naar buiten konden schieten als dat nodig mocht zijn.

We gingen linksaf, een spelonkachtige gang in. 'Gezellig hier,' zei Bailey op sarcastische toon.

Ik antwoordde met een grimmig lachje. Je kon een hoop over deze school zeggen, maar gezellig was het er niet. Op de vloer lag bruin linoleum, de muren waren voor het laatst geschilderd toen de Beatles nog toerden en het rook er naar rubber, zweet en ontsmettingsmiddel. Ze zeggen dat ongeveer veertig procent van het budget van de staat Californië naar onderwijs gaat, maar dat zou je niet zeggen als je naar Marsden High keek.

Juanita Esquivel, de secretaresse van directeur Colin Reilly, keek ons aan over de bifocale glazen van haar schildpadbril. 'Kan ik u helpen?' vroeg ze met een stem die het midden hield tussen streng en verveeld.

Ik vroeg me even af hoe je een directeur moest aanspreken. Met zijn titel? Gewoon meneer? Ik koos voor de stroopsmeerdersstrategie. 'We hebben een afspraak met directeur Reilly. Ik ben hulpofficier van Justitie Rachel Knight en dit is rechercheur Bailey Keller.'

'O,' zei ze met een gezicht alsof ze bedorven yoghurt rook in haar minikoelkast. 'Neemt u plaats. Ik zal zeggen dat u er bent.' Ze wees met een lange rode nagel op ongemakkelijk uitziende houten stoelen die naast de deur tegen de muur stonden.

Ik bleef staan – deels om haar te ergeren en deels omdat ik niet wilde denken aan wie of wat er op die stoelen had gezeten. Bailey leunde aan de andere kant van de deur tegen de muur en kruiste haar armen. Haar blik vertelde dat Juanita er maar beter voor kon zorgen dat de directeur ons op korte termijn zou ontvangen. De secretaresse wierp een nerveuze blik naar Bailey en toonde een goed ontwikkeld instinct voor zelfbehoud.

Vijf minuten later stonden we in het kleine, uitgeleefde en saaie hok waar directeur Reilly bivakkeerde. Een stel op sterven na dode miniatuurcactussen in stenen potten achter zijn bureau vormden zijn enige concessie op het gebied van interieurontwerp. Het kamertje paste wel perfect bij de rest van de school.

'Zeg maar Colin,' zei hij, en hij schudde ons de hand en gebaarde dat we konden gaan zitten. Hij deed me denken aan een forsgebouwde Ierse politieman. Ondanks zijn formaat zag hij er innemend uit en gedroeg hij zich alsof hij een slagwapen in een zak had en een pistool in de andere. Aangezien hij hier werkte, was dat waarschijnlijk ook zo. 'Zo. Wat kan ik voor jullie doen?'

'We willen graag wat achtergrondinformatie over Kit Chalmers.' Ik zweeg even om te zien of hij de naam herkende.

Het duurde even voordat het tot hem doordrong. 'Ach, die knul die is omgekomen. Ja, triest.' De toon van Reilly's stem verraadde dat dit niet voor het eerst was dat een van zijn leerlingen een gewelddadige dood was gestorven.

Ik wilde vragen of hij door de FBI was bezocht, maar als dat niet het geval was, wilde ik hem geen reden geven om vraagtekens bij ons bezoek te plaatsen. Omdat hij niet vroeg wat we kwamen doen, kreeg ik de indruk dat de FBI nog geen contact met hem had opgenomen. Dat gaf me een gevoel van superioriteit en ongehoorzaamheid tegelijk; het zag ernaar uit dat dit een fantastische dag werd.

'Ik ben op zoek naar twee jongens waarmee Chalmers een maand of twee voor zijn dood wegens spijbelen is betrapt,' zei ik.

'Zijn het leerlingen van Marsden?' vroeg hij. Ik knikte, en hij draaide zich om naar zijn computer.

Ik gaf hem de namen.

'Zo te zien zitten ze hier nog op school. De presentielijsten zijn nog niet binnen, dus ik weet niet of ze vandaag aanwezig zijn. Volgens onze gegevens hingen ze rond bij de *minimart*, een paar blokken verderop. Ze stonden te roken en te bedelen,' zei hij op een toon alsof zoiets de gewoonste zaak van de wereld was.

'U weet zeker geen details meer?'

Hij schudde zijn hoofd met een glimlachje. 'Zulke dingen zijn hier niet bepaald iets bijzonders.'

'Heeft u een jaarboek dat we kunnen bekijken?' vroeg Bailey.

Hij reikte achter zich naar de metalen kast die tegen de muur stond en haalde een boek met een harde kaft tevoorschijn waarop MARSDEN HIGH SCHOOL stond met daarboven de foto van een marlijn. *Marsden Marlins* – ik moest toegeven, dat klonk goed. Hij overhandigde het boek aan Bailey. Ze haalde haar digitale camera tevoorschijn, sloeg het boek open en begon erin te bladeren.

'Mogen we dit exemplaar lenen?' vroeg ik.

'Geen probleem. Maar breng het wel terug. Het zou niet best zijn als de directeur geen jaarboek had.' Reilly keek op zijn horloge. 'Verder nog iets?'

'Zijn er misschien spullen die Kit hier toevallig heeft laten liggen?' Ik wist dat de kans klein was, maar ik moest het vragen.

'We hebben zijn kluisje leeggehaald. Er lagen alleen maar schoolboeken in en een zakje met oude wiet, grotendeels zaadjes,' zei hij. 'Maar ik kan het wel even navragen bij zijn decaan.'

'Dat zou fantastisch zijn,' antwoordde ik.

Ik boog me samen met Bailey over het jaarboek terwijl Reilly de decaan belde. Nadat hij had opgehangen, zei hij: 'De laatste keer dat hij op school was, heeft ze zijn mobieltje in beslag genomen.'

Een mobiele telefoon. Aangezien het leven van jonge mensen zich tegenwoordig voor een belangrijk deel via dit soort gadgets afspeelde, zou dit wel eens het Fort Knox van informatie kunnen zijn. 'Heeft ze het nog?'

'Dat zullen we snel te weten komen. Ze komt er nu aan.'

Mevrouw Wilder, de decaan, die er door haar bruine krullen zo jong uitzag dat ik dacht dat ze een leerling was, verscheen nog geen minuut later. Met lege handen. *Verdomme.*

Nadat we ons hadden voorgesteld, zei ze op aarzelende toon: 'Ik wil jullie heel graag helpen. Ik weet alleen niet zeker of ik er wel goed aan doe.' Vervolgens reikte ze in de zak van haar dikke gebreide vest en haalde de heilige graal tevoorschijn: Kits mobiele telefoon. Ik greep de armleuningen van mijn stoel vast om te voorkomen dat ik het ding uit haar handen zou grissen.

'U vraagt zich af of u ons deze telefoon moet laten zien?' vroeg ik terwijl ik in gedachten al een lijstje maakte met alle tegenwerpingen die ze kon bedenken. Ik zag hoe haar ogen door het vertrek schoten terwijl ze nadacht. 'Is het vanwege de privacy?'

Ze keek me dankbaar aan. 'Ja. Ik heb eigenlijk een beetje het gevoel dat... dat ik hem dat kleine beetje respect wel verschuldigd ben, snapt u?'

Ik knikte en schonk haar mijn meest oprechte 'Ik begrijp precies wat u bedoelt'-blik. 'Ja. En ik zou er ook zo over denken,' zei ik. Mijn neus werd een stukje langer. 'Maar ik denk dat Kit graag zou willen dat we zijn mobieltje onderzochten als we daarmee zijn moordenaar konden vinden, denkt u ook niet?'

'We weten toch al wie hem heeft vermoord?' vroeg ze voorzichtig. Ze was een voorzichtig mens – dat was duidelijk. Iemand die zich niet op haar gemak voelde bij stellige uitspraken.

'Dat is nog niet zeker,' zei ik en ik schonk haar mijn eerlijkste 'Ik zou willen dat ik u het hele verhaal kon vertellen'-blik. 'Er zijn nog steeds veel vragen,' antwoordde ik.

'O.'

Ik merkte dat Bailey naast me bijna over haar nek ging, en ik wist dat ze haar geduld verloor met dit spelletje. Ik kon het haar niet kwalijk nemen, maar ik had de indruk dat een tactloze benadering een averechtse uitwerking zou hebben op deze jonge vrouw.

'Zou u zich beter voelen als we de telefoon gewoon een tijdje zouden lenen en hem alleen zouden gebruiken om vrienden te vinden die misschien iets weten?' vroeg ik.

Er verscheen een frons op haar voorhoofd, en vervolgens antwoordde ze: 'Ik denk... dat dat wel oké is. Zoals ik al zei, ik wil jullie graag helpen, ik ben alleen'–

'Prima, dan doen we het zo,' zei ik, en ik stak mijn hand uit. Ze legde schoorvoetend de telefoon erin. Ik deed mijn best om niet triomfantelijk te kijken.

Opgelucht nu ze bevrijd was van haar last, haalde ze een zakdoek tevoorschijn en begon haar ogen te deppen. 'Als ik had geweten dat het de laatste keer was dat ik hem zou zien, zou ik hem hebben gezegd hoe bijzonder ik hem vond.'

'En hoe bijzonder vond u hem?' vroeg ik.

Ze schonk me een wantrouwige blik, onzeker of ik een grapje maakte, maar toen mijn gezichtsuitdrukking neutraal bleef, ontspande ze zich. 'Hij was slim en hij was een dromer. Als zijn familie hem had gesteund, had hij een opleiding kunnen volgen en was hij misschien acteur geworden. Hij zag er echt heel goed uit.'

Mevrouw Wilder slaakte een zucht, keek vervolgens op haar horloge en zei dat ze terug moest naar haar kantoor. Ik kon niet wachten om het mobieltje te onderzoeken dat een gat in mijn jaszak brandde, zei haar gedag en bedankte directeur Reilly. Het was bijna twaalf uur, en toen we de gang in stapten, werden we verwelkomd door een aanzwellende kakofonie van tienerstemmen. Ik keek in de richting waar het geluid vandaan kwam en wierp vervolgens een blik op Bailey.

'Zullen we?' vroeg ik.

19

Het geluid voerde ons naar een kantine ter grootte van een voetbalveld, bevolkt door honderden adolescenten die bezig waren voedsel te pakken uit glazen vitrines langs de muren. Gezichten met acne, haar in alle kleuren van de regenboog, piercings, tattoos en zelfs een paar kinderen die in mijn tijd 'kakkers' werden genoemd.

Ik liet mijn blik door de zaal glijden, op zoek naar Kits collega-spijbelaars, maar het was alsof ik *Where's Waldo?* speelde met bewegende personages. Ik vroeg me af hoe ik van dit moment gebruik kon maken. Plotseling kreeg ik een idee. Ik haalde Kits mobiele telefoon tevoorschijn en zette hem aan in de hoop dat de batterij niet leeg was. Er stond niet veel spanning meer op, maar voldoende voor wat ik van plan was. Ik liep de recent gedraaide nummers langs, en toen ik de drie had gevonden die het meeste voorkwamen, selecteerde ik het eerste nummer en drukte op de groene knop. Het was onmogelijk om in de herrie iets te horen, daarom begon ik in de kantine te zoeken naar de bewegingen die ik verwachtte. Ik zag niks. Bailey schudde haar hoofd – ze had ook niks gezien. Ik koos het tweede nummer en liet opnieuw mijn blik door de ruimte glijden. Ditmaal zag ik een Aziatische knul met een paardenstaart die in een groepje met wat oudere jongens stond, naar zijn mobieltje reiken. In een ingeving belde ik het derde nummer.

En ik had geluk. Een zwarte jongen met een retro-afrokapsel die naast de Aziatische knul stond, haalde zijn telefoon tevoorschijn. Hij nam op met: 'Yo.'

'Mis je Kit?' vroeg ik.

Ik dacht dat ik zijn mond open zag vallen, maar vanaf de plek waar ik stond – aan de andere kant van de kantine – kon ik dat niet met zekerheid zeggen. Ik bleef luisteren en wachtte op antwoord. Ondertussen wees ik hem aan voor Bailey. We liepen de zaal in en maakten een omtrekkende beweging zodat we hem van achteren naderden. Toen we dichterbij kwamen, zag ik dat hij de telefoon nog steeds aan zijn oor had, hoewel er geen geluid uitkwam.

Tenslotte vroeg hij: 'Wie is dit?'

Toen ik nog ongeveer drie meter bij hem vandaan was, zei ik tegen hem: 'Draai je om.'

Hij draaide zich om, wierp een blik op Bailey en mij en trok de Aziatische knul aan zijn hemd. Ze begonnen achteruit te lopen, maar voordat ze er vandoor konden gaan, riep ik: 'Niet doen.' Ze bleven langzaam achteruitlopen, daarom voegde ik eraan toe: 'Ik heb jullie namen. We kunnen jullie overal vinden.'

De kinderen die voldoende dichtbij waren om ons te kunnen horen, staakten hun gesprekken en keken belangstellend naar wat er ging gebeuren. Deze jongeren waren niet van het type dat snel onder de indruk was van gezag. Als de twee jongens met ons op de vuist gingen, zouden ze vast wel wat steun krijgen, en dit was geen plek om met pistolen te gaan zwaaien. 'We zijn hier niet om iemand te arresteren. We willen alleen wat informatie. Dat is alles.'

Het tweetal bleef staan en sloeg ons – vooral Bailey – behoedzaam gade, maar ze liepen niet weg en lieten ons dichterbij komen. De andere leerlingen gingen langzaam maar zeker weer verder met waar ze mee bezig waren geweest, hoewel ze ons af en toe een heimelijke blik toewierpen.

'Jij bent Eddie,' zei ik tegen de Aziatische knul, 'en jij bent Dante.' Dante was de zwarte jongen. Mijn homoradar vertelde me dat Eddie van de club was, maar Dante straalde hetero uit. Het was niet echt duidelijk zichtbaar – ze kleedden zich als alle andere tieners die zich om ons heen hadden verzameld. Het was meer de manier waarop ze stonden en zich bewogen.

Ze reageerden niet op hun namen en keken ons onverstoorbaar aan. *Bewijs het maar.* Was de jeugd tegenwoordig zoveel harder dan vroeger? Of waren het toevallig alleen deze kids?

'Hebben jullie ooit iets opgevangen over dat Kit wat met een officier van Justitie zou hebben?' vroeg ik.

Dat leverde wel een reactie op. Ze schudden onmiddellijk hun hoofd, en Dante vroeg: 'Je bedoelt zeker die gast die hem heeft omgelegd?'

'Precies,' zei ik. Ik moest me beheersen om niet voor Jake in de bres te springen. Maar dit was niet het moment. 'Hebben jullie Kit wel eens horen praten over iemand die Jake heet?'

Ze schudden allebei zonder aarzelen hun hoofd.

'Nee,' zei Eddie.

'Zeker weten van niet,' beaamde Dante.

Er was niks dubbelzinnigs aan de manier waarop ze hadden gereageerd. Ze wisten helemaal niks – niet over een officier van Justitie en niet over Jake.

'Weten jullie of Kit vaste klanten had?' De kans dat ze dat soort informatie met mij zouden delen, was gering – als ze al iets wisten – maar ik had niks te verliezen. Ik bestudeerde zorgvuldig hun reactie. Dante staarde in de richting van een raam dat over straat uitkeek en hield zijn mond, maar Eddie schudde langzaam zijn hoofd.

'Als dat al zo was, dan heeft hij mij daar nooit iets over verteld,' antwoordde Eddie. En plotseling voegde hij er op een ondeugend valsenichtentoontje aan toe: 'Waarschijnlijk was hij bang voor de concurrentie.'

'Daar kan ik inkomen,' antwoordde ik.

Eddie schonk me een glimlachje. Ik richtte me tot zijn vriend. 'Dante?'

Dante blies de lucht uit zijn longen en schudde zijn hoofd, waarop een lichte frons was verschenen. 'Ik herinner me niet dat hij het ooit over een vaste klant heeft gehad.'

Het antwoord leek oprecht, en ik vervolgde: 'Wanneer hebben jullie Kit voor het laatst gezien?'

Ze haalden allebei hun schouders op.

'Herinneren jullie je dat niet? Echt? Er wordt een vriend vermoord, en je herinnert je niet wanneer je hem voor het laatst hebt gezien?'

Dantes blik dwaalde door de kantine en Eddie keek door het raam naar buiten. Ze beantwoordden geen van beiden mijn vraag. Ik kon bijna *horen* hoe ze hun ontsnapping planden. Om een of andere reden hadden ze allebei besloten dat ze voldoende medewerking hadden verleend. Ik voelde hoe Bailey aanstalten maakte om het gesprek over te nemen en wat extra overredingskracht te tonen, maar we hadden niks om mee te dreigen – nog niet, tenminste. Het leek voorlopig maar het beste om er een einde aan te breien en braaf te vertrekken.

'Ik weet niet wat jullie van Kit vonden, maar hij verdiende het niet om zo aan zijn einde te komen. Als jullie ons helpen, komt niemand het te weten – het blijft onder ons.' En dat was waar. Ik *moest* het wel stilhouden als ik mijn baan niet kwijt wilde raken. Maar dat zei ik natuurlijk niet tegen de jongens. Ik overhandigde ze mijn kaartje en gaf aan dat ze me konden bellen als ze iets kwijt wilden. Ik draaide me om en vertrok. Bailey schonk ze nog een dreigende blik en volgde mijn voorbeeld.

Ik voelde hoe we bij het verlaten van de kantine door honderd paar ogen werden nagekeken. Buiten op de trap haalde ik opgelucht adem. We liepen door de poort en begaven ons in de richting van Baileys auto. Het was relatief stil op straat, behalve rond de drank- en levensmiddelenwinkels, die elk hun eigen ecosysteempjes hadden. In gedachten verzonken liepen we de vier blokken naar Baileys auto. Ik werd geplaagd door de niet bepaald gelukkige herinneringen aan mijn eigen schooltijd. Dat gold blijkbaar ook voor Bailey.

'School is zwaar klote,' merkte ze met afschuw op.

'Vertel mij w'–

Op dat moment – we bevonden ons nog maar een paar stappen van Baileys auto vandaan – klonk de scherpe knal van een schot dat van dichtbij was afgevuurd.

'*Holy shit!*' zei Bailey.

We lieten ons allebei op de grond vallen. Even verderop boorde een kogel zich in de stoeprand waardoor een fontein van beton in mijn richting werd gespuwd. Een tweede schot, nog dichterbij, deed mijn trommelvliezen bijna scheuren. Ik hoorde de kogel afketsen tegen de brandkraan die vlak voor me stond.

Alles leek zich in slow motion af te spelen. We trokken onze wapens en rolden gelijktijdig achter een geparkeerd staande auto om dekking te zoeken. Ik hield mijn pistool recht voor me, hoewel ik er geen idee van had waar onze belager zich bevond. Er klonken nieuwe schoten, en mijn oren begonnen te suizen. Ik zocht haastig de straat af, maar zag niks – behalve de doodsbange bezoekers van de winkeltjes, die volledig in paniek waren. Uit een boodschappentas die iemand had laten vallen om een goed heenkomen te zoeken, rolden een grapefruit en twee avocado's.

We gingen op onze hurken zitten en wierpen een blik door de ramen van de auto, maar er was niets te zien. Bailey knikte in de richting van haar auto en gebaarde dat ik mezelf zo klein mogelijk moest maken. *Je meent het*, wilde ik zeggen, en ik onderdrukte de neiging om op te merken dat we moesten maken dat we hier wegkwamen. We renden ineengedoken naar Baileys auto om ervoor te zorgen dat we een zo klein mogelijk doelwit vormden.

We kropen naar binnen via de passagierskant om te voorkomen dat we werden geraakt. Zodra we in de auto zaten, boog Bailey zich naar voren, startte de motor om vervolgens met piepende banden weg te scheuren. Ik liet me omlaag glijden in mijn stoel en keek over het dashboard om te zien waar de schoten vandaan waren gekomen, maar ik besefte dat de schutter zich overal kon hebben verscholen – in het steegje tussen de benzinepomp en de Koreaanse acupuncturist, achter een van de vensters op de eerste verdieping boven de Armeense kruidenier of achter een van de vele geparkeerd staande voertuigen. Ik gaf het op en bleef onderuitgezakt in mijn stoel hangen, terwijl Bailey op gevaarlijk hoge snelheid door de straten jakkerde.

Toen de adrenaline wat was weggeëbd, begon ik na te denken over de dader. Dit moest wel persoonlijk zijn. We waren niet benaderd door leden van een bende – gasten die je vragen waar je vandaan komt en je vervolgens doodleuk overhoopschieten als het antwoord ze niet bevalt. Bovendien vielen ze vrouwen van onze leeftijd over het algemeen niet lastig. Maar het zaakje straalde wel een agressiviteit uit die je normaal gesproken alleen bij bendes tegenkomt. Dat maakte het aannemelijk dat de Sylmar Sevens erachter zaten. Toen Bailey ons uit de directe omgeving had weggereden en de snelheid had teruggebracht naar een niveau waarop praten aanzienlijk minder levensbedreigend was, zei ik: 'Volgens mij waren dit de Sevens.'

Bailey, die regelmatig een blik in haar achteruitkijkspiegel wierp, knikte kort. 'Maar dan zitten ze wel een flink stuk buiten hun territorium.'

'Mijn hotel ligt ook buiten hun territorium. Ze kunnen alleen van de school en het hotel hebben geweten als ze ons zijn gevolgd vanaf het gerechtsgebouw.'

'Klopt,' beaamde Bailey.

'Maar voor zover ik weet, zijn de Sylmar Sevens geen grote club. Begrijp me niet verkeerd – ze hebben een hoop rottigheid uitgehaald. Maar ik kan me nauwelijks voorstellen dat Revelo belangrijk genoeg is om zoveel moeite te doen... en risico's te nemen,' zei ik.

Bailey sloeg rechtsaf in de richting van de brug over de snelweg die naar de binnenstad voerde.

'Voorlopig zijn er nog geen risico's geweest. We hebben tenslotte nog niemand opgepakt,' zei ze droogjes.

Daar had ze gelijk in. 'Het is natuurlijk mogelijk. Misschien zijn ze samengegaan met een grotere bende en is Revelo de *shotcaller* – de man die aan de touwtjes trekt...'

In gedachten maakte ik het idee af: dan zouden de BG's – de babygangsters – van de verbeterde Sylmar Sevens hun nieuwe baas willen imponeren door de aanklager uit te schakelen die hem het leven zuur maakt. Vanuit dat perspectief was het een win-winsituatie: als ze niet werden gepakt, zouden ze helden zijn, en als ze wel werden gepakt, waren ze nog grotere helden.

Het waren geen geruststellende gedachten.

'Als we dit willen aangeven, kunnen we beter teruggaan en het meteen doen,' zei Bailey terwijl we via Broadway in de richting van het gerechtsgebouw reden.

Het geluid van sirenes – eerst in de verte, maar al snel steeds dichterbij – gaf aan dat we niet veel tijd hadden om te beslissen.

20

Het was geen gemakkelijke beslissing geweest. In eerste instantie dacht ik dat we de schietpartij misschien toch maar beter konden aangeven. Maar na enig denken besefte ik dat in een buurt als deze, waar talloze bendes huisden, een willekeurige schietpartij om een stuk territorium een veel logischer verklaring was dan de mogelijkheid dat we op de korrel waren genomen door de Sylmar Sevens – een onbeduidende bende met beperkte middelen. Het nadeel van aangifte – als ik tenminste geluk had – was dat ik fulltime een mannetje achter me aan zou krijgen, en dan kon ik Jakes zaak verder wel vergeten. Als ik minder geluk had, zou ik bovendien betrapt worden op het feit dat ik mijn neus in een zaak had gestoken die voor mij specifiek tot verboden terrein was verklaard – een vergrijp waarvoor ik kon worden ontslagen.

Ik zei tegen Bailey: 'Ik geef toe dat onze kansen om Jakes zaak op te lossen waarschijnlijk wat kleiner worden als we dood zijn, maar als ik gelijk heb en dit toeval was, zetten we onszelf voor niks aan de zijlijn.'

Bailey was er niet gelukkig mee, maar uiteindelijk kreeg ik haar om... op één voorwaarde: 'Je zet geen stap meer buiten het kantoor zonder mij. Nooit. Je gaat niet voor acht uur 's ochtends naar je werk...'

Mij best. Ik ben sowieso geen ochtendmens...

'...en als je dan toch per se naar je werk wilt lopen, draag je een vest.'

Dat maakte het meteen weer een stuk minder interessant. Ik had een gloeiende pesthekel aan die dingen. Stug, warm, ongemakkelijk – maar het ergste was nog dat je er met zo'n ding uitzag als het monster van Frankenstein. Ik opende mijn mond om te protesteren, maar Bailey bracht haar hand omhoog. 'Niet onderhandelbaar, Knight.'

Ik capituleerde.

Maar die ochtend, toen ik mijn kastdeuren opende, besefte ik dat het niet bepaald een ideale dag was om een eerste poging te wagen een kogelvrij vest aan te trekken. Ik zou gaan lunchen met inspecteur Graden Hales, wat betekende dat ik al genoeg garderobeperikelen aan mijn lijf had zonder me zorgen te moeten maken over de wapenrustingscouture. Ik heb niet echt veel geduld als het erom gaat mezelf op te dirken voor een uitje. Mijn kledingkeus is meestal in minder dan drie minuten gemaakt. Maar vandaag merkte ik voor de verandering dat ik behoorlijk stond te teuten. Ik wilde er niet uitzien als Dita Von Teese, maar ook niet als Gertrude de beveiligingsbeambte. Het was de bedoeling dat ik sexy overkwam, maar niet hoerig. Dat is niet zo simpel als het lijkt. Mijn kobaltblauwe sweater kleedde prachtig af, maar was erg strak – een beetje te veel van het goede. Mijn onberispelijke witte blouse met metalen manchetten was perfect voor in de rechtszaal, maar nogal mannelijk – niet dus. Tenslotte koos ik voor een houtskoolgrijze kasjmieren coltrui die dun genoeg was om in een wollen broek te stoppen. Laarzen met lage hakken maakten het plaatje af. Mensen in het centrum gaan meestal te voet naar hun lunchrestaurant, en ik had geen zin om tig blokken op naaldhakken te lopen. De enige beslissing die nu nog moest worden genomen, betrof de buitenkant.

Ik liet in gedachten de jasjes passeren die over het volumineuze kogelvrije vest pasten en liep vervolgens het balkon op om te zien wat voor weer het was. Het was fris, maar de hemel was van een azuurblauw dat wolken geen kans gaf, en de zon was een heldere diamant die beloofde dat de temperatuur snel aangenamer zou worden. De lucht was volledig schoon geschrobd; er was geen vleugje smog te zien. Zoals zo vaak overwoog ik ook nu weer dat dit soort dagen in de jaren dertig waarschijnlijk de norm waren geweest in L.A. Ik koos uiteindelijk een wijde, crèmekleurige blazer, maar moest mijn .22 Beretta meenemen omdat de zakken niet groot genoeg waren voor de .357. Normaal gesproken zou ik zo'n compromis niet hebben gemaakt, maar aangezien ik het vest droeg, kon ik tegen een stootje. Daarbij zou ik vanaf het moment dat ik op mijn werk kwam de hele dag politieagenten om me heen hebben – en die droegen .44's.

Onderweg naar kantoor maakte ik mezelf wijs dat ik sneller liep bij wijze van aerobics; ik was tenslotte al dagenlang niet op de sportschool geweest. Of het nu waar was of niet, mijn inspanningen werden aanzienlijk bemoeilijkt door het zware, stugge kogelvrije vest dat me het gevoel gaf tegen de gevel van een gebouw op te lopen. Na amper twee blokken was ik al buiten adem. Geweldig. Als iemand me nu op de korrel nam, was het vest mijn enige hoop; ik was beslist niet snel genoeg om mezelf rennend uit de voeten te maken. Terwijl ik heuvelopwaarts liep, overwoog ik opnieuw de mogelijkheid dat het schietincident gisteren puur toeval was geweest. En hoe meer ik erover nadacht, des te meer ik tot de conclusie kwam dat er eigenlijk geen andere verklaring mogelijk was. Ik kon me niet voorstellen dat de schietpartij van gisteren de eerste in die wijk zou zijn die nooit was aangegeven.

Daardoor was het waarschijnlijk onmogelijk om uit te zoeken wat voor kogels er op ons waren afgevuurd. Het was maar goed dat we het voorval niet hadden gemeld. Aan de andere kant had ik sirenes gehoord, dus het zat erin dat iemand anders – misschien een van de leraren van de school – dat wel had gedaan.

Ik versnelde mijn pas en keek tersluiks om me heen, op mijn hoede voor slobberkleren en tatoeages. Mijn blik bleef rusten op een man met een handkar die *churros* verkocht. Ik vond zijn broek er behoorlijk slobberig uitzien. Hij zag dat ik naar hem keek, en toen onze blikken elkaar kruisten, schonk hij me zijn – vroeger ongetwijfeld – meest sexy glimlach. Hij zag eruit alsof hij een jaar of negentig was, en zijn scheve grijns kon wel een opknapbeurt gebruiken. Het was waarschijnlijk lang geleden dat hij iemand zo naar zijn broek had zien kijken.

Ik haalde opgelucht adem toen ik de deuren van het gerechtsgebouw openduwde, en ik wilde het juist op een rennen zetten om de lift te halen, toen ik een vertrouwde gestalte zag en mijn benen acuut niet meer wilden. Ik kon me onmogelijk vergissen in die dikke bos peper-en-zouthaar. Of de klank van zijn diepe bariton. Het was Daniel Rose, mijn ex. Mijn hart raakte compleet van slag toen ik hem bij de lift een geanimeerd gesprek zag voeren met een stel aanklagers. Mijn blik werd wazig, en plotseling kon ik geen adem meer halen. Ik draaide me haastig om en begaf me in de menigte rond de metaaldetector. Hoe was het in vredesnaam mogelijk, zo dacht ik, dat ik Daniel juist vandaag tegen het lijf moest lopen. Sinds we uit elkaar waren, was ik nauwelijks meer met mannen uit geweest. Mijn laatste afspraakje – een kop koffie op het buitenterras van het Ahmanson Theater – was alweer vier maanden geleden. Wat was dat voor idioot toeval dat ik hem juist nu hier tegenkwam? Ik voelde me verslagen door het lot en bleef staan totdat zijn lift arriveerde. Ik durfde pas weer adem te halen toen ik de bel hoorde en zag dat de deuren gesloten waren. Ik liep met lood in de schoenen naar de dichtstbijzijnde lift en drukte op de knop.

Toen ik op de zeventiende verdieping uitstapte, kwam ik Toni tegen.

'Hé!' zei ze, en vervolgens bleef ze staan om me aan te kijken. 'Is er iets? Alles goed?'

Ik knikte zonder iets te zeggen, omdat ik niet voor het oog van de hele wereld in tranen wilde uitbarsten. Toni trok me mee naar het damestoilet aan de andere kant van de gang. Gelukkig hadden we de ruimte voor onszelf.

'Ik zag Daniel net beneden,' zei ik zacht. Ik slikte in een poging de brok uit mijn keel weg te krijgen.

'O, jee, wat rot voor je, schat.' Toni sloeg haar armen om me heen en klopte op mijn rug.

Ik hield haar even vast en slaakte een zucht, dankbaar voor de troost. Even later maakte ik me van haar los. 'Bedankt, Toni,' zei ik. 'Ik heb het gevoel dat ik nooit over hem heen raak en ik baal ervan dat ik me zo voel.'

'En je blijft je zo voelen totdat je echt over hem heen bent – als je begrijpt wat ik bedoel.'

'Nee, eigenlijk niet.'

'Het blijft pijn doen totdat het geen pijn meer doet. Dat kost gewoon tijd,' zei ze zacht. 'En waarschijnlijk zul je altijd wel iets blijven voelen als je aan Daniel denkt. Hij is tenslotte een goeie kerel. Zo gaat dat nu eenmaal met goeie kerels.'

Ik knikte.

'En je hebt het nooit met iemand anders geprobeerd. Dan geneest de wond ook niet echt.' Toni keek me recht in de ogen.

Ik keek haar even aan, maar wendde vervolgens mijn blik af. Toni en Bailey hadden zeker zes maanden lang geprobeerd om me weer 'aan de man' te krijgen, maar tot op heden was ik niet verder gekomen dan een kop koffie, laat staan dat ik een relatie had gehad. Maar ik vertelde haar niet over mijn lunchafspraak met Graden omdat ik serieus overwoog die af te zeggen en ik wist dat Toni dan zou proberen me dat uit mijn hoofd te praten. En ik moest toegeven dat ik het haar waarschijnlijk niet had verteld omdat ik diep van binnen het gevoel had dat ik er sowieso geen zin in had.

Ik drukte haar nog een keer tegen me aan.

Toni deed een stap achteruit, pakte me bij de schouders en

keek me recht in de ogen. 'Gaat het weer een beetje?'

Ik knikte. 'Het werk roept,' zei ik met een quasi trieste glimlach.

'Je grote ontsnapping,' beaamde ze. 'Als je me nodig hebt, geef je maar een gil. Oké?'

'Ja.' Ik slaakte een zucht. Ik wist dat ik er niet over wilde praten. Dat wilde ik nooit.

Toni glimlachte en schonk me een blik van verstandhouding. Zij wist dat ook.

We liepen de gang in. Het belletje van de lift klonk en Toni haastte zich om in te stappen. Ze liep naar binnen en blies me een kushand toe. Ik lachte en blies er een terug. Ik toetste de veiligheidscode in en begaf me op weg naar mijn kantoor. Toen ik de secretariaatsruimte passeerde, zwaaide ik even naar Melia. Ze had het hoofd gebogen en tuurde in haar schoot. Ze zat onder het bureau een van haar roddelblaadjes te lezen. Dat betekende dat Eric waarschijnlijk naar een vergadering was; ze was slim genoeg om zich niet door hem te laten betrappen.

Ik probeerde niet naar het politielint op Jakes deur te kijken toen ik naar mijn kantoor liep. Het was als een open wond. Eigenlijk wilde ik dat ze het weghaalden, maar aan de andere kant was ik blij omdat het betekende dat de zaak nog in behandeling was.

Met die vrolijke gedachten opende ik de deur van mijn kantoor, waar ik verwelkomd werd door mijn zoemende intercom.

Ik trok snel mijn jasje uit, begon mijn vest los te maken en nam de hoorn van de haak. Het was Melia.

'Mark Baransky over de zaak... eh...' Melia's mededeling kwam stotterend tot stilstand. Ze was blijkbaar de naam van de zaak vergeten, hoewel hij die ongetwijfeld een paar seconden eerder had genoemd. *Arm kind*, dacht ik, *wat moet het vreselijk zijn om je steeds maar namen van saaie zaken te moeten herinneren terwijl je je best doet om je te concentreren op belangrijke vragen als welke beroemdheden met wie het bed delen.*

'De zaak-Duncan. Ik heb het al, Melia,' zei ik. Ik schakelde naar de lijn met het knipperende lampje en trapte mijn vest onder het bureau. Ik mocht niemand laten weten dat ik dat ding gebruikte, anders zouden er vragen komen.

'Hé, Mark. Is je verdachte bereid om schuld te bekennen?' Zijn cliënt Ramon Duncan had bij een inbraak een man en diens vrouw vermoord. Het OM had de doodstraf geëist, maar ik had tegen de advocaat gezegd dat ik er waarschijnlijk wel levenslang van kon maken zonder mogelijkheid van vervroegde invrijheidstelling – mits zijn cliënt schuld zou bekennen.

'Ja. En hij kiest voor de doodstraf. Hij zegt dat hij weet hoe druk je het hebt, en hij wil je niet lastigvallen met een proces.'

Advocaten hebben een apart soort humor. 'Ik ben blij dat er eindelijk iemand is die het begrijpt. Zeg maar tegen je cliënt dat ik een bedankbriefje in zijn dossier leg voor al zijn tips over de Aryan Brotherhood.' Zo'n document over de beruchte gevangenisbende zou zijn cliënt binnen enkele minuten het leven kosten.

'Je bent me er eentje, Knight.' Hij lachte een beetje onzeker.

Ik deed niet mee met de vrolijkheid. Hij mocht zich best een beetje ongemakkelijk voelen. 'Is er nieuws?'

'Ik ben van plan een aantal verzoeken in te dienen. Ik wil proberen wat bewijsmateriaal ongeldig te laten verklaren, maar ik heb een reisje naar Griekenland gepland, dus dat gaat me bij de eerstvolgende zitting niet lukken. Ik heb uitstel nodig,' zei Mark.

'Even kijken of ik dat goed begrijp: ik moet ermee akkoord gaan dat het proces verdaagd wordt zodat jij lekker op vakantie kunt en daarna de poten onder mijn zaak vandaan kunt zagen.'

'Dat is het wel zo'n beetje. Maar luister, we doen het eerlijk. Als jij nog reisjes hebt staan, beloof ik dat ik ook akkoord ga wanneer jij uitstel nodig hebt. Oké?'

Daarmee strooide hij alleen maar zout in mijn wonden. Ik had niet alleen absoluut geen tijd om waar dan ook naartoe te gaan, maar ik kon me al helemaal geen reisjes veroorloven – zeker niet naar Griekenland.

'Reken maar dat ik binnenkort van je aanbod gebruik ga maken,' zei ik op sarcastische toon.

Strafpleiters worden opgescheept met de narigheid van de criminelen die ze moeten verdedigen, maar de verdiensten vormen een leuke troostprijs. 'Wat ben jij toch een vreselijke vent, Mark. Oké, welke datum stel je voor?' zei ik, terwijl ik in mijn agenda keek.

Hierna vloog de ochtend voorbij. Ik moest een hoop dingen inhalen. Tegen de tijd dat ik al mijn telefoontjes achter de rug had, was het twaalf uur. Gezien de manier waarop mijn dag was begonnen, had ik weinig zin meer in een lunchafspraak. Ik begon net te hopen dat inspecteur Graden Hales zich had bedacht, toen hij belde.

'Zullen we beneden afspreken voor het gebouw?' vroeg hij.

Mijn 'best' kwam er net wat killer uit dan ik van plan was geweest. Zonder veel enthousiasme werkte ik voor de sier mijn lipgloss en oogschaduw even bij. Ik probeerde vergeefs mijn haar in model te brengen en trok mijn blazer aan. Het kogelvrije vest kon ik wel even missen – ik ging tenslotte op stap met een politieagent. Ik pakte mijn tasje en liep naar de lift terwijl ik uitvluchten probeerde te bedenken om deze lunch zo kort mogelijk te houden.

21

Toen ik beneden kwam, stond hij niet op het trottoir voor het gebouw, en ik keek op mijn horloge om te zien of de lift toevallig erg snel was geweest. Maar dat was niet zo. Het was al bijna kwart over twaalf. Zou hij het op hebben gegeven? Ik voelde me eerder opgelucht dan teleurgesteld en stond op het punt om weer naar binnen te lopen toen iemand in een nieuwe zwarte BMW 750Li driftig op zijn claxon drukte. Ik keek om me heen om te zien wie er zou reageren. Een auto voor de BMW reed weg, en de BMW reed een stukje naar voren. Toen het raam aan de passagierskant omlaag gleed, boog de bestuurder zich naar voren.

'Sorry, ik was vergeten te zeggen dat ik met de auto was,' zei Graden op verontschuldigende toon.

En met wat voor auto! Wat deed een politieagent met een bolide van een ton? Misschien was hij zo'n type dat in een kartonnen doos woonde om maar in een flitsende auto te kunnen rijden. Op een of andere manier had ik hem daar niet voor aangezien.

'Geen probleem, inspecteur.' Ik stapte in, deed mijn gordel om en vroeg me af waar ik nu weer in verzeild was geraakt. Hij keek me aan en glimlachte. 'Is "Graden" ook goed? Of in elk geval "Hales"?'

'Ik denk dat Graden wel gaat lukken.' Ik zei niet tegen hem dat hij me Rachel mocht noemen.

Hij reed weg en ik keek naar hem van opzij. Ik zag dat hij licht gebruind was – in de winter. Wat had dat te betekenen? En hij droeg een duur uitziend, grijs sportjasje met een chic wit overhemd waarvan het bovenste knopje open was. In de v-hals was nog net een smaakvol plukje borsthaar te zien. En geen gouden kettingen. Godzijdank. Ik ontspande me in de comfortabele leren stoel terwijl hij door het verkeer laveerde. De straten waren overvol met agressieve autorijders en voetgangers die geen plaats meer hadden op de trottoirs, en wij baanden ons een weg door de drukte. Nadat we erin waren geslaagd uit de chaos te ontsnappen en in de richting van Beaudry reden, vroeg ik: 'Waar gaan we naartoe?'

'PDC. Ik ben in de stemming voor een bloody mary. Hoe lijkt je dat?'

Dat leek me fantastisch. De Pacific Dining Car was een originele, oude restauratiewagen die was omgetoverd tot een intiem restaurantje in Frank Sinatra-/Dean Martinstijl. Ze hadden er fantastische kreeft en steaks en een van de beste bars van de stad. Het was een van mijn favoriete eetgelegenheden, en ze stonden bovendien bekend om hun fantastische bloody mary's. Maar de prijzen waren pittig, daarom was de PDC wat mij betrof alleen voor speciale gelegenheden. Graden stopte voor de ingang en overhandigde zijn sleutels aan de parkeerhulp.

De gastheer, Fred Astaire in een sportieve pantalon en een marineblauw jasje, verwelkomde Graden bij zijn naam en loodste ons naar een rustige zitbox in het bargedeelte. Achter de bar bevond zich een muur van sterke drank uit zo ongeveer alle landen van de wereld. De kleine lichtpuntjes in het plafond deden de flessen fonkelen als edelstenen, en de barman – in hemdsmouwen en met een schort voor – werd van achteren verlicht waardoor hij eruitzag als een tot leven gewekt schilderij uit de jaren vijftig. Nadat we plaats hadden genomen in de box, vouwde de gastheer het linnen servet open dat op tafel had gelegen en drapeerde het deskundig over mijn schoot. Vervolgens deed hij hetzelfde voor Graden. Hij overhandigde elk van ons een menu, en de inspecteur bestelde de bloody mary waarmee hij eerder had gedreigd. Hoewel ik normaal gesproken geen alcohol gebruik bij de lunch, bestelde ik er ook een omdat ik die middag geen zittingen had en het zware werk voor vandaag achter de rug was.

Ik was niet iemand die graag over koetjes en kalfjes praatte, en ik had geen zin om te doen alsof dat wel zo was. Het enige onderwerp dat overbleef, was het werk – daar was ik goed in. Maar de ervaring had uitgewezen dat niet iedereen zat te wachten op iemand die het alleen maar over het werk kon hebben. Ik had me voorgenomen om deze lunch te gebruiken om uit te zoeken hoe het met Jakes zaak zat, maar gezien het feit dat Graden daar de vorige keer niks over los had willen laten, leek het verstandiger om er niet zelf over te beginnen en het juiste moment af te wachten.

Hij loste het probleem voor me op. 'Ik heb begrepen dat Bailey en jij een verdachte hebben in de zaak-Densmore.'

De knoop die ik zonder het zelfs maar te beseffen in mijn maag had gehad, begon zich te ontwarren. Ik bracht hem op de hoogte en sloot af met onze poging de hoofdverdachte, Luis Revelo, te arresteren.

'Is er al naar een DNA-match in de database gezocht?' vroeg hij.

'Yep. Geen treffers. Maar dat betekent niet dat Revelo onschuldig is. Hij is er alleen op een of andere manier in geslaagd de DNA-testdans te ontspringen.'

'Heeft hij nog andere delicten op zijn naam?'

Ik knikte. 'Vooral kleine dingetjes, de meeste een jaar of twee oud. Het ziet ernaar uit dat hij ermee op is gehouden'–

'Of een heel stuk handiger is geworden,' maakte Graden af.

'Veel van die jongens pakken het slim aan. Ze laten anderen de kastanjes uit het vuur halen zodat ze zelf hun handen niet vuil hoeven te maken.'

'Ze gaan met de dag meer op politici lijken,' beaamde ik. Graden grinnikte.

Even later bracht de kelner met het witte jasje onze bloody mary's. Nadat hij was vertrokken met de bestellingen, speelden we allebei even met het roerstaafje om vervolgens tevreden van ons drankje te nippen.

'Perfect,' zei ik. Precies genoeg tabasco en specerijen voor wat pit, maar ook weer niet zoveel dat je niks anders meer proefde.

We vervolgden het gesprek over onze andere zaken en vlochten er probleemloos allerlei gemeenschappelijke interesses doorheen. Het gemak waarmee we met elkaar omgingen, bleek niet alleen van toepassing op onderwerpen die met ons werk te maken hadden, hoewel ik niet precies kon aangeven waarom dat zo was. Het enige wat ik ervan kon zeggen, was dat dit een van de leukste, relaxte en minst pijnlijke eerste afspraakjes was die ik ooit had meegemaakt. Ik was nog steeds van plan om informatie over Jakes zaak los te weken, maar als ik de zaak forceerde, zou ik waarschijnlijk niet alleen onze lunch bederven, maar ook de kans op een toekomstig gesprek over de kwestie. Ik besloot af te wachten en te zien of we misschien vanzelf op het onderwerp uit zouden komen. Ik kan erg geduldig zijn als dat nodig is. Nadat de kelner onze maaltijden had opgediend – Graden had een steak besteld en ik de gegrilde forel – vertelde ik het verhaal over de advocaat die om uitstel had gevraagd zodat hij naar Griekenland kon.

'Geweldig jaargetijde om te gaan,' mijmerde Graden met een afwezige blik. 'Ik ben vorig jaar tien dagen naar Kreta geweest. Schitterend eiland.' Hij nipte van zijn drankje en zag daardoor mijn ongelovige blik niet. Eerst een nieuwe BMW, daarna de PDC en nu Kreta. *What the hell?*

Een paar tellen later zag hij de blik op mijn gezicht. 'Ik deal coke in de avonduren,' zei hij met een grijns.

'O, gelukkig maar. Ik was even bang dat je een of ander suf

bijbaantje had, zoals bewaker op een filmset.'

Hij grinnikte, en ik wachtte op zijn uitleg. Die gaf hij.

'Ik was als kind gek op videogames. Of eigenlijk is "verslaafd" een beter woord. Na een tijdje begon ik mijn eigen games te maken. Het was gewoon een hobby; ik zag het niet als iets wat ik fulltime wilde gaan doen,' zei hij.

'Ik mag aannemen dat je geen *Grand Theft Auto* speelde,' merkte ik op. In dat spel werden de politieagenten altijd te grazen genomen door de boeven.

'Nee, dat was alweer na mijn tijd,' zei hij. 'Misschien maar goed ook. Anders zou ik crimineel zijn geworden en uiteindelijk door jou zijn aangeklaagd.' Hij glimlachte.

'Misschien had ik wel een deal voor je kunnen regelen, je weet maar nooit,' antwoordde ik.

Gradens glimlach werd nog breder, en hij vervolgde: 'Mijn broer, Devon, is een computergenie. Hij werkt nu bij Hewlett-Packard. Hij wist als kind al precies wat hij met zijn leven wilde doen. Mij heeft het wat meer tijd gekost. Ik was zo'n type van twaalf ambachten, dertien ongelukken. Maar tussendoor bedacht ik videogames. Toen ik op de politieacademie zat, heb ik *Code Three* gemaakt.'

Ik knikte.

'Je kent het?'

'Ja,' antwoordde ik. *Code Three* – politiejargon voor 'achtervolging in gang'. Het was een enorm succes.

Graden glimlachte. 'Het was eerlijk gezegd niet mijn favoriet, maar Devon was ervan overtuigd dat het zou verkopen, en hij werkte er in zijn vrije tijd aan. Ondertussen voltooide ik de academie, werd politieagent en verloor alle interesse voor videogames. Ik zei tegen Devon dat hij er wat mij betrof mee op mocht houden, maar hij bleef eraan werken. Vijf jaar later was het programma klaar en vond hij een koper'–

'En de rest is geschiedenis.'

Graden haalde zijn schouders op. 'Min of meer.'

Ik nam nog een slokje van mijn bloody mary en sneed mijn forel aan.

'Lust je er nog een?' vroeg Graden, en hij gebaarde naar mijn bijna lege glas.

Ik dacht daar even over na. Het was verleidelijk, maar ik kon het beter niet doen. 'Nee, dank je, ik heb mijn hersenen straks nog nodig.'

Ook Graden nam geen tweede drankje.

Ik verbaas me enigszins over zijn onverschillige houding met betrekking tot zijn succes. 'Ik neem aan dat je met die game voldoende geld hebt verdiend om te stoppen met werken.'

Graden knikte haast onmerkbaar. 'Waarschijnlijk wel.'

'Waarom doe je dat dan niet?'

Hij legde zijn vork neer en nam een slok water voordat hij antwoord gaf. 'Weet je, het was gewoon een meevaller. Het is geen basis. Op een dag – misschien morgen al – vinden de kids het ineens niet cool meer. Je zou je erover verbazen hoe snel je geld op is als je het alleen maar uitgeeft en er niks binnenkomt.' Graden pakte zijn mes en vork weer op en sneed een stuk van zijn steak af. 'Ik neem geen risico als het gaat om het betalen van de huur.'

'Maar je bent wel politieagent,' merkte ik op. 'Dat is nou niet bepaald een job zonder risico's.'

'Maar wel een met een vast salaris,' merkte hij op.

Ik knikte, hoewel ik vond dat zijn logica niet klopte. Ik wist het een en ander over hoeveel geld er in de games-industrie omging – dat waren immense bedragen, zeker voor een hit als Code Three. En toch bood dat hem onvoldoende zekerheid, daarom had hij een baan die hem regelmatig in levensbedreigende situaties bracht. Het was een onalledaagse paradox – waarschijnlijk het gevolg van een onevenwichtige opvoeding. Het waren dit soort complicaties die mensen zo interessant maakten.

Graden kauwde even op zijn steak, en er verscheen een grijns op zijn gezicht. 'Trouwens, je hebt me in mijn werktenue gezien. Ik zou *mezelf* nog versieren in dat uniform.'

Ik lachte bijna even hard als hij.

'Ik moet je wat bekennen.'

'Ik luister,' zei ik geïnteresseerd en slechts met mate ongerust.

'Jij woont toch in het Biltmore Hotel?'

Wist hij waar ik woonde? Eerst mijn mobiele nummer en nu dit.

Graden zag blijkbaar aan mijn gezicht wat ik dacht, want hij keek me lichtelijk verrast aan. 'Ik heb je naar huis gereden, weet je nog?'

Natuurlijk. De avond waarop Jake was vermoord. 'Je hebt gelijk.' Ik glimlachte schaapachtig. 'Sorry.'

En nu ik er eens over nadacht; waarom maakte ik me druk over het feit dat Graden wist waar ik woonde terwijl een stel gangbangers daar ook achter was gekomen en mijn auto had vernield?

'Ik moet je bekennen dat ik niet begrijp hoe een onderbetaalde ambtenaar zich zo'n duur hotel kan veroorloven.'

'Ik zou het natuurlijk geheim kunnen houden.'

'Maar dat zou wreed zijn, en het past volgens mij helemaal niet bij jou.'

'Hoe weet jij dat?' zei ik.

Graden schonk me een afgemeten blik en gaf zich gewonnen. 'Oké, je hebt gelijk' zei hij. 'Maar hoe zit het nou?'

Ik speelde even met het idee om hem op stang te jagen, maar aangezien ik geen reden kon bedenken om het verhaal niet te vertellen, gaf ik toe. 'Herinner je je nog dat vorig jaar de echtgenote van de CEO van het Biltmore is vermoord?' begon ik.

Graden kneep zijn ogen half dicht en dacht even na. 'Was dat niet een zaak van de sheriff?'

Ik knikte. 'Er was een of andere bijeenkomst van allemaal hotemetoten in de hotelbusiness, en de CEO had besloten zijn gezin mee te nemen om zaken en privé te combineren. Toen 's avonds zijn vergadering uitliep, ging zijn vrouw alleen naar het concert in Disney Hall'–

'En werd ze in de parkeergarage beroofd en vermoord door een of andere junk,' onderbrak Graden. 'Ik wist niet dat jij die zaak had gedaan.'

'Ja, ik zat toevallig een week in het hotel toen ik de zaak kreeg.'

Ik voelde dat de vraag waarom ik überhaupt in het hotel zat op het puntje van zijn tong lag. De reden was dat ik, toen twee jaar eerder huidkanker was vastgesteld bij mijn moeder, bij haar was ingetrokken om voor haar te zorgen. Toen ze een half jaar later overleed, kon ik het in eerste instantie niet over mijn hart verkrijgen om te verhuizen. Ik voelde me getroost door mijn moeders meubels, de foto's op de schoorsteenmantel, haar servies – het was alsof ze nog leefde. Maar na mijn breuk met Daniel was alles veranderd. Het huis was plotseling een symbool voor verlies geworden, en wat een tijdlang mijn cocon was geweest, was plotseling een duistere plaats geworden waaruit ik had moeten ontsnappen. Omdat ik daar niet over wilde praten, vervolgde ik haastig mijn verhaal. 'Hoe dan ook, ik mocht van de CEO voor de duur van het proces kosteloos in het hotel overnachten zodat ik niet werd afgeleid door een verhuizing. Nadat ik voor de dader een enkele reis naar het huis van bewaring had geregeld, gaf de CEO me zo'n mooie deal voor de suite dat ik het mezelf nooit had vergeven als ik was vertrokken.'

'Voor hoe lang?' vroeg Graden.

'Ik vraag regelmatig wanneer ik moet vertrekken, maar hij zegt altijd dat ik een gegeven paard niet in de bek moet kijken, dus ik volg zijn bevel maar op,' zei ik.

'Dat is voor jou wel uniek,' merkte hij op.

Je hoefde geen rechercheur te zijn om dat te weten – hetgeen me op de zaak-Densmore bracht. 'Weet jij toevallig iets over de Sylmar Sevens?' Misschien herinnerde hij zich iets uit de tijd waarin hij nog patrouilleerde.

Hij fronste zijn voorhoofd, dacht even na en zei: 'Een bende uit de Valley – doen vooral inbraken en drugs.'

Ik knikte.

'Eet jij vlees?' vroeg Graden.

'Is dat een of andere mannencode voor iets anders?'

'Ja, het is geheimtaal voor: "Hou je van vlees?"'

'O, ja hoor.'

'Dan moet je dit eens proeven.' Hij prikte een stukje van zijn steak aan zijn vork en hield hem voor me.

Ik aarzelde een fractie van een seconde vanwege de intimiteit van zijn gebaar, maar toen nam ik de vork aan. De steak was zo mals dat hij bijna smolt in mijn mond, en de volle smaak werd niet gehinderd door onnodige sausjes of marinades.

'Fantastisch, dank je. Is dat de ribeye?' vroeg ik terwijl ik hem de vork teruggaf.

Hij knikte. 'Die is hier altijd geweldig, maar vandaag is hij spectaculair. Wat is er met de Sylmar Sevens?'

'Ik vroeg me af of ze onlangs misschien met een andere bende waren samengegaan en groter waren geworden.'

'Hoezo?'

Ik had uitgebreid mijn gedachten over de situatie laten gaan, en er was iets wat me dwarszat. 'Ik kan er niet bij dat zo'n knul iemand verkracht in de Palisades terwijl hij van tevoren kan bedenken dat de politie daar alles uit de kast gaat halen – en het is al helemaal onbegrijpelijk dat hij als slachtoffer een meisje kiest van wie hij bijles krijgt.'

'Misschien heeft een ander bendelid het gedaan om stoer te doen.'

'Wie weet. Of misschien besefte de echte dader dat we Revelo als eerste zouden verdenken en heeft hij het gedaan om Revelo uit de weg te ruimen en zelf de leiding over te nemen.' Het lag alleen niet echt voor de hand dat Revelo's getrouwen terugvochten door mij een lesje te leren.

'Als die nieuwe bende groot genoeg is, is zo'n riskante zet de moeite waard als je de boel wilt overnemen,' zei Graden, hardop denkend. 'Ik kan het voor je nagaan.'

'Revelo is nog steeds op de vlucht, dus het zou mooi zijn als we alle achtergrondinformatie hebben voordat hij wordt opgepakt.'

Gradens telefoon ging, en terwijl hij het nummer controleerde, keek ik op mijn eigen mobieltje. Halfdrie. Ik kon het niet geloven. Waar was de tijd gebleven.

Toen hij opkeek, zei ik: 'Ik moet terug. Ik'–

Hij wuifde mijn verontschuldiging weg. 'Geen probleem. Ik ook.'

Toen de kelner de rekening bracht, reikte ik in mijn tasje, maar Graden hield me tegen.

'Ik regel het wel,' zei hij.

Ik weet niet waarom, maar ik wilde niet dat hij betaalde. 'Laten we dan in elk geval samsam doen,' pareerde ik.

Graden zweeg even. Hij bestudeerde mijn vastberaden blik en zei vervolgens: 'Weet je wat? Jij betaalt de volgende keer.'

Je kon zeggen wat je wilde, maar hij wist wel hoe hij een meningsverschil moest oplossen.

22

'Bedankt voor de lunch,' zei ik toen Graden voor het gerechtsgebouw stopte.

'Ik bel je,' zei hij.

Ik knikte en opende het portier.

'Binnenkort,' voegde hij eraan toe met zijn lome grijns.

Ik schonk hem een naar ik hoopte nonchalante glimlach en liep het gebouw binnen. Het voelde goed om een aanbidder te hebben – het was alweer een tijdje geleden. Ik wilde alleen dat ik een goede opening had gevonden om hem over Jake te vragen. Ik beloofde mezelf dat ik er de volgende keer echt werk van zou maken, wat er ook gebeurde.

Onderweg naar de zeventiende verdieping – terwijl ik mijn adem inhield vanwege de mensen – probeerde ik erachter te komen wat ik voelde. Het was veel leuker geweest met Graden dan ik had verwacht. Maar om een of andere reden voelde ik me ook een beetje in de war. Ik had er misschien nog langer over nagedacht, ware het niet dat ik in mijn kantoor Toni aantrof die in mijn stoel zat met haar voeten op mijn bureau.

'Waar ben jij geweest? Ik was van plan om sushi met je te gaan eten,' zei Toni.

'En jij dacht dat je wel wat in mijn bureau zou vinden?'

Ze keek me schaapachtig aan. 'Ik zat zo lekker. Deze stoel is geweldig. En toen ontdekte ik je pretzels.' Toni keek om zich heen. 'Jezus, wat heb jij een hoop dossiers.'

'Heb jij al mijn pretzels opgegeten?' vroeg ik verontwaardigd met mijn handen in mijn zij.

'Doe me een lol, zeg. Alsof ik die rotzooi zou lusten,' zei Toni schamper. 'Maar waar was je nou?'

'Ik heb met Graden geluncht.'

Toni kwam overeind en liet haar voeten met een bons op de grond vallen. 'Graden,' zei ze. 'Inspecteur Graden Hales? Je maakt toch geen geintje?'

'Nee.'

Er lag een verbaasde glimlach op Toni's gezicht. 'Hoe was het? En weet Bailey dat?'

'Nog niet, maar ik wil het haar zo snel mogelijk vertellen, dus je hoeft niks geheim te houden,' verzekerde ik haar.

'En hoe was het?' vroeg Toni.

Ik dacht even na om mijn gevoelens op een rijtje te zetten. 'Volgens mij ging het vrij goed.'

'Vrij goed?' zei Toni met een quasi zuur glimlachje. 'Vergeleken met de rest is dat een homerun.' Ze keek tevreden. 'Krijg nou wat,' zei ze terwijl ze opstond.

'Het was maar een lunch, Tone.'

Toni wuifde met haar hand terwijl ze naar de deur liep. 'Ik weet het, ik weet het. Maar het is een vooruitgang, toch? Een maaltijd in plaats van een kop koffie.'

Ik wist het niet, daarom gaf ik geen antwoord.

'Hé, hou toch op,' zei Toni, en ze keek me geërgerd aan. 'Oké. Het is beter dan niks. Hoe vind je dat?'

Ik knikte en glimlachte. 'Dat klopt wel ongeveer.'

'Ik kan er niet tegen als je zo enthousiast doet,' zei Toni. Ze maakte aanstalten om mijn kantoor te verlaten, maar bleef plotseling staan. 'Trouwens, je krijgt een zak pretzels van me.' Ze nam twee stappen, bleef vervolgens opnieuw staan en zei over haar schouder: 'En een rol pepermunt.' Ze draaide zich om en zwaaide naar me met haar vingers achter haar hoofd. 'Later,' riep ze.

Ik controleerde mijn berichten. De gebruikelijke strafpleiters die over deals en uitstel zeurden. Ik liep ze snel allemaal na totdat ik op een bericht stuitte van Olive Horner, de laatste pleegmoeder van Kit Chalmers. Het verbaasde me dat ze had gebeld. Ik had de afgelopen dagen – sinds Kevin me haar naam had doorgegeven – een aantal berichten voor haar achtergelaten, maar ik had de hoop opgegeven toen ze niet reageerde. Ik pakte de hoorn op en toetste de nummers in. Nadat de telefoon vier keer was overgegaan, nam een vermoeid klinkende vrouw op. Ik hoorde kinderen schreeuwen en op de achtergrond klonk een soapserie. Het beeld dat ik daarbij voor ogen kreeg, gaf me de kriebels.

'Mevrouw Horner, met Rachel Knight van het Openbaar Ministerie.'

'Kunt u me helpen met de vergoeding voor de baby? Ik krijg nog voor drie maanden geld.'

Dat mysterie was ook weer opgelost. Ze had alleen teruggebeld omdat ze dacht dat ze geld kreeg. 'Sorry, mevrouw, maar dat is niet mijn afdeling. Ik ben openbaar aanklager. Ik doe alleen maar strafzaken. Ik heb u gebeld over Kit.'

'O.' Ze zweeg even om deze onverwachte wending te kunnen bevatten en zei vervolgens: 'Tja, ik heb al met de Feds gepraat.'

De FBI was er blijkbaar toch in geslaagd om iemand op te sporen. Ik moest heel voorzichtig zijn, anders zou Olive zich gaan afvragen wat er aan de hand was.

'We hebben nog een paar vragen. Ze hebben wat dingen over het hoofd gezien. We kunnen langskomen wanneer het u schikt, en het neemt maar een paar minuten van uw tijd in beslag,' antwoordde ik, terwijl ik probeerde zo officieel en zo nuchter mogelijk te klinken.

Olive zweeg lang genoeg om een mannenstem op de achtergrond te horen beloven dat ik een fascinerende carrière als mondhygiëniste kon starten. Ik stelde me voor hoe ik dag in, dag uit boven opengesperde monden zou staan. Het leek me beter om het maar bij mijn huidige beroep te houden.

'Tja, oké. Maar ik weet niet wat ik nog meer kan vertellen. Ik bedoel...'

Haar stem stierf weg. Ik kon me voorstellen wat ze dacht. Het was niet zozeer dat ze al met de FBI had gepraat – het probleem was dat Kit dood was, en dat er niets meer aan kon worden gedaan. Dat was niet kil, maar gewoon pragmatisch. In een leven dat tot de nok toe gevuld was met verplichtingen en onvoldoende middelen om eraan te voldoen, was verdriet een luxe die ze zich niet kon permitteren.

'Het kost echt niet veel tijd.'

Olive zweeg, en ik luisterde naar het drammen van de televisie en het krijsen van de kinderen. Uiteindelijk slaakte ze een zucht. 'Kom dan maar even langs. Maar wel voor zes uur. Ik moet eten koken. Weet u waar ik woon?'

Ik verifieerde het adres en de route ernaartoe en belde vervolgens Baileys nummer. Om vier uur zaten we op de weg, en dan is de avondspits in volle gang, waar je je ook bevindt in deze stad. Olive en haar kroost woonden even buiten Silver Lake, ongeveer tien minuten vanaf het centrum als het rustig was, maar twee keer zo lang in dit verkeer. We kropen over Temple en meden de snelweg om te voorkomen dat we vast kwamen te zitten in de file op de 101, die vol stond met forenzen op weg naar huis.

De avondhemel begon zich op te dringen in paars en grijs, maar de laatste stralen van de zon die laag over de motorkappen van de auto's dansten, produceerden een verblindend licht dat het zicht terugbracht tot nabij nul. Het was bijna zo erg als rijden in een dichte mist. Ik vroeg me altijd af hoe de automobilisten van L.A. erin slaagden om op dit soort momenten zware ongelukken te voorkomen.

Het huis bevond zich aan Madera en was maar een paar blokken verwijderd van de renovatiepogingen die waren bedoeld om Silver Lake in een aantrekkelijke wijk te veranderen. Nu, een jaar of tien na die belofte, waren de inspanningen alleen nog zichtbaar in een klein gedeelte van het stadsdeel. De straten buiten die enclave hadden evengoed in elke andere achterbuurt kunnen liggen. De schilderachtige winkeltjes, chique restaurants en schitterend gerenoveerde panden hielden abrupt op bij een onzichtbare grens. Voorbij die denkbeeldige lijn zag je alleen kleine, uitgewoonde huizen met minuscule, grotendeels overwoekerde tuintjes en flatgebouwen die niet waren onderhouden sinds ze in de jaren zestig waren neergezet. Tussen de huizen en de flats waren bouwvallige levensmiddelenwinkels gepropt, barretjes zonder ramen, striptenten met kakelbont geschilderde muren en verschoten gevelplaten en drankwinkels die niks verkochten wat meer dan tien dollar per fles kostte.

Ik liet me onderuitzakken in de passagiersstoel en vroeg me af hoe het moest zijn om hier te wonen. Het was een onrechtvaardige wereld waarin de Frank Densmores konden leven als koningen terwijl de Olive Horners moesten ploeteren als paupers. Toen we stopten voor het vaalgele huis in ranchstijl met zijn stervende voortuin die bezaaid was met kapotte driewielers en restanten van poppen had mijn humeur een dieptepunt bereikt.

Toen ik achter Bailey door het tuinhek liep, zag ik dat zij het ook voelde. Ik liet haar op de deur kloppen en beloofde mezelf dat we hier zo snel mogelijk zouden vertrekken.

Ergens in het huis hoorde ik het zwakke geroezemoes van de televisie en de plastic stem van een pratende pop. Een vrouwenstem riep: 'Ik kom eraan,' en even later zwaaide de deur open. Het geroezemoes veranderde in een oorverdovend kabaal dat ons tegemoetkwam samen met de geur van goedkoop voedsel met veel vet. In de deuropening verscheen een verveelde tiener met een baby op haar arm. De baby speelde met het lange muisbruine haar van het meisje, dat het niet scheen te merken.

'Hoi, ik ben Rachel Knight van het Openbaar Ministerie. We komen voor Olive Horner. Dit is rechercheur Bailey Keller.'

Omdat het meisje de baby vasthield, konden we elkaar niet de hand schudden. Ze zei dat we binnen mochten komen en riep vervolgens over haar schouder: 'Mam!' Ze gebaarde met haar hoofd naar de ondermaatse woonkamer waar de televisie stond te blèren. Toen ik naar binnen liep, voelde ik iets onder mijn schoen – een Frito – en in gedachten keerde ik terug naar mijn jeugd. Ik had sinds mijn twaalfde geen Frito's meer gezien. De woonkamer was uiteraard bezaaid met speelgoed en kinderdekentjes en -kussentjes. Babyflesjes en halfleeg bekers met vruchtensap concurreerden op vrijwel elk horizontaal oppervlak met half opgegeten PopTarts, geopende pakjes met kaascrackers en andere voorverpakte snoep en snacks.

Ik keek om me heen om te zien of ik ergens kon zitten – zonder succes. Ik bleef dus maar staan totdat Olive binnenkwam.

Ze had geen kleur meer op haar gezicht, alsof ze het te vaak had gewassen, en de wallen onder haar ogen gaven aan dat ze al heel lang te weinig sliep en te veel zorgen had. Ze nam me van boven tot onder op, veegde een Power Ranger en een speelgoedtijger van de bank en gebaarde dat we konden gaan zitten.

'Sorry voor de rommel,' zei ze lusteloos, 'maar ik kan het allemaal niet bijbenen.'

'U heeft een druk leven, mevrouw Horner. Ik ben blij dat u even tijd voor ons maakt,' zei ik.

'Zeg maar Olive – ik voel me al oud genoeg.' Ze kamde met een hand haar haar naar achteren, wat grijze wortels bij de slapen onthulde.

'Hoeveel kinderen heb je?' vroeg Bailey op begripvolle toon.

'Momenteel heb ik er vijf – vier pleegkinderen, maar het tienermeisje is van mij. Ze hebben gezegd dat de baby waarschijnlijk geadopteerd wordt. Hij is echt een schat. Ik zal hem missen.' Olive slaakte een zucht. 'Maar aangezien de staat achterloopt met de betalingen, ben ik blij als hij bij een fatsoenlijk gezin terechtkomt waar ze hem kunnen geven wat hij nodig heeft.'

De strijd om te overleven was tastbaar in het vertrek. Ik werd al moe als ik naar haar keek. Het enige wat ik kon bedenken, was: 'Het spijt me dat te horen,' maar daar had ze niks aan. Bovendien vroeg Olive niet om medelijden – noch van mij, noch van een ander. Het enige wat ik voor haar kon betekenen, was zo snel mogelijk weer verdwijnen.

Olive legde een grote, rode speelgoedhond op de toch al rommelige salontafel en ging zitten op de met chenille overtrokken schommelstoel tegenover ons. De baby op de arm van de tiener had ofwel genoeg van het haar van het meisje, of hij had honger gekregen, want hij begon te huilen.

'Janzy, geef mij de kleine maar even,' zei Olive. Het meisje keek blij dat ze verlost werd van haar last, legde de baby in Olives uitgestrekte armen en drentelde de kamer uit.

Toen Olive het kind rustig had gekregen met een fles, vervolgde ze: 'Hij was al vijftien en een keer opgepakt wegens prostitutie toen ik hem kreeg. Het CSSD noemde hem een uitdaging. Maar ik kon het hem niet kwalijk nemen gezien zijn achtergrond.' Olive schudde verdrietig haar hoofd.

Het Child Support Services Department gebruikte eufemismen als 'uitdaging' om kinderen niet te stigmatiseren. Voor mijn gevoel was dat het dempen van de put nadat het kalf was verdronken. 'Weet je iets over zijn moeder?' vroeg ik. Als Kits moeder nog in beeld was, kon zij ons misschien verder helpen.

'Het enige wat ik van het bureau heb gehoord, is dat ze aan de speed was en dat Kit al van jongs af aan van het ene naar het andere pleeggezin is gegaan.' Olive klopte het knulletje liefdevol op zijn achterste en keek hem teder aan terwijl hij zijn fles stevig vasthield. Met pijn in het hart besefte ik dat er zoveel baby's waren die nooit een moeder op die manier naar hen hadden zien kijken. 'Je moet de hele dag voor die kleine hummels klaarstaan,' zei ze teder, 'anders gaat het mis.' Olives gezicht verhardde, en ze vervolgde: 'De ellende is dat die speedfreaks alleen maar aan hun pijp denken.'

'Weet je of Kit nog contact had met zijn moeder?' vroeg ik.

'Niet voor zover ik weet. En ook niet met zijn vorige pleegouders,' zei Olive vol weerzin. 'Wat een stel waardeloze losers. Ze lieten hem aan zijn lot over en incasseerden alleen het geld. Ik wou dat die alsnog hun verdiende loon kregen.' Ze keek me vragend aan. 'Daar kunnen jullie zeker ook niks aan doen?'

Ik dacht even na. 'Wie weet. We gaan het in elk geval na.'

'Weet je of Kit zich nog prostitueerde toen hij doodging?' vroeg Bailey.

'Hij zei dat hij bij Target werkte, in het magazijn.'

'Maar je geloofde hem niet.'

'Ik ben niet van gisteren. Ik heb geprobeerd hem uit te leggen waarom het slecht is om jezelf op die manier te verkopen. Maar het was te laat,' zei ze, en ze schudde verdrietig haar hoofd. 'Soms, wanneer ik ze op die leeftijd krijg, zijn ze nog in staat om te luisteren. Maar Kit – dat was een ontzettend lastig geval. Hij loog alsof het gedrukt stond over waar hij mee bezig was omdat hij niet wilde dat ik hem eruit zou schoppen, zoals de anderen deden. Ik zei tegen hem dat ik nooit zoiets zou doen – maar hij geloofde me niet. Misschien als ik meer tijd had gehad...'

Ze fronste haar wenkbrauwen, en de lijnen op haar voorhoofd en rond haar ogen verdiepten zich tot rimpels. Het was een voorproefje van het gegroefde gezicht dat ze op veel te jonge leeftijd zou hebben.

'Bij welke vestiging van Target zei hij dat hij werkte?' vroeg ik.

'Die op Santa Monica Boulevard, vlak bij La Brea.'

Dat was aan de rand van West Hollywood, dat heel liefdevol BoysTown werd genoemd omdat het grotendeels een homo-enclave was.

'Ging hij wel eens met mensen om die je kende?' vroeg ik.

Olive dacht even na. 'Ik kan me twee jonge jongens herinneren, maar die zijn hier maar een paar keer geweest. En er was ook een meisje – met een rare naam. Teecheetah of zo... Janzy! Joehoe! Herinner je je dat meisje nog, die vriendin van Kit? Hoe heette ze ook alweer?'

Janzy schuifelde naar binnen. Ze at Jell-O uit een plastic bekertje. 'Je hoeft niet te schreeuwen, hoor, mam. Ik kan je zo ook wel horen.' Ze keek ons aan en zei: 'Volgens mij was ze iets van zijn vriendinnetje of zo.'

De baby had zijn fles op, en Olive legde hem tegen haar schouder voor zijn boertje.

Janzy stak haar arm uit naar het kind. 'Laat mij dat maar doen, mam.' Olive gaf de baby aan haar dochter, die hem tegen haar schouder legde en zachtjes op zijn ruggetje begon te kloppen. 'Haar voornaam is T'Chia – ik weet niet hoe ze van achteren heet, maar je kunt haar makkelijk vinden. Ze werkt bij die Target op Santa Monica en ze is heel klein, heeft een oranje hanenkam, piercings in haar neus en een tattoo van een spin op haar hals.'

Overal op de wereld zou die beschrijving voldoende zijn om haar er in een menigte tussenuit te pikken. In L.A. lag dat anders. Maar er was in elk geval iemand die bij Target werkte.

'Heeft Kit ooit iets tegen je gezegd over de officier van Justitie die ze bij hem hebben gevonden – Jake Pahlmeyer?' vroeg ik.

'Nee.' Olive schudde langzaam maar hoofd. 'Zegt me niks. Kit vertelde me nooit wat, en als hij wat vertelde, was het voor het grootste deel gelogen. Maar ik zou wel graag willen weten wat er echt is gebeurd. Ik weet dat het vreselijk is, maar ik kan niet zeggen dat het een verrassing was. Kit was een ramp op wieltjes – dat zag ik al van een kilometer afstand.'

Janzy deed ook een duit in het zakje. 'Hij was echt geen foute gast of zo. Hij wilde gewoon een plekje voor zichzelf, zo van, een beetje normaal kunnen leven, weet je wel. Maar dat ging steeds mis. Hij bracht trouwens altijd dingen voor de kids mee, en soms speelde hij met ze. Maar dan was hij ineens weer de hort op en zagen we hem dagen niet.' Ze zweeg even toen ze het zich herinnerde. Toen ze opnieuw sprak, klonk haar stem boos. 'Hij heeft niet verdiend wat er met hem is gebeurd, weet je.' Ze stopte even met het op de rug kloppen van de baby en veegde een traan weg. Vervolgens wierp ze met een ruk van haar hoofd haar haar naar achteren, waarna ze de kamer uitliep naar de achterkant van het huis.

'Ze heeft gelijk,' zei Olive. 'Hij heeft misschien een hoop fout gedaan, maar hij verdiende het niet om dood te gaan in zo'n motelkamer.'

Ik was het helemaal met Olive eens.

23

Ik geef getuigen meestal mijn visitekaartje zodat ze me kunnen bellen als ze zich nog iets herinneren wat ze niet hebben verteld. Maar aangezien noch Bailey, noch ik hier hoorde te zijn, zei ik tegen Olive dat wij contact met haar op zouden nemen. Ondertussen hoopte ik vurig dat ze niet per ongeluk tegen de FBI zou zeggen dat ze ons had gesproken. We liepen naar de auto en reden weg.

'Target?' vroeg Bailey met haar blik op de weg

'Yep.' We wisten niet wanneer T'Chia werkte, maar aangezien

we in de buurt waren, konden we het net zo goed even proberen.

Ik weet niet of ik liever geluk heb dan dat ik gewoon goed ben, maar het was hoe dan ook prettig om geluk te hebben. T'Chia Arendt was inderdaad aan het werk, en toen we haar vertelden waarom we waren gekomen, stemde ze ermee in om in haar pauze met ons te praten in het snelbuffet bij de ingang van de winkel. Bailey en ik gingen aan een van de gegoten plastic tafeltjes zitten om op haar te wachten. De pizza rook alsof hij al uren had gestaan, maar ik kreeg er toch honger van. De forel die ik als lunch had gegeten, was lekker geweest, maar niet echt voedzaam. En van pizza ga ik altijd watertanden – zelfs van die oudbakken kartonnen dozen in een vitrine.

'Wat zeggen we eigenlijk als een collega ons hier ziet?' vroeg Bailey.

Ik keek naar het winkelpubliek dat in de rij stond voor de kassa om te zien of ze iets in hun wagentje hadden wat ik per se wilde hebben. Ze hadden hier regelmatig fantastische aanbiedingen. Een gemakkelijk uitziende capribroek trok mijn aandacht, en het kostte me even om me te concentreren.

'We zeggen gewoon dat de bh's in de aanbieding zijn.'

'Ja hoor,' zei Bailey droogjes.

Even later kwam T'Chia naar ons toe en ging zitten. Janzy's beschrijving was precies goed geweest. T'Chia was ongeveer een meter vijfenvijftig en niet zozeer dik als wel rond. Haar haarwortels waren zwart, maar de rest schoot in de vorm van oranje pieken uit haar hoofd. De tatoeage van een spinnenweb, inclusief spin, verspreidde zich rond haar hals, en ze droeg ook een ketting met een schedel. Dat klopte – of het was in elk geval consistent. Maar vanaf de hals omlaag had ze het over een andere boeg gegooid met een roze bolerootje, een korte geruite rok en half geveterde Doc Martens. Ik vind het helemaal oké dat mensen zich uitdrukken door middel van een individuele kleedstijl, maar T'Chia's stijl leek een expressie van meerdere individuen.

Ik probeerde een vriendelijk glimlachje tevoorschijn te toveren en onderdrukte het binnenpretje dat begon op te borrelen. 'Fijn dat je even tijd voor ons vrijmaakt. We waarderen het echt.'

T'Chia gaf ons een beleefd knikje en kwam direct ter zake. 'Ik weet niet of jullie dat al wisten, maar Kit en ik waren stapelgek op elkaar. De mensen vertellen zoveel shit...' Ze zweeg onmiddellijk met grote ogen van schrik omdat ze in ons bijzijn een lelijk woord had gebruikt.

Eigenlijk was dat best schattig.

'Maak je geen zorgen over dat... shit,' zei ik met een glimlach. *Wat ben ik toch cool.*

Ze knikte opgelucht. Waarschijnlijk wist ze niet hoe ze meer dan een paar zinnen moest spreken zonder schuttingtaal te gebruiken. Daar kon ik me wel iets bij voorstellen.

T'Chia boog zich naar voren met een ernstige blik op haar gezicht. 'Ze zeggen dat hij oppervlakkig was, en ik weet dat hij behoorlijk in de stront zat, maar van binnen was hij een goeie knul, weet je? Niemand kende hem zoals ik.'

Ze vertelde het met een hartverscheurend verdriet. Tieners zijn in staat om drama te persen uit de manier waarop verf droogt, maar verliefd geweest zijn op een jongen die onder mysterieuze omstandigheden was vermoord, was de jackpot van tienertragedie. Tenzij hij vervolgens in een vampier was veranderd. Dat zou de megajackpot zijn geweest.

'Hoe lang waren jullie samen?' vroeg ik. T'Chia had het gebracht op een toon alsof ze al verliefd waren sinds de zandbak.

'Drie maanden.'

Drie maanden?

T'Chia, zich niet bewust van het feit dat dit antwoord haar gelofte van eeuwige liefde enigszins aan het wankelen had gebracht, vervolgde haar betoog. 'Maar voor die tijd gingen we ook al een paar maanden met elkaar om, sinds het begin van het semester,' voegde ze eraan toe.

O. Vijf maanden. Kijk, daar kon ik me tenminste wat bij voorstellen.

Plotseling stond ze op. 'Ik ga even wat te drinken halen. Willen jullie iets? Als ik het voor jullie koop, krijg ik korting.'

Het was een erg vriendelijk aanbod, maar we sloegen het af.

Het was al erg genoeg dat we met Kits vriendin zaten te praten; we hoefden het niet nog ingewikkelder te maken door gratis drankjes van haar aan te nemen.

Ze kwam al snel terug met een grote plastic beker in haar hand en ging weer zitten.

'Deden jullie na schooltijd wel eens dingen samen?' vroeg ik.

'Ja, maar hij kwam meestal hier naartoe. Ik had niet veel vrije tijd met mijn school en mijn werk.'

Deze relatie begon steeds minder op Romeo en Julia te lijken en steeds meer op Fagin en Oliver Twist – Kit kreeg gratis drankjes en eten en T'Chia kon doen alsof ze een vriendje had.

'Weet je wie zijn vrienden waren?' vroeg ik.

Ze haalde haar schouders op. 'Hij ging niet echt met veel mensen om. Eigenlijk alleen Eddie en Dante. Die nam hij wel eens mee hier naartoe.'

De jongens die we in de schoolkantine hadden gesproken. Die zouden we meer onder druk moeten zetten. Van wat ik tot nu toe had gezien, leken ze de enige bruikbare link met Kit.

'En wat weet je van die man van het OM die ze bij hem hebben gevonden? Heb je Kit daar wel eens over horen praten?' vroeg ik. Het deed pijn om Jake 'die man van het OM' te noemen, maar ik wilde niet laten merken dat dit voor mij persoonlijk was.

'Nee.' Ze schudde haar hoofd en dacht na. 'Maar hij zei wel een keer dat hij een belangrijk iemand kende die hem altijd hielp. Misschien was dat die gast wel.'

Eén interessante ontwikkeling, en misschien een lichtpuntje. Als het Jake was geweest, was het misschien iets onschuldigs en was Jake gewoon aardig geweest tegen een joch dat het zwaar had. Aan de andere kant; het kon ook betekenen dat Jake veel te 'aardig' was geweest. Ik bereidde me voor op het antwoord op mijn volgende vraag.

'Denk je dat hij, eh, iets met die man kan hebben gehad?'

T'Chia begon te blozen, en in haar ogen welden tranen op. 'Kit was niet gay! Die klootzakken van de FBI probeerden hetzelfde geintje, maar dat is onzin. Ik weet dat Kit rare dingen flikte – ik ben niet gek! Maar diep van binnen was hij een lieve knul, en ik word doodziek van mensen die dat soort shit over hem verkondigen!'

'Ik zou ook over de zeik zijn, T'Chia,' zei ik. Dat meende ik, maar ik wilde vooral dat ze rustig bleef. Als ze nog meer informatie had, moest ik die zo snel mogelijk naar boven zien te krijgen en vervolgens maken dat ik wegkwam. Ik begon me steeds ongemakkelijker te voelen over het feit dat we hier zo openlijk met haar zaten te praten.

'Heeft Kit het er wel eens met je over gehad dat hij snel rijk zou worden? Dat hij een grote slag zou slaan?'

'Niet dat ik me kan herinneren,' zei ze. 'Ik bedoel, hij had het er de hele tijd over dat hij het zou gaan maken, maar dat was gewoon iets van, de loterij winnen, die dingen.'

Ik had haar ogen op zien lichten toen ze antwoord gaf, en ik wist dat ik in de goede richting zat. Maar ik besefte ook dat ik, als ik nu door zou vragen, het risico zou lopen dat ze zou gaan liegen om van me af te komen, en ik had onvoldoende informatie om haar als getuige op te kunnen roepen.

Ik moest informatie verzamelen zodat ik terug kon komen met voldoende ammunitie om haar eerlijk te houden. Voorlopig kon ik haar maar het beste laten denken dat ze me met een kluitje in het riet had gestuurd. Maar ik zou terugkomen voor het antwoord. Wat het ook was.

24

De volgende ochtend werd ik heerlijk uitgerust wakker. Ik had de dag ervoor afgesloten met een fatsoenlijke work-out en daarna gegrilde groenten gegeten. Vervolgens was ik op tijd naar bed gegaan. Af en toe aan je gezondheid werken, doet wonderen, en ik voelde me vol nieuwe energie. Uiteraard had ik mezelf zoals altijd beloofd om er een gewoonte van te maken... en ook ditmaal had ik gedaan alsof ik het meende. Ter begeleiding van mijn ochtendritueel deed ik een cd van Herbie Hancock in de speler. Ik neuriede mee met 'Driftin'' terwijl ik voor de kleerkast mijn koffie dronk en probeerde te besluiten wat ik vandaag zou dragen.

Ik verwachtte geen mensen te ontmoeten op wie ik indruk wilde maken – ik weigerde resoluut te bekennen dat ik met 'mensen' eigenlijk Graden bedoelde – en aangezien ik niet in de rechtszaal hoefde te zijn, koos ik voor gemak. Het was voorlopig opnieuw een zonnige dag, maar vanuit het westen zag ik bewolking naderen die zich snel over de stad zou verspreiden. Toni had mijn nieuwe rode sweater met v-hals teruggegeven, en ik trok hem aan met een zwarte gabardine broek en korte laarsjes met halfhoge hakken. En natuurlijk dat irritante vest. Misschien zou ik er uiteindelijk zo aan gehecht raken dat ik niet meer zonder wilde. Ik moest moeite doen om mijn gevoerde leren jack erover aan te trekken. Beter van niet. Toen kreeg ik een idee. Aangezien ik het toch moest dragen, waarom zou ik er dan niet het beste van maken? Ik trok het jack uit, liep naar de spiegel en bekeek mezelf. Ik deed mijn ogen half dicht en hield mijn hoofd schuin. Als je zo keek, was het vest bijna sexy. Als je tenminste van platte vrouwen zonder vormen hield. Het was maar hoe je het bekeek.

Herbie begon aan 'Watermelon Man'. Ik trok mijn jack weer aan, stak de .357 in mijn tasje en ging op weg naar mijn werk.

Een kwartier later nam ik een andere gang dan gewoonlijk om Jakes kantoor te mijden. Ik besefte dat ik me hier op een gegeven moment overheen moest zetten, maar zover was het nu nog niet. Ik wierp een blik in de gang en zag dat Toni's deur openstond. Het was niets voor haar om al zo vroeg op kantoor te zijn, maar ik zag het als een welkome verrassing. Ik liep naar haar kamer en bleef in de deuropening staan. Toni was verdiept in een dossier, en ik klopte om haar te laten weten dat ik er was.

Ze keek op, en ik zag dat ze er betoverend uitzag – perfect gekapt en opgemaakt en gekleed in een jadegroene blouse en een strak beige rokje.

'Wat ben jij van plan?' vroeg ik.

'Ik heb een zitting voor die dubbele moord die ik van Jake heb overgenomen.'

'O, jullie gaan een jury selecteren? Laat het maar weten als je een *second opinion* nodig hebt.'

'Geen jury vandaag, alleen verzoekschriften,' zei Toni.

De iets te nonchalante toon gaf de doorslag.

'Je zit bij J.D. Morgan,' zei ik geamuseerd.

Toni moest moeite doen om onverstoorbaar te blijven kijken. 'Ik wilde je eigenlijk nog een Miranda-verzoek laten lezen,' zei ze, mijn kruisverhoor negerend. 'Ik ben er niet gerust op.'

Ik trok een wenkbrauw op. 'Geen probleem. Waarom combineren we dat vanavond niet met een etentje? Laten we naar Pace gaan. Ik trakteer.'

Pace, Toni's favoriete restaurant, was een intiem tentje in Laurel Canyon, vlak achter de Country Store waar Jim Morrison zijn boodschappen had gedaan. Het was geen flitsend etablissement, maar de inrichting was smaakvol bohémien en het eten en de wijn waren er fantastisch. Het was een populair eetcafé van de Hollywoodkliek.

Toni keek me recht in de ogen. 'En als ik geen nieuwtjes heb over J.D. en mij, trakteer je dan ook nog?' vroeg ze op uitdagende toon.

'Daar maak ik me helemaal geen zorgen over,' zei ik geamuseerd. 'Jij hebt al een nieuwtje als je elkaar bent tegengekomen op de gang.'

Toni beaamde dat met een quasi zielig glimlachje.

Haar knipperlichtrelatie inclusief bindingsangst met rechter J.D. Morgan was allesbehalve saai en voor mij een heerlijke bron van amusement. Niet dat ik haar ongelijk gaf wat de rechter betrof.

J.D. was een man die je 'liederlijk knap' zou kunnen noemen. Hij had staalgrijs haar, blauwe ogen die werkelijk fonkelden en een fantastisch lichaam dat hij dankte aan zijn carrière bij de politie en zijn liefde voor het amateurboksen. Een aantal decennia geleden was de overstap van politieagent naar rechter vrij normaal geweest. Maar toen de agenten van de LAPD steeds vaker voor tegendraadse cowboys werden uitgemaakt, begonnen de gouverneurs voorzichtiger te worden met hun aanstellingen. Inmiddels heeft de LAPD dat stadium grotendeels achter zich gelaten, maar het is tegenwoordig even moeilijk om in L.A. een rechter te vinden die politieagent is geweest als een politicus die monogaam is.

Hoe dan ook, rechter Morgan was het type dat direct door elke gouverneur zou worden aangesteld. Hij was geen intellectueel, maar hij had erg veel levenservaring. Daarbij was hij een geboren verteller met een aanstekelijke lach. Die eigenschappen bezorgden hem eindeloze stapels uitnodigingen voor feestjes van de meest uiteenlopende gastheren en gastvrouwen, van geharde detectives tot en met leden van het filharmonisch orkest.

Ik had hem ontmoet toen mijn brandstichtingszaak bij hem in de rechtszaal was beland, en ik had me voorbereid op het ergste. De advocaat van de verdachte, die we Snarol noemden, een soort slakkengif – stel je het gezicht voor van een chagrijnige slak; zo zag hij eruit – stond bekend om zijn korte lontje en zijn hatelijke opmerkingen. Op de eerste dag van de hoorzittingen vroeg rechter Morgan welke kwesties er moesten worden opgelost voordat we met de juryselectie konden beginnen. En ja hoor, Snarol sprong direct op terwijl de stoom uit zijn oren floot.

'Het Openbaar Ministerie heeft bewijsmateriaal achtergehouden! Ik heb vanochtend pas deze afschriften gekregen van de verklaring van mijn cliënt!' schreeuwde hij bijna terwijl hij met een stapel papier zwaaide. 'Dit is een ernstig vergrijp, en ik ben zeker van plan het aan de Orde van Advocaten voor te leggen!'

'Edelachtbare, ik heb de raadsheer die afschriften al drie keer eerder gegeven. Vandaag was de vierde keer. Er is geen...'

J.D. stak zijn hand op om me het zwijgen op te leggen. 'Mevrouw Knight, ik heb de lijst met de stukken gezien en ik weet precies wanneer u ze heeft ingebracht.' Vervolgens keek hij naar de strafpleiter, en zijn zware bariton klonk ontspannen – sympathiek zelfs – maar streng. 'Raadsheer, ik zeg dit maar één keer: in mijn rechtszaal worden zaken niet op deze manier behandeld. Ik zal u een advies geven, en ik hoop voor uw eigen bestwil dat u het opvolgt: wanneer u zo tekeergaat tegen de aanklager, kan ik alleen maar concluderen dat u absoluut niets heeft om een fatsoenlijke verdediging te voeren. Als u wilt dat een verzoek wordt ingewilligd, denkt u dan aan wat ik heb gezegd.' Het leek wel tovenarij. Het was voor het eerst dat Snarol zich beschaafd gedroeg. J.D. gaf regelmatig toe dat hij geen groot rechtsgeleerde was, maar hij had een zen-achtig gevoel voor balans. Het gevolg was dat advocaten van beide partijen hem mochten omdat uiteindelijk iedereen een eerlijk proces kreeg.

Het verhaal van Toni en J.D. begon als puur toeval. Ik stond op het punt om een slotpleidooi in de brandstichtingszaak te houden toen ik besefte dat ik een belangrijk dossier was vergeten. De jury zou tien minuten later alweer binnenkomen, daarom vroeg ik Toni of zij het wilde brengen. Op het moment dat ze de rechtszaal binnenkwam en zei: 'Neem me niet kwalijk, edelachtbare,' zag ik in zijn ogen een lichtje opvlammen. Daarna waren ze een paar maanden onafscheidelijk; ze leken perfect voor elkaar. Een beetje té perfect, zo bleek.

Zodra het verhaal over hun romance bekend raakte, begon iedereen in het gebouw te vragen wanneer ze gingen trouwen. Een week later hadden ze al merkbaar afstand van elkaar genomen. Een van de dingen die ze gemeen hadden, was hun aversie jegens binding. Maar ze slaagden er niet in helemaal los van elkaar te komen – zo goed werkte hun chemie. Steeds als ze elkaar weer tegenkwamen, gingen ze verder waar ze waren opgehouden en volgde een geweldige tijd – totdat een van de twee het weer op zijn heupen kreeg. Hoewel ze zich moesten inhouden zolang het proces liep, betekende het feit dat Toni in J.D.'s rechtszaal zou verschijnen dat ze na afloop ongetwijfeld weer samen zouden zijn.

Een psychiater zou smullen van dit stel – als ze de sessies tenminste zouden bezoeken.

'Doe de groeten aan J.D.,' zei ik. En terwijl ik me omdraaide om te vertrekken, voegde ik eraan toe: 'Zo te zien gaat het heel gezellig worden.'

Terwijl ik de gang in liep, raakte Toni's pen de muur achter me.

Ik deed mijn deur van het slot, schopte de deurstopper omhoog en ging achter mijn computer zitten. Ik had een hele rits e-mails van strafpleiters en een bericht van supercontrolfreak frankdensmore@densmoreclinics.com. Het verbaasde me dat zijn domein-naam niet masteroftheuniverse.com was. Ik had hem periodieke updates gestuurd via e-mail om te voorkomen dat ik hem per-soonlijk te woord zou moeten staan. Niettemin moest ik me ste-vig inhouden om hem niet te schrijven wat hij kon doen met de irritante, neerbuigende en langdradige berichten over ons onver-mogen om de kennelijke dader voor het gerecht te slepen.

Ik was halverwege het meest recente voorbeeld toen mijn mo-bieltje ging.

'Zit je op kantoor?' vroeg Bailey.

'Yep.'

'Niet weggaan,' zei ze, en ze verbrak de verbinding.

Terwijl ik op Bailey wachtte, probeerde ik me te concentreren op mijn werk – wat jammerlijk mislukte. Wat was er zo dwingend en zo geheim dat ze het niet over de telefoon kon vertellen? Ge-lukkig voor mijn ongeduldige zelf hoefde ik niet lang te wach-ten.

'Dit geloof je niet,' begon ze al terwijl ze mijn kantoor in been-de. 'Vannacht kregen we een telefoontje over een inbraak in de Palisades.'

Ik fronste mijn wenkbrauwen en keek haar aan. Alweer de Palisades. Ik hou niet van toeval, maar aan de andere kant – een inbraak in een rijke buurt komt regelmatig voor.

'In de buurt van Susans huis?' vroeg ik.

'Niet ver ervandaan. De verdachte had zich verstopt in een achtertuin in de buurt.' Bailey zweeg even en schonk me een veel-betekenende blik om zich ervan te overtuigen dat ze mijn volle-dige aandacht had. En die had ze.

'Onze dader is een babygangster. En zijn club?' zei ze, om ver-volgens een dramatische stilte in te lassen.

'De Sylmar Sevens,' maakte ik af.

Toeval konden we dus doorstrepen.

25

Ik leunde met een bons achterover in mijn stoel. 'De Sevens? In de Palisades? Dat slaat nergens op.' Een zo goed beveiligde buurt staat normaal gesproken niet boven aan het lijstje van een bende, en al helemaal niet wanneer de leider van die bende wordt gezocht voor een misdrijf dat recentelijk in diezelfde buurt is gepleegd. Hoe langer ik erover nadacht, des te meer het pure zelfmoord leek om zo snel na Susans verkrachting opnieuw in de Palisades toe te slaan. Het was alsof je een bordje met SCHULDIG om de hals van Luis Revelo hing.

Bailey had mijn reactie gadegeslagen. 'Vind ik ook,' zei ze.

'Heeft er al iemand met die knul gepraat?' vroeg ik.

'Ze hebben het wel geprobeerd, maar hij wil niks zeggen en heeft om zijn advocaat gevraagd.'

'Heeft hij die dan?'

'Nog niet.'

Zolang zijn advocaat er niet was om te zeggen dat het oké was, zou hij zijn mond niet opendoen. Tenzij de verdachte zou aangeven dat hij eerst met de politie wilde praten – wat er gezien zijn gedrag niet in zat – konden we niets doen.

Voorlopig bleef het dus een mysterie wat de Sylmar Sevens in de Palisades te zoeken hadden. Ik verlegde mijn aandacht naar Jakes zaak. 'Nog nieuws over de dubbele moord?' vroeg ik. 'Informatie over bewijsmateriaal, haren? Vezels?'

'Ze noemen het geen dubbele moord.'

'Idioten. Het is pas een moord-zelfmoord als ik dat zeg.'

'Ik zal het de FBI laten weten,' zei Bailey met een stalen gezicht. 'Maar goed, ik heb geen nieuws. Ze houden alles achter slot en grendel.' Bailey zweeg, en er verscheen een sluwe blik op haar gezicht. 'Maar ik ken wel iemand aan wie je het zou kunnen vragen...'

Plotseling besefte ik dat ik was vergeten haar over mijn lunch met Graden te vertellen. Hoe ik het ook verafschuwde haar in de kaart te spelen, ik kon onmogelijk mijn mond houden en het risico lopen dat ze het van iemand anders zou horen. Dan zou ze zich gekwetst voelen. Daarbij hadden we blijkbaar allebei hetzelfde idee: ik was ook van plan om informatie los te peuteren van Graden.

'Nu je het daar toch over hebt – ik was nog wat vergeten te vertellen,' begon ik. Ik bracht haar op de hoogte van wat er was gebeurd. Toen ik klaar was, keek ze me ongelovig aan.

'En dat was je vergeten?' vroeg ze.

Ik haalde mijn schouders op. 'En we hadden het druk.'

Bailey schudde haar hoofd, maar ze glimlachte. 'Vooruit dan maar. Omdat jij het bent.' Ze keek even uit het raam en zei: 'Het is lastig niet te kakken waar je eet, hè?'

'Bedankt, Elisabeth Barrett Browning,' zei ik droogjes. 'Je bedoelt zeker dat je het niet zo handig vindt om uit te gaan met iemand die het moordonderzoek in Jakes zaak leidt.'

'Nee, ik bedoel het tegenovergestelde. Die zaak wordt op een gegeven moment afgesloten. En we werken allemaal op de gekste tijden. Waar komen mensen als wij anders iemand tegen? Ik bedoel – je moet bijna wel kakken waar je eet.'

'Weet je, ik had eigenlijk best trek, maar de eetlust is me plotseling vergaan.' Dit was Baileys manier om haar goedkeuring te geven voor mijn date met Graden. Ik voelde me alleen wel een beetje onpasselijk.

'Maak je niet druk, het is maar bij wijze van spreken: "Je..."'

'Ja, het is me helemaal duidelijk,' zei ik en ik stak mijn hand op. 'Ik zou graag volgende week weer een hapje kunnen eten.'

Nu was het Baileys beurt om haar schouders op te halen. Ze stond op om te gaan, maar kaartte nog even een wat serieuzer onderwerp aan. 'Je draagt je vest toch wel, hè?'

'Ja, mam.'

Ze antwoordde onverstoorbaar: 'Ik hoor het wel wanneer je me nodig hebt.'

Ik had het geheugensteuntje niet nodig. Vanmorgen nog was ik gebeld door de hotelmanager, die me uiterst tactvol had gevraagd wanneer ik van plan was om iets aan mijn auto te doen. Ik moest toegeven dat mijn Accordje er toch al niet geweldig uit had gezien naast al die Benzen en Rollsen, maar nu het een mobiel eerbetoon aan de artistieke uitingen van Lil' Loco was geworden, stak mijn karretje af als een hand M&M's in een vitrine met diamanten. Ik had het steeds vooruitgeschoven, maar ik moest er op korte termijn iets aan doen. De carrosserie zou me een flinke bom duiten gaan kosten.

Maar dat was niet de enige reden waarom ik niets aan mijn auto had gedaan. Hoewel het meer dan logisch klonk dat de schietpartij puur toevallig was geweest, maakte ik me zorgen om het idee dat er misschien toch iemand was die het op mij had gemunt. En ik maakte me ook zorgen om die gedachtegang. Ik geef er de voorkeur aan mezelf niet blind te staren op problemen van levensbedreigende aard waaraan ik toch niks kan veranderen. Mijn geest zocht een alternatief. Dat bracht me opnieuw bij Jakes zaak.

Misschien was het tijd om me niet langer te verzetten tegen het idee dat dit een pedofiliezaak was en moest ik gewoon een andere benadering kiezen. Ik bestudeerde het probleem vanuit elke denkbare hoek. Ondertussen staarde ik uit het venster en zag ik hoe de trottoirs zich met mensen vulden die op weg waren naar huis. Mijn favoriete *tranny*, Desiree – in laarzen tot aan haar dijen, een leren minirokje en haar eeuwige lange, golvende blonde pruik – beende met krachtige, zelfverzekerde passen over Spring Street. Ze keek recht voor zich uit en daagde iedereen die haar tegemoet kwam, uit om haar te negeren. Ik moest altijd glimlachen wanneer ik haar zag.

Tegen de tijd dat het kantoor leeg was, had ik een plan bedacht. Ik ging achter mijn computer zitten en schreef een e-mail aan PedoAlert – een groep van verontruste burgers met aan het hoofd Clive Zorn. PedoAlert had zich ten doel gesteld om pedofielen en verspreiders en gebruikers van kinderporno voor het gerecht te brengen. Ik had hem enkele jaren geleden ontmoet tijdens een zaak van een vermoord kind. De zaak was mij gepresenteerd als mishandelingszaak, en ze hadden de *nanny* gearresteerd. De verwondingen wezen echter niet ondubbelzinnig op moord, en de mogelijkheid bestond dat de jury het verhaal van de nanny zou geloven, namelijk dat het kind na een val van de trap zijn nek had gebroken. Het was een scenario dat tot onvoorwaardelijke vrijspraak had kunnen leiden.

Clive had contact met me opgenomen om te wijzen op de mogelijkheid van seksueel misbruik in deze zaak. Op het slachtoffer waren hiervoor echter geen aanwijzingen gevonden, en ik was ervoor gewaarschuwd dat Clives groep naam probeerde te maken door geruchtmakende zaken met seksueel misbruik in verband te brengen zodat ze een excuus hadden om zich ermee te gaan bemoeien. In eerste instantie was ik op mijn hoede geweest toen Melia had gezegd dat hij had gebeld. Maar nieuwsgierigheid in combinatie met paranoia – vanwege de gedachte dat er mogelijk iets over het hoofd was gezien – had ertoe geleid dat ik onmiddellijk terug had gebeld. Toen Clive zei dat hij geen publiciteit wilde en dat hij me alleen wat tips wilde geven over waar ik naar moest zoeken, was ik verrast. Ik was nog steeds achterdochtig, maar ik luisterde.

Anderhalf uur later stonden mijn haren recht overeind – ik had meer over symptomen van kindermisbruik gehoord dan ik ooit voor mogelijk had gehouden. Ik had onmiddellijk contact met de rechercheurs opgenomen en gevraagd of ze een aantal specifieke dingen na wilden gaan. Zo hadden ze onder andere een verborgen hoeveelheid kinderporno gevonden met daarop het slachtoffertje. Een kind van twee. Gefilmd door de nanny. In verschillende video's was het kind bovendien door elkaar geschud en mishandeld op een manier die geen blauwe plekken achterliet. Een zwakke zaak was omgezet in een moord met voorbedachten rade. De nanny had vijfentwintig jaar tot levenslang gekregen.

Sindsdien had ik Zorn aanbevolen bij elke officier die ik kende, en, wanneer dat zo uitkwam, een goed woordje voor hem gedaan bij de verslaggevers. Clive had me uitbundig bedankt voor mijn steun, dus ik wist dat hij bereid zou zijn om me te helpen. En inderdaad; een paar minuten nadat ik het bericht had verzonden, ging de telefoon. Ik nam onmiddellijk op.

'Openbaar Ministerie, Rachel Knight.'

'Normaal gesproken zou ik blij zijn om van je te horen, maar ik neem aan dat je weer een pedofiel hebt?' Clives verrassend zachte stem had tijdens de undercoveroperaties van de groep al menig doelwit op het verkeerde been gezet.

Ik vertelde hem wat ik over Jakes zaak wist.

'En nu wil je natuurlijk weten wat we over je slachtoffer kunnen vinden.'

'Klopt.'

'Ik heb een kopie nodig van Kits foto – het exemplaar dat Jake in zijn zak had.'

Ik blies de lucht uit mijn longen. Daar was ik al bang voor geweest. 'Kun je niks met een beschrijving doen?' vroeg ik. Het leek onmogelijk om een kopie van de foto te bemachtigen, maar ik kon misschien wel een manier bedenken om er even een blik op te werpen.

'Ik kan het natuurlijk proberen. Maar jouw definitie van een korte neus kan heel anders zijn dan die van mij. En wat jij donkerbruin haar noemt, zou ik misschien donkerblond noemen. Dus zelfs als de foto van je slachtoffer op het internet staat, herken ik hem misschien niet.' Ik voelde dat Clive zich voorbereidde op een van zijn omstandige, gedetailleerde toelichtingen. Dat was het nadeel van Clive Zorn. Het maakte hem fantastisch als professor in de technologie, maar soms kon ik wel uit mijn vel springen.

Hij raasde door op zijn krankzinnige, 'ik-laat-me-nergens-door-tegenhouden'-tempo. 'En weet je wat het ook is, Rachel, zelfs als ik je zou helpen om op basis van je beschrijving te gaan zoeken, is het heel goed denkbaar dat zelfs jíj je de details niet voldoende meer herinnert om zijn foto op het internet te herkennen, zeker niet als er ook nog eens sprake is van vervorming. En míjn kansen om op basis van jouw beschrijving een match te vinden, zijn nog veel kleiner.'

Hij had gelijk. 'Ja, ik snap het. Ik zal mijn best doen.'

Hij wenste me succes, we namen afscheid en ik hing op. Ik wist wat ik moest doen, en hoewel ik er absoluut geen zin in had, deed ik het.

Hij nam op nadat de telefoon een keer was overgegaan.

'Graden Hales.'

'Weet ik,' zei ik op effen toon. 'Ik heb je nummer gedraaid.'

'Eerst even een vraagje,' antwoordde hij zonder ook maar een fractie van een seconde te verspillen. 'Hoe vaak ben jij vroeger uit de klas gestuurd?'

'Nooit. Alle leraren waren gek op me.' Ik slaagde erin om mijn gezicht in de plooi te houden.

'En wat als ik iets heel anders heb gehoord?'

'Dan liegen ze natuurlijk.' Verhalen uit mijn duim zuigen was niet mijn sterkste punt, daarom kwam ik meteen ter zake. 'Wat dacht je van een hapje bij The Cover?' Het was een bistro in 'speakeasy'-stijl, verborgen achter een onopvallende deur achter in een historisch restaurant dat uit de jaren dertig stamde. Het was donker, rustig en nog vrij nieuw, en het was nog niet ontdekt door de rechtbankkliek. In The Cover zouden we voldoende privacy hebben.

'Klinkt goed,' zei hij. 'Wanneer?'

Ik reageerde niet direct, en hij slaagde erin niet te sputteren. 'Bedoel je nu meteen?'

'Ik weet dat het kort dag is, maar ik heb echt een gunst van je nodig. Misschien heb je er geen zin in, maar zelfs als je nee zegt – we moeten allemaal eten, toch?'

Graden zweeg zo lang dat ik me even afvroeg of hij had opgehangen. 'Oké, ik doe het. Ik ben benieuwd – en ik heb honger. Over tien minuten beneden. Ik pik je op met de auto.'

26

Het zachte licht dat door de kleine glazen lampen aan het plafond werd verspreid, creëerde een chique maar intieme ambiance. En het gaf me een geruststellend gevoel dat ik geen bekende gezichten zag. We bestelden allebei een salade, maar Graden koos daarna de boeuf bourguignon terwijl ik heel saai een gegrilde kip nam. Niet dat die me niet smaakte, maar Gradens gerecht zag er beter uit. Ik moest moeite doen om mijn ogen van zijn bord af te houden.

Eigenlijk wilde ik hem niet om Kits foto vragen, waardoor ik verschillende kansen liet schieten terwijl binnen in mij een morele strijd werd geleverd. Maar toen de kelner arriveerde om de borden af te ruimen, zei ik tegen mezelf dat het nu of nooit was. Ik stond op het punt om mijn mond open te doen toen Graden zijn servet op tafel legde en zich naar voren boog.

'Oké, Knight. Je hebt het afgelopen halfuur onafgebroken op hete kolen gezeten. Wat is het probleem?'

Ik weet niet of ik onder de indruk was of juist geërgerd omdat hij me zo gemakkelijk had doorzien. 'Ik heb die foto nodig die ze op Jake hebben gevonden. Die van Kit Chalmers.'

Graden trok een wenkbrauw op en leek enigszins van zijn stuk gebracht. Ik had van tevoren geweten dat het geen kleinigheid was. Nu ik besefte dat het waarschijnlijk te veel was gevraagd, geneerde ik me dood.

Na een tijdje vroeg Graden: 'Waarvoor?'

Ik vertelde het verhaal over mijn contactpersoon bij de groep verontruste burgers. 'Als hij die foto op het internet kan vinden – of foto's die erop lijken – kan ik misschien achterhalen wie hem heeft genomen en andere mogelijkheden nagaan.'

'Zoals?'

'Iedereen gaat er blijkbaar van uit dat Jake door Kit is afgeperst. Ik heb eens zitten denken – dat is voor een deel niet zo'n slechte hypothese. Maar misschien was het niet Jake die door Kit is afgeperst.' Ik wist dat er gaten in de theorie zaten, en Graden begaf zich regelrecht naar het grootste.

'Waarom was Jake dan de enige die bij hem in die motelkamer was? En waarom had Jake die foto op zijn lichaam? En waarom zou Kit die foto meenemen als hij Jakes bescherming wilde?'

'Ik heb natuurlijk nog niet alle antwoorden,' zei ik sip.

'Volgens mij heb je nog niet één antwoord,' zei hij.

Ik knikte.

Graden vervolgde: 'En ik wil je niet teleurstellen, maar de receptionist van het motel heeft zich herinnerd dat Jake vlak voor de schietpartij naar Kits kamernummer heeft gevraagd.' Hij keek me veelbetekenend aan.

Ik staarde naar de tafel. Het was geen groot nieuws, maar het hielp de zaak ook niet echt. Ik overwoog dat als Jake iets van plan was geweest, hij niet met de receptionist zou hebben gepraat. Aan de andere kant, als hij van plan was geweest de hand aan zichzelf te slaan, zou dat er voor hem niet toe hebben gedaan.

'En er is nog meer.'

De toon van Gradens stem gaf aan dat 'meer' in dit geval niet synoniem zou zijn aan 'beter'.

'We hebben Jakes mobiele telefoongesprekken nagetrokken. Hij heeft eerder die dag een telefoontje van Kit gekregen.' Graden zweeg even. 'En dat was niet het enige. We hebben gesprekken tussen Jake en Kit gevonden die tot twee jaar teruggaan.'

'Hoeveel?'

'Niet veel, niet weinig. Ze belden elkaar om de paar maanden.'

Ik zoog langzaam lucht in mijn longen en probeerde het nieuws te verwerken. Het was niet direct een getekende bekentenis, maar het maakte de zaak er zeker niet beter op. Ik leunde mistroostig naar achteren terwijl ik het gewicht van het nieuws op me voelde drukken.

'Sorry, Rachel,' zei Graden.

'Nee, het geeft niet.' Ik schudde mijn hoofd. 'Ik moet het gewoon weten. Als de verhalen over Jake kloppen, zal ik ermee moeten leren leven.' Ik liet de informatie in gedachten nog even de revue passeren. 'Maar ik ben er nog niet klaar mee.'

Graden knikte grimmig. 'Logisch. Ik wilde je alleen waarschuwen.'

Ik waardeerde het idee, in tegenstelling tot de implicaties. We bleven even zwijgend zitten.

Graden liet zijn blik door de bistro glijden en keek me vervolgens aan. 'Als ik dit doe, zul je heel voorzichtig moeten zijn. Die foto mag onder geen beding in de publiciteit komen.'

De spanning in mijn borst ebde weg, en mijn schouders, die ik bijna tot aan mijn oren had opgetrokken, zakten omlaag toen ik overspoeld werd door een plotselinge golf van opluchting.

'En kun je ervan op aan dat die verontruste kerel niet met die foto gaat leuren of gaat vertellen hoe hij eraan is gekomen?'

'Zeker weten,' zei ik stellig. Ik zou Clive ervan moeten doordringen dat de foto achter slot en grendel moest blijven zonder dat hij ontdekte dat hij hem illegaal in zijn bezit had. Het was een smal pad met aan weerszijden een diep ravijn.

Graden keek me recht in de ogen. 'Ik hoop dat je gelijk hebt, in het belang van ons allebei,' zei hij uiteindelijk.

Ik knikte met al het zelfvertrouwen dat ik kon verzamelen en gebaarde naar de kelner, die werkloos bij de bar had staan wachten. Hij haastte zich in mijn richting met de dessertkaart. De vroege eters waren vertrokken, en het was stil in het restaurant. Maar ik wist dat het de stilte voor de storm was en dat het zo meteen vol zou lopen. Graden en ik bevonden ons aan een van slechts drie bezette tafels.

Ik keek hem aan. 'Toetje? Ze zeggen dat de crème brûlée hier geweldig is.'

'Zullen we delen?' zei hij. 'Ik zit al behoorlijk vol.'

Ik gaf de kaart terug aan de kelner. 'Een crème brûlée, twee lepels, komt eraan,' zei hij, en hij vertrok.

'Ik ga jou ook om een gunst vragen,' zei Graden.

'O?'

'Doe de volgende keer niet zo moeilijk. Ik krijg de indruk dat je niet graag een ander om hulp vraagt. Maar ik zit daar niet zo mee, zeker niet als het voor een goede zaak is. Dus als je iets wilt, zeg het dan gewoon. Ik zal doen wat ik kan.'

De kelner bracht de crème brûlée en legde twee lepels neer.

We klonken met het tafelzilver, braken door het perfect gebruinde krokante toplaagje en genoten van de eerste mondvol. De stevige, maar romige pudding was heerlijk zoet zonder suikerachtig te zijn. We zeiden niets meer totdat we allebei het kommetje leeg hadden gelepeld.

'Ik heb wel wat tijd nodig om die foto te pakken te krijgen als er niemand kijkt. Ik ga ervan uit dat het wel een paar dagen gaat duren. Hoe kan ik hem veilig bij jou krijgen?' vroeg Graden terwijl ik de rekening betaalde.

'Mijn hotel. We spreken af in de bar. Daar komt nooit iemand waarover we ons zorgen moeten maken.'

'Een vrouw die thuis een bar heeft,' merkte Graden op met een glimlach. 'Weet je, er is maar één ding wat dat overtreft.'

'Laat me eens raden. Roomservice?'

Hij stond op van tafel, en er verscheen een grijns op zijn gezicht. 'Zijn mannen zo doorzichtig?'

'Alleen degenen die ademhalen.'

27

Toen ik de volgende dag op kantoor kwam, had ik me voorgenomen om de hele dag hard te werken en me nergens door te laten afleiden. Ik wilde me niet bezighouden met de steeds reëler wordende kans dat de zaak rond Jake en Kit precies zo was als hij leek. Als lunch at ik een kalkoenwrap, gewoon achter mijn bureau. Ik werkte non-stop door en handelde de ene zaak na de andere af. Na een paar uur nam ik een korte pauze om de benen te strekken en even uit het raam te kijken. Ik zag dat de bewaker van de parkeerplaats achter het gebouw in zijn huisje zat te slapen. Gelukkig ging ik niet met de auto naar mijn werk. Even later nam ik weer achter mijn bureau plaats om een stapel verzoeken van strafpleiters weg te werken. Ik selecteerde de brieven die schriftelijk moesten worden beantwoord en dook ik weet niet hoe lang in de papieren totdat ik het klikken van Toni's hakken in de gang hoorde naderen. Ik had de indruk dat ze vroeg terug was uit de rechtszaal, maar toen ik omhoogkeek naar de klokkentoren, zag ik dat het al kwart voor vijf was. De tijd vliegt als je je op je werk concentreert.

'Hé, Toni,' zei ik. 'Hoe is het gegaan?'

Ze bleef met een verhit gezicht in de deuropening staan. *Ja hoor, daar gaan we weer*, dacht ik. *Een nieuwe aflevering van de Toni en J.D. Show*. Het zou prettig zijn als ze er eens achter zouden komen wat ze wilden.

'Heb je alle verzoekschriften binnengehaald of heeft hij de verdediging ook nog een paar botten toegeworpen?' grapte ik. Rechter Morgan zou zijn beslissingen nooit laten beïnvloeden door zijn relatie met Toni, maar ik zag niet in waarom ik haar er niet mee zou pesten.

Toni rolde met haar ogen. 'Ik mag van hem niet in het strafblad kijken om te zien of de verdachte al eerder is veroordeeld voor geweldpleging met een dodelijk wapen – maar dat is eigenlijk niet eens nodig. Voor de rest ziet de zaak er prima uit... even afkloppen,' zei ze terwijl ze op de deurlijst klopte.

'Dat is geen hout, maar metaal. En je hebt geen eerdere veroordelingen wegens geweldpleging nodig om die gasten achter de tralies te zetten. Je hebt een sterke zaak,' zei ik.

Maar we wisten allebei dat rechtszaken onvoorspelbaar waren. Een paar verkeerde woorden van de verkeerde getuige op het juiste moment kon een gegarandeerde overwinning in een fiasco veranderen. Strafpleiters waren dan ook berucht om hun bijgelovigheid. En zo wist ik dat Toni morgen bij de juryselectie haar marineblauwe *geloof me*-pakje zou dragen.

'En hoe gaat het hier?' vroeg ze.

'Ik heb een hapje gegeten met Graden.'

Toni stapte naar binnen, sloot de deur, zette haar aktetas op de grond en ging zitten. 'Wat ben jij een smiecht.' Ze liet haar schoenen op de grond vallen en legde haar voeten op de andere stoel. 'Oké, laat maar horen.'

Ik bracht haar op de hoogte.

Ze keek me sluw aan. 'Dus nu weet hij dat je een pitbull bent en weet jij dat hij een hart heeft.'

Ik knikte. 'Ik hoop alleen dat dit geintje ons niet allebei ruïneert.'

'Gevaarlijk, hoor, met bewijsmateriaal klooien in een FBI-zaak,' beaamde Toni. Ze zweeg even en keek op haar horloge. 'Shit. Ik moet ervandoor,' zei ze. Ze schoot haastig haar schoenen aan en stond op.

'Waar ga je naartoe?' vroeg ik. Toni mocht tijdens het proces niet met de rechter omgaan, en ik wist dat ze niemand anders had.

'Ik ben vorige week begonnen met een aquarobicsklasje op de

sportschool. Ik heb nog vijf minuten om er te komen,' zei ze. Ze pakte haar aktetas op en opende de deur. 'Bel me maar,' zei ze. 'Tenzij je in de bak zit, natuurlijk.' Haar lach galmde door de gang terwijl ze naar de lift liep.

Ik keek naar de papieren op mijn bureau. Ik had de stapel teruggebracht tot één verzoek om uitsluiting van de bekentenis van een verdachte. Maar ik kon de zaak ook zonder de bekentenis bewijzen, en ik was sowieso niet happig op het gebruik van bekentenissen. Het waren vrijwel altijd Trojaanse paarden, een allegaartje van dingen toegeven en dingen ontwijken, vol met 'ja... maar's. Als een verdachte de jury wilde belazeren, kon hij dat wat mij betrof in het getuigenbankje doen, waar ik er ook wat over te zeggen had. Ik zou er geen traan om laten als de rechter de bekentenis zou uitsluiten, en ik besloot een standaardbriefje te schrijven en de extra tijd voor een work-out te gebruiken.

Buiten was de namiddagzon tanende, maar het was nog licht. De dagen begonnen al te lengen en strekten zich uit naar het voorjaar. Ik trok het gehate vest aan, gevolgd door mijn jack en voelde het geruststellende gewicht van de .357 toen ik mijn tasje over mijn schouder zwaaide. Ik bleef even staan bij de deur toen ik me herinnerde dat ik Bailey zou bellen om me op te halen. Maar het was nog vroeg, en er waren nog een hoop mensen op straat. Ik besloot dat ik haar wel een avondje vrij kon geven. Terwijl ik de gang in liep, nam ik me voor om niet te vergeten Toni naar haar aquarobicsklasje te vragen. Het was in elk geval weer eens iets anders dan mijn saaie sportschoolroutine.

De laatste achterblijvers haastten zich over de trottoirs in de richting van bushaltes en parkeerterreinen. Hun gestalten wierpen lange schaduwen op het beton – een parallel universum van smalle reuzen die soepel tussen lantaarnpalen en her en der geplante bomen door marcheerden. Ik liep stevig door in het besef dat de avond sneller viel dan ik had verwacht.

Ik was juist Pershing Square overgestoken toen ik vanuit een ooghoek zag hoe even verderop een oude Lincoln midden op straat bleef staan. Tijd om te beseffen hoe vreemd dat was, kreeg ik niet, want er sprongen twee duistere gestalten van de achterbank die met grote snelle stappen op me afkwamen en mijn armen vastpakten. Ik bewoog me in een reflex naar achteren en tilde mijn voet op om uit alle macht op een wreef te trappen, toen een van de gestalten een deken over mijn hoofd gooide.

Ze grepen mijn hoofd en voeten beet, tilden me van de grond en haastten zich naar de auto. Ik trapte en spartelde en probeerde te schreeuwen, maar de deken dempte het geluid. Ik werd achter in de auto op de grond gesmeten, precies met mijn maag op de verhoging in het midden. Ik snakte naar adem, maar door de deken en de plotselinge klap in mijn solar plexus kreeg ik geen lucht. Ik begon in paniek te raken, en mijn adem kwam in korte, raspende stoten. Ik voelde de twee mannen op de achterbank springen, aan weerszijden een. De portieren sloegen dicht en de motor brulde. De Lincoln trok met gierende banden op en mijn gezicht sloeg tegen de achterbank. Ik kreunde van pijn en deed vergeefse pogingen om lucht in mijn longen te krijgen. Ik begon duizelig te worden en probeerde te vechten tegen wat er zou komen, maar het was zinloos. Mijn laatste gedachte was dat ze me pas zouden vinden als het te laat was. En toen werd alles zwart.

28

Ik kwam bij door het grommen van de motor en het gevoel dat ik door de ruimte zweefde. Ik kon niets zien en raakte in paniek omdat ik dacht dat ik blind was, maar toen herinnerde ik me dat ze een deken over mijn hoofd hadden gegooid. Ik knipperde een paar keer met mijn ogen om me ervan te overtuigen dat ze werkten. Ik had er geen idee van hoe lang ik bewusteloos was geweest of in welke richting we reden.

Er zaten buiten mij zeker drie mensen in de auto; de twee mannen op de achterbank die me hadden ontvoerd, en de bestuurder. Maar niemand zei iets. Uit het weinige dat ik had gezien, kon ik opmaken dat de klootzakken die me de auto in hadden gesleurd, een donkere huidskleur hadden. Onmiddellijk schoten de woorden hispanic, gangbanger en Sylmar Sevens door mijn geest. Ik hoopte vurig dat ik het mis had, want als ik gelijk had, was ik er geweest.

Ik moest een plan bedenken. *Had ik mijn pistool nog?* Ik probeerde heel voorzichtig mijn handen te bewegen in de hoop dat niemand iets zou zien. Ze waren niet vastgebonden. Dat viel mee. Ik strekte voorzichtig mijn linkervoet. Mijn voeten waren ook vrij. Nog beter. Maar mijn tasje was verdwenen, en dat betekende dat mijn pistool ook weg was. Dat was een enorme tegenvaller. Ik had mijn vest aan, maar dat was een schrale troost. Aan een vest had je niets als je in je hoofd werd geschoten. Ik raakte opnieuw in paniek, maar wist me te herstellen. *Concentreer je*, zei ik tegen mezelf. Als ze me uit de weg wilden ruimen, zouden ze me eerst uit de auto halen. Niemand wil een plas bloed in zijn auto als hij dat kan voorkomen. Dat betekende in elk geval een paar seconden waarin ik de kans kreeg om te vechten. Ik probeerde me de manoeuvres voor de geest te halen die ik van een voormalige date had geleerd die les in Krav Maga had gegeven. Ik had me juist herinnerd hoe ik iemands knieschijf kapot moest trappen, toen ik merkte dat het geluid van het verkeer afnam en de straten rustiger werden. Ik rook de klamme groenheid van bomen en gras.

De tegenvaller veranderde plotseling in een ramp. Ik dacht aan alle populaire locaties om een lijk te dumpen; plekken waar ze mijn lichaam de komende maanden niet zouden vinden. Griffith Park was de dichtstbijzijnde optie; dat verklaarde de frisse geur van groeiende planten en natuur. Ik probeerde niet toe te geven aan de angst en deed één nieuwe poging om een fatsoenlijk actieplan te bedenken. Maar toen remde de auto af op een kiezelpad om vervolgens te blijven staan. Er was geen tijd meer voor plannetjes. Ik dwong mezelf om rustiger te ademen en concentreerde me op mijn eerste zet wanneer ze me uit de auto zouden trekken.

De ellendeling naast mijn hoofd nam mijn bovenlichaam in een houdgreep waarbij mijn armen tegen mijn zij werden gedrukt. Vervolgens trok hij me in een zittende positie waarbij ik in het midden van de achterbank terechtkwam. Met de deken nog over mijn hoofd en lichaam drukte hij een – zo voelde het aan – semiautomatische .44 in mijn nek, terwijl de andere ploert mijn elleboog zo vastgreep dat elke plotselinge beweging een gemene breuk zou opleveren. Ik zette mezelf schrap voor het schot dat mijn keel zou verscheuren terwijl mijn geest – verdoofd van angst, maar hyperalert – elk geurtje en elke gewaarwording registreerde. Vervolgens zei een stem vanaf de bestuurdersstoel zacht: 'Oké, nu.'

Ik zoog scherp de lucht naar binnen met de gedachte dat dit mijn laatste ademtocht kon zijn, en ik bereidde me voor op de verzengende hitte van een kogel. Maar in plaats daarvan trok iemand de deken van mijn hoofd.

Terwijl mijn ogen aan het schemerige licht wenden, besefte ik dat we in MacArthur Park waren – een paar minuten buiten het centrum – en ik recht in het gezicht keek van mijn hoofdverdachte: Luis Revelo.

29

'Sorry voor de onbeschaafde introductie,' zei Luis Revelo met een zachte stem. 'U zult me waarschijnlijk niet geloven, maar dit is niet mijn stijl.' Hij sprak 'waarschijnlijk' uit als *'schijnlijk* en combineerde 'dit is' tot *di'is*.

Aangezien ik er een seconde eerder nog van overtuigd was geweest dat ik op het punt stond om dit aardse ongerief achter me te laten, verkeerde ik in een enigszins roekeloze geestesgesteldheid. 'Ik geloof je inderdaad niet,' blafte ik met schorre stem, 'het is duidelijk dat verkrachtingen meer in je straatje liggen.'

'Nee, mevrouw – dat is niet zo,' zei hij terwijl hij zijn best deed om netjes te praten. 'Kijk, ik wist wel dat u zo zou denken, dus ik moest een manier verzinnen om het u te vertellen. Susan was een goede vriendin van me, en ze was mijn hoop op een beter leven. Ze hielp me mijn diploma te halen zodat ik naar een *community college* zou kunnen en over vier jaar mijn MBA zou hebben. Weinig kans dat ik dat zou verklo – eh, verpesten.'

'Dus je ontvoert een officier van Justitie,' zei ik, 'om dat uit te leggen?'

Op zijn voorhoofd verscheen een geërgerde frons. 'Wat moest ik dan? Een politiebureau binnenlopen en zeggen dat ik dat meisje niet heb verkracht? Wat denkt u dat ze dan zeggen: "O, sorry, man – foutje. We vergeten het gewoon?" U weet net zo goed als ik dat het zo niet werkt.'

Ik keek naar hem en kneep mijn ogen half dicht. Hij draaide zich om, keek me recht in de ogen en vervolgde zijn verhaal.

'Ze zouden me meteen in de bak gooien en pas later vragen gaan stellen. Vervolgens zit ik daar weg te rotten terwijl die gasten op hun dooie akkertje mijn verhaal gaan checken. En ondertussen pikt iemand anders mijn buurt in. Of ik word in de bajes gemold door een Peckerwood of een Crip.' Hij zweeg om mij de tijd te geven zijn ingewikkelde dilemma op me te laten inwerken.

Ik zei niks, maar ik moest stiekem bekennen dat hij ''schijnlijk' gelijk had.

'Dus ik denk, ik moet u op een of andere manier uitleggen hoe de boel in elkaar zit. Ik heb ten slotte niks te verliezen,' zei hij. 'Zolang jullie blijven denken dat ik het heb gedaan, moet ik onderduiken. Zo kan ik geen zak doen. Dat is geen leven. Dus ik denk van, ik ga het gewoon één keer met u proberen. En als het niet lukt, ga ik naar het zuiden. In Baja is het leven in elk geval goedkoper.'

Ik begreep zijn logica. Wat ik niet begreep, was waarom ik zou geloven dat hij Susan Densmore niet had verkracht.

'En nu moet ik je gewoon op je woord geloven dat je het niet hebt gedaan, omdat?'–

'Nee.' Hij fronste zijn voorhoofd en dacht even na. 'Wat wilt u dat ik doe?'

De kille loop die nog steeds in mijn nek drukte, straalde niet direct een geest van samenwerking uit. 'Je zou om te beginnen die maat van je kunnen vragen of hij zijn pistool wil opbergen.'

'Sorry,' zei hij. 'Manny, weg met dat ding.'

Manny, voor wie geen deodorant krachtig genoeg was, haalde gehoorzaam zijn wapen weg. Het voelde goed genoeg om een transactie te bedenken. Terwijl ik probeerde de geur van overactieve zweetklieren van mijn buren te negeren, overwoog ik mijn opties. Ze hadden me ruw behandeld en me de stuipen op het lijf gejaagd, maar ik kon niets tegen Luis' zienswijze inbrengen. En als hij Susan inderdaad niet had verkracht, dan wilde ik zo snel mogelijk op zoek naar degene die dat *wel* op zijn geweten had. Hoe meer ik erover nadacht, des te meer ik besefte dat deze bizarre samenwerking wel eens heel goed voor mij zou kunnen uitpakken. Vreemde tijden vragen om vreemde maatregelen. Ik was klaar om een deal te sluiten.

'We nemen een DNA-monster af en je doet een leugendetectortest,' zei ik. 'Als je het er goed van afbrengt, vergeten we... dit.' Ik wierp even een blik op de griezels die naast me zaten. 'Zo niet, dan heb je een probleem.'

'Het is toch een gewone test, hè, geen geintjes?'

'Zie je me soms lachen?'

Hij keek me indringend aan en knikte vervolgens langzaam. 'Oké.' Na een korte stilte voegde hij eraan toe: 'Dus als blijkt dat ik clean ben, kan ik gewoon vertrekken, oké?'

'Ik begeleid je hoogstpersoonlijk naar buiten,' beloofde ik.

'Deal,' zei hij, en hij reikte tussen de voorstoelen door om mij de hand te schudden.

'Niet zo snel.' Ik schudde mijn hoofd. 'Je hebt mijn auto toegetakeld, ik heb vier nieuwe banden nodig en er is op me geschoten. Ik wil de eikels spreken die dat gedaan hebben, anders hebben we geen deal.'

Luis observeerde me even en wierp vervolgens een blik op mijn buren. Ze haalden hun schouders op, keken naar elkaar en ten slotte weer naar Luis. 'Er heeft niemand op u geschoten,' zei hij. Toen richtte hij zich op wat voor hem blijkbaar de belangrijkste gebeurtenis was en vroeg: 'Shit, dus ze hebben uw karretje gemold?'

'Je *pendejos* hebben mijn auto zo toegetakeld dat hij eruitziet als een ontploft blik tomatensoep. En daarna zijn ze mij en mijn collega naar Marsden High gevolgd en hebben ze op ons geschoten,' zei ik met een stem die steeds chagrijniger begon te klinken.

Ik moest toegeven dat de geschokte blik op hun gezicht ditmaal vrij overtuigend was.

'Marsden High? Wat zouden we daar moeten?' vroeg Luis oprecht verbaasd. Hij schudde nadrukkelijk zijn hoofd en boog zich naar me toe. 'Kom op, mevrouw Knight, u weet hoe het werkt. Niemand flikt een officier of een smeris zulke geintjes – tenzij ik het zeg. En hier heb ik echt geen groen licht voor gegeven,' zei Luis op verhitte toon en met iets van walging in zijn stem. Hij schudde opnieuw zijn hoofd. 'Kijk, dat soort shit verziekt het voor iedereen. Als een of andere idioot een smeris of een officier van Justitie pakt, gaan ze ons vierentwintig uur per dag achter de vodden zitten en kunnen we onze business wel vergeten.'

'En *bangen* is business?' zei ik op sceptische toon, hoewel lichtelijk geamuseerd.

Luis knikte ernstig. 'Sommige *cabrones* zijn compleet *loco* – houden zich alleen maar met misdaad bezig en zitten altijd in de problemen. Die gasten bereiken niks. Met zo'n achterlijke houding kom je nergens. Ik werk niet zo. Het gaat om geld verdienen,' zei hij nuchter. 'En om *familia.*'

Ik zweeg even en dacht na. Ik was er niet zo zeker van als Luis dat zijn slaafjes geen eigen agenda hadden, maar als ik hem zou vragen of hij dat wilde controleren, zou hij alleen maar gezichtsverlies lijden bij zijn *homies*. Bovendien, als hij onschuldig was aan de verkrachting, zouden de Sevens geen reden hebben gehad om hun nek uit te steken in een poging mij of Bailey uit te schakelen.

'Nog één ding,' zei ik. Er moest nog een laatste noot worden gekraakt – een harde noot. En dit was het juiste moment, nu ik zijn volledige aandacht had en er voor hem iets op het spel stond.

'Ja?' zei hij behoedzaam.

'We hebben een van je babygangsters opgepakt'–

Luis keek opnieuw naar zijn homies; ze schonken hem een uitdrukkingsloze blik. Ik kreeg de indruk dat ze heel vaak zo keken.

'Heb je nog niks gehoord?'

Luis schudde zijn hoofd en keek verbolgen. 'Wie dan?'

'Hector Amaya.'

Luis richtte zich tot de andere twee. '*Sabes algo?*'

De jongens schudden geschrokken hun hoofd. '*Nada.*'

'Waar is hij voor opgepakt?' vroeg Luis.

'Inbraak,' antwoordde ik.

Hij knikte. Zijn reactie – of liever het ontbreken daarvan – gaf aan dat dit een toegestane activiteit was. Wat hem betrof was er geen vals spel gespeeld. Tijd om te zien wat hij met de rest van de informatie zou doen.

'Op ongeveer drie blokken van het huis van Susan.'

Luis fronste zijn wenkbrauwen, en plotseling werd hij witheet. 'Wat zullen we godver'–

Zijn neusvleugels trilden terwijl hij de twee *bangers* naast me een beschuldigende blik toewierp.

Ditmaal slaagde een van hen erin om een antwoord te formuleren. 'Daar weet ik niks van, ik zweer het.'

'Ik ook niet,' zei Manny.

'Dit maakt je zaak er niet beter op,' zei ik.

Luis knikte. Zijn woede was bijna tastbaar. 'Het ziet er slecht uit,' erkende ook hij. 'Maar ik heb hier niks mee te maken.' Hij zag dat ik hem sceptisch aankeek. 'U gelooft me zeker niet – ik snap het. Maar hoe moet ik het dan bewijzen?'

Ik leunde achterover en keek even naar Luis. 'Dat zal ik je vertellen. Hector weigert iets te zeggen en heeft om een advocaat gevraagd. Zorg ervoor dat hij met mij praat, dan zien we wel waar het schip strandt.'

Luis keek opzij. Hij staarde uit het raam aan de passagierskant en liet zijn vingers knakken. Ik zag nu voor het eerst dat hij zeker een meter tachtig was en behoorlijk gespierd. Het luidde knakken dat uit zijn handen klonk, wees erop dat hij ze voor meer dingen gebruikte dan alleen sloten kraken. Zonder me aan te kijken, zei hij met een grimmige blik: 'Dan zal ik naar binnen moeten. Hij zegt geen woord zolang hij het niet van mij persoonlijk hoort, en via de telefoon kan niet.'

Ik knikte. Telefoontjes vanuit de gevangenis werden altijd opgenomen en afgeluisterd... en tegen je gebruikt tijdens je proces, zoals menig verdachte tot zijn grote spijt had moeten ervaren.

Luis knikte plechtig. 'Ik zorg er wel voor dat hij met u praat.'

Ik voelde een onverwachte golf van sympathie voor de babygangster. En nu begreep ik waarom hij om een advocaat had gevraagd. Als Luis de waarheid vertelde en Hector op eigen houtje in een niet goedgekeurde buurt had geklust, zat hij tot over zijn oren in de problemen. Het beste wat hij kon doen, was zijn mond houden, zijn straf uitzitten en hopen dat Luis ondertussen wat zou afkoelen. Maar als hij tegen de politie zou praten, zou hij als verrader te boek staan, wat het nog erger zou maken. Hij zou dan definitief de steun van zijn bende verliezen. Dat betekende dat hij zich in de gevangenis niet alleen zorgen moest maken dat hij door rivaliserende bendes overhoop werd gestoken, maar hij zou ook niet langer veilig zijn voor zijn eigen mensen. Daarmee zou hij zijn eigen doodvonnis tekenen.

'Je bent geen moment alleen met hem, Luis. Denk niet dat je je eigen zaakjes kunt regelen met mij erbij,' waarschuwde ik. Hoewel Luis niet het type leek dat dom genoeg was om Hector tijdens een bezoekje om zeep te helpen, wilde ik geen enkel risico nemen.

Luis keek me aan en slaakte een zucht. 'Doe me een lol, dame. Ik heb al genoeg problemen zonder die shit.' Hij schudde zijn hoofd. 'Maar hoe wilt u dit regelen zonder dat ze mij in de kraag vatten? Ik zit in mijn proeftijd. Ik mag niemand bezoeken die in de bak zit.'

Ik dacht even na. 'Heb je een fatsoenlijk pak?'

Luis keek beledigd – alsof ik hem had gevraagd of hij wist aan wie je een diamanten armband kwijt kon. Hij hield zijn hoofd een beetje schuin, keek omlaag langs zijn neus en zei: 'Wat denkt u dat wij bij begrafenissen dragen?'

30

Manny's zweetklieren waren ontploft nadat ik Luis over de inbraak van de babygangster had verteld, en ik werd bijna misselijk van de stank, daarom zei ik dat ik voorin wilde zitten tijdens het ritje terug naar het Biltmore. Tien minuten later stopte Luis aan de andere kant van de straat tegenover het hotel. Toen ik uit wilde stappen, draaide hij zich om naar Manny en zei: 'Geef de dame haar wapen terug.'

Manny gaf me mijn tasje en overhandigde vervolgens het pistool. Hij deed dat met een geoefend gebaar waarbij het wapen uit het zicht bleef voor eventuele voorbijgangers. 'Mooi ding,' zei hij terwijl hij er een begerige blik op wierp.

Ik schonk Manny een dreigende blik, griste het wapen uit zijn hand en liet het in mijn tasje glijden. Luis en ik spraken een tijdstip en een locatie af voor onze volgende ontmoeting. Ik stapte uit, sloeg zachtjes met mijn vlakke hand op het dak van de auto en Luis zoefde weg.

Ik liep naar het hotel met een gevoel alsof de grond golfde onder mijn voeten. Angel, de portier, glimlachte en keek me vervolgens nog een keer aan. 'Alles goed, Rachel?'

'Prima. Alleen een beetje moe,' zei ik op de automatische piloot. Mijn lichaam bewoog zich in de richting van de bar voordat mijn hersenen beseften waar ik naartoe ging. Spiergeheugen.

Zodra ik besefte wat mijn doel was, stelde ik me Drews warme, gastvrije glimlach voor en de koele *bite* van een Ketel One martini die via mijn tong mijn keel binnengleed. Met een gevoel alsof ik een ruimtewandeling maakte, overbrugde ik de laatste meters naar mijn stamkroeg waarna ik bijna opgelucht de gepolitoerde houten deur tegen mijn hand voelde en mijn lichaam naar binnen duwde. Het geluid van de lobby achter me verdween abrupt alsof ik door een luchtsluis was gestapt. Ik genoot even van de rust, draaide me vervolgens om en zocht naar Drew.

Ik zag opgelucht dat hij aanwezig was en een geanimeerd gesprek voerde met iemand die aan de bar zat. De beweging van de deur trok zijn aandacht, en toen hij opkeek zag ik verrast hoe een verschrikte en vervolgens boze uitdrukking over zijn gezicht gleed. Het object van zijn aandacht draaide zich om. Bailey. Toen ik haar vertrokken gezicht en de opeengeklemde lippen zag, bleef ik abrupt staan.

In alle... 'verwarring' – zoals Clint Eastwood het zou formuleren – was ik helemaal vergeten dat het incident zich had voorgedaan omdat ik mijn belofte aan haar had verbroken om niet zonder haar het kantoor te verlaten. Ik wist niet hoe lang ik van het radarscherm was verdwenen, maar ik kon aan haar gezicht zien dat het lang genoeg was geweest om haar door een hel te laten gaan.

Ik wilde dat ik deze confrontatie had kunnen uitstellen totdat de zwaartekracht weer normaal functioneerde, maar tenzij ik onmiddellijk rechtsomkeert maakte en de benen nam, had ik geen andere keus dan de zaak maar over me heen te laten komen. Ik ging op een barkruk zitten en hield een hand omhoog. 'Sorry, mensen, ik weet dat ik het verbruid heb, maar er is me iets idioots overkomen. Doe eerst even een martini voordat we het erover hebben. Alsjeblieft.'

Het was ofwel mijn verschijning, of de toon van mijn stem die hen duidelijk maakte dat ik het meende, want Drew liep weg om mijn drankje te mixen terwijl Bailey zwijgend de lucht uit haar longen blies en mijn profiel bestudeerde. Ik keek recht voor me uit en hield mijn mond. Ik had zojuist beseft dat mijn handen beefden, en ik vertrouwde er niet op dat mijn stem niet over zou slaan, daarom bleef ik zonder iets te zeggen zitten. Drew bracht de martini, en ik moest me concentreren om het glas zonder ongelukken omhoog te brengen. Nog voordat ik het glas aan mijn mond had kunnen zetten en een slok had kunnen nemen, voelde ik wat martini op mijn vingers. Maar zodra het koele vocht op de plaats van bestemming arriveerde, deed het zijn magische werk, en terwijl het naar binnen gleed, voelde ik hoe de vertrouwde warme roes zich door mijn borst verspreidde en omhoogkroop via mijn nek.

Nu ik mijn zenuwen enigszins onder controle had, haalde ik diep adem en vertelde het hele verhaal. Toen ik klaar was, nam Bailey haar onaangeroerde Patrón Silver van de bar en leegde het glas in één teug. Drew schonk zichzelf een shot Glenlivet in en deed hetzelfde.

Hij nam mijn handen in de zijne. 'Beloof me dat je nooit meer zoiets stoms doet,' zei hij terwijl hij me diep in de ogen keek.

Ik knikte zonder iets te zeggen en voelde een brok in mijn keel.

'Jezus,' zei Bailey terwijl ze me aankeek, slikte en vervolgens haar hoofd schudde. Plotseling greep ze zo stevig mijn schouders vast dat het pijn deed. 'Ik wil het je horen zeggen,' zei ze terwijl ze me recht in de ogen keek.

'Ik beloof het.'

Ze bleef me even aankijken, liet vervolgens mijn schouders los en wendde haar blik af. Misschien stelde ze zich in gedachten voor hoe mijn plotselinge verdwijning met een voortijdig verscheiden had kunnen eindigen.

Ik voelde me niet op mijn gemak met alle aandacht, en omdat ik het incident het liefst zo snel mogelijk achter me liet, gooide ik het over een andere boeg. 'Het voordeel is dat we de Sevens waarschijnlijk kunnen wegstrepen als probleem. En ik denk dat Luis ons wel kan helpen.'

'Het zou tijd worden dat we ook eens wat lol beleefden aan die gasten,' antwoordde Bailey droogjes. Ze keek me aan met een blik die zei dat ze wist waarom ik op een ander onderwerp was overgeschakeld en dat ze er niet moeilijk over zou doen.

Dankbaar vroeg ik Drew of hij nog een rondje wilde inschenken.

Hij klopte op mijn hand en vertrok om onze drankjes te maken.

Ik richtte me weer tot Bailey en legde haar uit hoe ik Luis de gevangenis in wilde smokkelen om informatie los te krijgen van de babygangster.

Bailey dacht even na en antwoordde: 'We kunnen het proberen.'

'Precies. Het nadeel van het feit dat we nu weten dat de Sevens niet ons probleem zijn, is dat we er geen idee van hebben wie er achter ons aanzit,' zei ik.

Ik reikte naar de zilveren snacktoren en pakte een handvol amandelen. Plotseling had mijn maag beseft dat ik helemaal niet dood was, en nu begon hij uit alle macht te rommelen.

'Niet "ons", Knight. Jou. En misschien kunnen we daar toch wel iets over zeggen,' zei Bailey terwijl ze wat kalamata olijven uit het onderste schaaltje van de toren pakte. 'Laten we wat bestellen. Ik barst van de honger.'

'Wacht eens even. Hoezo kunnen we daar iets over zeggen?' vroeg ik.

Maar Bailey had de kelner al geroepen. Ze bestelde een filet mignon met gestoomde broccoli. Ik koos ook voor de filet en nam er een spinaziesalade bij.

Drew zette de drankjes voor ons neer. Met een nauwelijks verholen glimlachje vroeg hij: 'Heeft ze je echt een kogelvrij vest laten dragen?'

Ik keek naar Bailey. 'Moest je dat nou echt doorvertellen?'

Ze haalde haar ouders op, en Drew grinnikte zachtjes terwijl hij naar de andere kant van de bar liep, waar een ongeduldige klant stond te wachten.

'Volgens mij wilde je iets zeggen over een nieuwe verdachte.'

Bailey knikte. 'We zouden toch de bewakers in Susans wijk checken? Nou, ik heb net de gegevens binnen. Een van de mannen die die nacht dienst had, heeft drie van zijn controlepunten gemist.'

We waren erachter gekomen dat de bewakers van een geavanceerd systeem gebruik maakten. Daarbij moesten ze op meerdere punten tijdens hun route een code intoetsen op speciale kastjes. De kastjes registreerden de datum en de tijd waarop was ingecheckt. Het feit dat een bewaker precies in die nacht drie controlepunten had gemist, was uitermate verdacht.

'Is hij daarna weer verdergegaan met zijn werk?'

'Weet ik nog niet. Maar de drie gemiste *check ins* zijn ongeveer rond het moment waarop Susan is verkracht,' antwoordde Bailey.

'Hm,' zei ik veelbetekenend. 'Klinkt interessant. Is hij bereikbaar?'

'Ik geloof het wel.'

'En wanneer weten we dat zeker?' vroeg ik.

'Morgen. We maken even een informeel praatje met hem.'

'Informeel,' in de betekenis van onaangekondigd.

De kelner kwam aanlopen met ons eten, en ik keek met uitgehongerde ogen naar de damp die verleidelijk opsteeg van de borden in zijn hand.

'Rachel,' zei Bailey met een ernstige blik op haar gezicht.

Ik kon mezelf maar met moeite losrukken van het voedsel en keek haar aan.

'Geen solo-expedities meer.'

'Dat hoef je me niet nog een keer te zeggen, Bailey,' zei ik gemeend. 'Het spijt me echt.'

Bailey knikte. Ik meende het, en dat wist ze.

De verrukkelijke geur van de filet mignon deed ons de spanning even vergeten, en we zetten zonder verder commentaar het mes in onze steak. Toen ik even een adempauze nam om van mijn martini te nippen, was ik eindelijk voldoende ontspannen om terug te denken aan hoe anders de afloop van deze avond er een uur geleden uit had gezien. Deze steak zou me nooit zo goed hebben gesmaakt als ik op de bodem van een ravijn had gelegen. Ik bracht mijn martini omhoog en dronk op die gedachte.

31

De volgende ochtend herinnerden mijn pijnlijke ribben me eraan dat ik nog een toepasselijke wraakactie moest bedenken voor Manny en zijn maat met de kolenschoppen. Ik liet me voorzichtig uit bed rollen en trok mijn kamerjas aan. Vervolgens belde ik naar kantoor om aan Melia door te geven dat ik later zou komen omdat ik aan de zaak-Densmore werkte. Ik schonk mezelf een bak koffie in en nam het kopje mee naar het balkon om te zien wat voor weer het was. De hemel was grijs en heiig, maar er hing een belofte van zon en warmte in de lucht. Ik haalde diep adem en genoot op een manier die ik nooit eerder had ervaren. Niets werkt beter dan een korte schermutseling met de dood om je iets eenvoudigs als ademhalen weer te laten waarderen.

Ik zette de morbide gedachte van me af en keerde terug naar de realiteit: mijn garderobe. Ik zou met Bailey een bezoekje brengen aan de gevangenis en op visite gaan in een bewakershuisje. Dat betekende geen rokken en jurken. Ik koos voor een geelbruin wollen broekpak met een roomkleurige zijden blouse. Omdat ik met Bailey was, hoefde ik mijn vest niet te dragen, en alleen al het idee gaf me het gevoel dat ik een stuk lichter was. Ik trapte het vest in de kast, stopte de rest van mijn outfit in de aktetas en liep naar de lift.

Bailey stond al voor het hotel toen ik beneden kwam. Ik hees mezelf in de passagiersstoel en we reden in oostelijke richting naar de gevangenis aan Bauchet Street. Onderweg maakte ik het laatste gedeelte van mijn outfit in orde.

'Wat denk je?' vroeg ik toen ik klaar was.

Ze keek even naar me en richtte vervolgens haar ogen weer op de weg. 'Ik vind je een raar uitziend blondje,' zei ze met een zelf-genoegzaam lachje. 'Typisch een strafpleiter, dus.'

Om mijn plan voor de ontmoeting tussen de babygangster en Luis Revelo goed te laten verlopen, had ik me moeten vermommen – vandaar mijn slimme blonde pruik en de bril. Ik had niet vaak met de districtsgevangenis te maken, daarom leek het me sterk dat de mensen me zouden herkennen. Maar als iemand het bezoekersregister zou nalopen om te zien wie er bij het gangster-tje op visite was geweest – iets wat ik zelf regelmatig voor alle verdachten deed – mocht mijn naam niet opduiken. Hector Amaya had een advocaat in de arm genomen. Niemand die op het gebied van de wetshandhaving werkte, kon hem op dit moment nog legaal iets vragen, dus mijn aanwezigheid in de districtsgevangenis was volledig taboe. Maar ik kon me moeilijk af-zijdig houden en Luis in zijn eentje naar binnen sturen. Dan zou hij als mijn gevolmachtigde optreden, en dat was even erg als zelf naar binnen gaan. Bovendien wist ik nog steeds niet of ik Luis wel kon vertrouwen. En afgezien daarvan – ondanks het feit dat hij Hector fysiek waarschijnlijk beter de baas was dan ik – wist Luis niet hoe hij de babygangster de informatie moest ontfutselen die ik nodig had. Kortom Luis en ik moesten het samen zien te rooien. Dat verhoogde het risico aanzienlijk, want buiten het feit dat ik Hector niet mocht ondervragen, was het niet bepaald koos-jer om de shotcaller van de bende mee te nemen om een jonge banger aan te pakken. Sterker nog: als ik betrapt werd, zou ik wel eens in de cel naast die van Hector kunnen belanden. Al met al was dit een hachelijke onderneming. Bailey, die meer kans liep om te worden herkend, zou ondertussen veilig buiten wachten.

De Los Angeles County Men's Central Jail aan Bauchet Street bevond zich op een kleine tien kilometer ten zuiden van de kantoren in het centrum van Los Angeles, maar het wanstaltige gedrocht – de grootste gevangenis ter wereld – hulde alles binnen een radius van anderhalve kilometer in een diepe desolaatheid die alle normale beschaving buitensloot.

We hobbelden over lang geleden aan hun lot overgelaten spoorrails die nog in de weg lagen en reden vervolgens onder een snelwegviaduct door. Toen we Vignes opreden, doemde de betonnen kolos op in al zijn glorie. De gevangenis, die omgeven was door muren en prikkeldraad, belichaamde de ultieme ontmenselijking van het concept gevangenschap, en het leek alsof er een permanente wolk van uitzichtloosheid boven hing. Aan de overkant van de straat waren slordige, maar in felle kleuren geschilderde en verlichte borden van borgverstrekkers te zien die hutjemutje op elkaar stonden en kleurrijke namen hadden als THE ACE OF BAIL, BAD BOY BAIL en DISCREET BAIL BONDS.

Toen we langs de gevangenis reden, zag ik Luis Revelo in zijn auto zitten. Hij stond met stationair draaiende motor in de zijstraat geparkeerd die ik had genoemd. Hij had de kleren aan die ik had voorgesteld, maar hij zag er belabberd uit. Gezien de wijze waarop hij onze recente bijeenkomst had georganiseerd, zat ik daar niet echt mee.

Ik stapte uit met mijn aktetas in mijn hand en klopte op het passagiersraam. Hij keek eerst verbaasd, en ik zei: 'Ik ben het, Luis. Doe open.'

Er verscheen langzaam een brede glimlach op zijn gezicht en hij haalde het portier van het kinderslot. Ik stapte in en ging op de passagiersstoel zitten, sloot het portier en begon zijn rekwisieten uit te pakken. Luis hield zijn hoofd schuin, keek me uit een ooghoek aan en zei: 'Je ziet er goed uit zo. Best sexy.'

Ik staarde hem even zwijgend aan en overhandigde hem vervolgens zijn notitieblok, dossiermap en bril. 'Je heet Enrique Velasquez en je bent al drie jaar mijn assistent.'

'Assistent? Waarom ben ik geen advocaat?'

Ik keek hem aan zonder iets te zeggen, en hij haalde zijn schouders op. 'Ik probeerde het alleen maar. Als we toch al die moeite doen, waarom dan niet?'

'Je doet gewoon alsof je mijn assistent bent, en geen geintjes, oké?'

Hij haalde opnieuw zijn schouders op en ik opende het portier. We stapten allebei uit en begonnen in de richting van de gevangenis te lopen.

Luis wierp een blik over zijn schouder en keek naar zijn auto. Hij zag er bezorgd uit.

'Wat doen we als er iets met mijn auto gebeurt? Regel jij het dan? Ik vertrouw deze buurt voor geen cent,' zei hij, en hij keek wantrouwig om zich heen.

'Maak je niet druk, Luis. Blijf bij de les,' zei ik, en ik versnelde mijn pas. Luis volgde met tegenzin mijn voorbeeld.

We naderden de poorten van Mordor. Vlak voor de ingang draaide ik me om. Ik zag dat hij er nog steeds als een zoutzak bijliep met zijn handen in zijn zakken – typisch een banger.

'Haal je handen uit je zakken, recht je rug en probeer eruit te zien alsof je wérkt voor de kost.'

Luis keek beledigd, maar hij gehoorzaamde toch. 'Ik werk ook,' kaatste hij terug. 'Ik doe van alles.'

'En zit daar ook iets bij wat maar enigszins legaal is?'

Hij schonk me een gekrenkte blik, maar haalde vervolgens zijn schouders op. 'Binnenkort doe ik alles legaal. Waarom dacht je dat ik samen met Susan studeerde? Ik ben niet van plan om eeuwig die bangershit te blijven doen. Dat is geen leven.'

Het leek nogal ironisch om dit gesprek te voeren op de trappen van de districtsgevangenis, helemaal omdat we ons een weg naar binnen zouden liegen om in de bezoekruimte voor advocaten te kunnen komen – en daar een verdachte onder druk te zetten die zich op het vijfde amendement had beroepen.

Terwijl ik Luis voorging naar het loket voor advocaten, hoestte het gebouw klanken van metaal en stemmen op die vergezeld gingen van de geur van zweet, ontsmettingsmiddel en bedompte lucht. Ik probeerde mezelf altijd voor te bereiden op de lawine van sensorische prikkels die met een gevangenisbezoekje gepaard ging, maar het was zinloos. Het was net als in een mortuarium; al het aanwezige attaqueerde de ogen, de oren en de neus... en bleef daarna nog uren hangen. Ik begon instinctief oppervlakkiger te ademen om de tentakels van de stuitende walmen zo veel mogelijk buiten mijn lichaam te houden.

Ik bleef staan voor het loket met de bezoekformulieren, vulde er een in en liep vervolgens naar de kooi, waar een zwaargebouwde, verveeld uitziende vrouwelijke hulpsheriff achter kogelvrij glas zat. Ik schoof het beetje nervositeit dat omhoogfladderde langs mijn rug opzij en hulde het in een onmiskenbaar vertoon van ongeduldige arrogantie.

Ik sprak in het ronde metalen rooster: 'Beatrice Danziger voor Hector Amaya. Dit is mijn assistent, Enrique Velasquez. Ik heb een advocatenkamer nodig.' Ik was op de academie veel met Bea opgetrokken. Maar zij was de kant van het familierecht opgegaan terwijl ik bij het OM was gaan werken, met als gevolg dat we elkaar nog maar zelden zagen. We waren niettemin goede vrienden gebleven. Toen ik haar gisteravond had gevraagd of ik vandaag haar identiteitsbewijs mocht lenen, had ze dat wel amusant gevonden, en ze was bereid geweest om me te helpen. Aangezien ze nooit strafrecht had gepraktiseerd, was de kans dat iemand haar identiteitsbewijs zou herkennen nihil, en met mijn blonde pruik kon ik prima voor haar doorgaan. Gelukkig voor Luis was zijn neef Enrique dubbel gezegend vanwege zijn bijna griezelige gelijkenis met Luis en het ontbreken van een strafblad. Mijn hart bonkte omdat ik besefte hoe illegaal dit allemaal was, en ik probeerde het te verbergen door Bea's lidmaatschapskaart van de Orde van Advocaten en haar rijbewijs met een nonchalant gebaar in de metalen schuiflade te gooien. Alsof ik me eraan ergerde dat ik me aan dit soort zinloze formaliteiten moest onderwerpen.

De bewaakster trok de lade naar zich toe en fronste haar voorhoofd toen ze mijn ID-kaart zag. Ik keek om me heen alsof ik me een ongeluk verveelde terwijl ik in gedachten al zag hoe ik tegen een muur werd geduwd en in de boeien werd geslagen. Het is niet eenvoudig om verveeld te kijken met dat soort gedachten in je hoofd, en ik voelde mijn haarwortels prikken van de zenuwen. Ze keek me aan en wierp nog een blik op het rijbewijs. Ik was ervan overtuigd dat ze mijn hart kon horen bonken.

'En zijn ID?' zei ze terwijl ze die van mij teruglegde en de lade in mijn richting schoof.

Het duurde even voordat mijn bloed de weg naar mijn hersenen weer had gevonden. Ik knikte en gebaarde naar Luis dat hij zijn rijbewijs in de lade moest doen. Luis gehoorzaamde, en om een of andere reden trok ze ditmaal geen gezicht. Ze keek even naar het kaartje, liet het weer in de lade vallen en duwde die in zijn richting. Omdat ik me een beetje op mijn tenen getrapt voelde vanwege het feit dat hij een stuk minder streng werd gecontroleerd, had ik niet gehoord wat ze tegen me zei.

'Pardon?'

'U zult even moeten wachten. Alle advocatenkamers zijn momenteel bezet.'

Ik knikte en schoof mijn aktetas samen met Luis' notitieblok en dossier door de metaaldetector. Vervolgens liepen we naar de deur. Toen de bewakers aan de andere kant mijn aktetas hadden bekeken en aangaven dat alles in orde was, zoemde de vrouw achter het loket de deur open. De gevangenis was immens, maar slecht toegerust op privébezoekjes. Ik had rekening gehouden met wat vertraging omdat ik wist dat er maar vijf advocatenkamers waren. We leunden tegen de muur en keken naar de rij met bezoekers die door het glas heen met een rij gedetineerden praatte. Het ging grotendeels over alledaagse zaken – of ze eten/kleren/boeken/foto's hadden opgestuurd, hoe het met moeder/vriendin/vrouw/kinderen ging en de gebruikelijke klaagzang over advocaten die nooit wat van zich lieten horen en alleen maar wilden dat ze schuld bekenden.

Ik bande ze uit mijn hoofd en dacht aan alle inspanningen die Bailey en ik voor deze bespreking hadden moeten doen. En ik was niet de enige die gevaar liep. Als bekend werd dat Hector een officier van Justitie op bezoek had gehad, zou hij binnen vierentwintig uur dood zijn. Als het om verraders ging, was het beleid van bangers: eerst mollen, dan zien we wel weer. Ik zou uit mijn vel springen als straks na al die moeite zou blijken dat het joch absoluut niets interessants te melden had. Ik zwoer dat ik het desnoods met mijn blote handen uit hem zou slaan.

Een zware mannenstem galmde door de ruimte en onderbrak mijn Dirty Harry-mijmering. 'Advocaat voor Hector Amaya?'

Ik gebaarde naar Luis dat hij mee moest komen, en we liepen naar de assistent van de zwaargebouwde hulpsheriff die naast de rijen met advocatenkamers stond.

'Hij zit in kamer vijf,' zei de assistent. Hij gebaarde naar het laatste vertrek en hield de deur aan onze kant open.

'Bedankt,' zei ik terwijl ik naar binnen liep en een stoel naar me toe trok.

'Mag ik nog even in die aktetas kijken, mevrouw.'

Het was wel eens interessant om te zien hoe de andere helft van de juristen leefde. Hij zou nooit zoiets hebben gedaan wanneer ik hier als officier van Justitie was gekomen. Ik overhandigde hem mijn aktetas. Hij rommelde er wat in en gaf hem vervolgens terug.

'Hoe lang heeft u nodig?'

'Een minuut of tien, misschien iets langer.'

'U heeft een uur,' zei de assistent. Hij vertrok en sloot de deur achter zich.

Ik keek om me heen naar de glazen wanden waarmee onze stiltekoepel was afgewerkt. Ze zaten vol met vegen en vuiligheid die zich er waarschijnlijk gedurende de afgelopen tien jaar op hadden vastgezet, en de lucht in dit kleine hok was nog bedompter dan in de gang. Ik was niet claustrofobisch, maar als ze me een tijdje in deze smerige bubbel zouden vasthouden, zou ik er ongetwijfeld anders over gaan denken. Ik klapte mijn dossier open, legde mijn notitieblok op de zwaar gehavende metalen tafel die met bouten aan de vloer was bevestigd en tikte met mijn vingers op de stoel naast me. 'Ga zitten, Luis.' Luis stond te kijken naar de wachtende bezoekers. Er lag een nerveuze uitdrukking op zijn gezicht.

'Luis. Ontspan je. Je bent mijn assistent en je helpt me met een verhoor. Je bent niet hier om herinneringen op te halen.'

Luis sloeg de ogen neer, ging zitten en begon zachtjes tegen zichzelf te mompelen.

'Wat nu weer?' vroeg ik geërgerd.

'Ik vraag me gewoon af hoe het voor Droopy is. Het is hier onwijs heftig, en hij is nog maar een jonge gast, weet je.'

Van alle bangers op aarde moest ik natuurlijk weer zo'n overgevoelig type treffen. Droopy – zo nam ik aan – was Hector Amaya's bendenaam. Ik vroeg me af waarom ze altijd zo suf waren. Ik zou zelf iets in de trant van Foxy of Jet hebben gekozen. Wat, zo vermoedde ik, meteen verklaarde waarom ik nooit in een bende had gezeten.

In de gang naderde een bleke jonge hulpsheriff die een gedetineerde begeleidde. Het joch was zo klein dat zijn gevangenisoverall als een parachute om zijn lichaam fladderde. Hij zag eruit als twaalf. Zijn handen waren geboeid en aan zijn middel bevestigd en zijn enkels zaten met kettingen aan elkaar vast zodat het tweetal nauwelijks opschoot. Toen ze dichterbij kwamen, begon ik de bijnaam te begrijpen. Droopy's ogen waren uitgezakt in de hoeken, wat hem een onmogelijk trieste gezichtsuitdrukking gaf. Hector – oftewel Droopy – was inderdaad een klein opdondertje. Hij was kort en mager en hij had lange pezige armen die hem de katachtige eigenschappen van een perfecte inbreker gaven. Maar de kleurige tattoos die er in de lengte overheen liepen, betekenden wel dat korte mouwen een gevaarlijke kledingkeus waren.

De hulpsheriff opende de deur aan zijn kant, en ik keek toe terwijl Hector het vertrek betrad. Plotseling besefte hij wie er naast me zat. Zijn ogen puilden uit en zijn gezicht werd asgrauw, maar ik moest het hem nageven – voor de rest bleef hij rustig, en hij gaf geen kik toen de hulpsheriff hem in de stoel zette. Ik zweeg totdat de hulpsheriff de deur veilig achter zich had dichtgedaan en Hector alleen was.

'Voor iedereen buiten deze kamer ben ik je advocaat en is dit mijn assistent,' zei ik, en ik gebaarde naar Luis.

Ik vervolgde: 'In werkelijkheid ben ik de aanklager in een verkrachtingszaak waarbij een goede bekende van Luis betrokken

is. Ze woont toevallig vlak bij het huis waar jij onlangs bent opgepakt. En nu denkt iedereen dat de Sylmar Sevens die buurt als
werkterrein hebben. En dat bracht ons op het onzalige idee dat
Luis de verkrachter was.'

'Ik ben goed over de zeik, *ese,*' zei Luis dreigend.

Hector kromp ineen in zijn stoel en sloeg de ogen neer, niet in
staat om Luis aan te kijken.

Luis boog zich naar voren en fluisterde op scherpe toon: 'Waar
zijn je hersenen, man, zo'n klus doen zonder iets te vragen? Ben
je soms vergeten wie hier de lakens uitdeelt?' Hij sprak zacht,
maar met een intensiteit en een dreiging in zijn stem die duidelijk
maakte waarom hij boven op de hoop kon blijven die als de Sylmar Sevens bekendstond.

Hector liet zich zo diep wegzakken in zijn stoel dat hij waarschijnlijk op de grond was gegleden als hij niet vast was gebonden.

'Ik ben bang dat ik een manier moet bedenken om je eraan te
herinneren,' zei Luis. 'Kijk me aan als ik tegen je praat, *pendejo.*'
Hector keek gehoorzaam op, voor zover zijn nog steeds gebogen
hoofd dat toestond. 'Ik heb een hoop mensen hierbinnen. Die
kunnen met je afrekenen... of niet. Snap je?'

Ik moest heel voorzichtig zijn en Luis in de gelegenheid stellen
om zijn spierballen te tonen zonder dat hij mij medeplichtig
maakte aan een misdrijf. Zware overtredingen waren voor mij
de limiet.

'Ik wil geen dreigementen horen, Luis,' zei ik zacht en op een
niet-provocerende toon. Vervolgens gaf ik Luis de kans om Hectors respect te behouden door hem het verhoor af te laten nemen.
'Vraag waarom hij die buurt en dat huis heeft gekozen.'

Luis keek naar Hector alsof hij een keutel was die aan zijn
schoen kleefde. 'Vertel de dame wat ze wil weten,' zei hij.

Hector haalde diep adem, blies de lucht uit zijn longen en haalde zijn schouders op. 'Weet ik veel. Het was gewoon stom. Maar
ik was echt niet van plan om jou erin te luizen, Luis. Je moet me
geloven,' zei hij.

Ik zou normaal gesproken medelijden met het joch hebben gehad, maar het interesseerde me niet of hij Luis al dan niet een loer had willen draaien. 'Waarom heb je die wijk en dat huis gekozen? En vertel me niet dat je oma in de buurt woont,' zei ik.

Hector slikte, maar hij reageerde niet meteen. Ik zag hoe zijn adamsappel een paar keer op en neer ging alvorens hij er met een piepstemmetje uit wist te brengen: 'Echt, het was gewoon pech. Er zat niks achter. Ik reed gewoon wat rond met mijn maten en toen kwamen we langs dat huis en het zag er top uit, dus besloot ik mijn slag te slaan.' Hij zweeg om adem te halen en keek van Luis naar mij in een poging onze reactie te peilen.

Dit was complete bullshit. Hector zag er wel bang uit, maar om een of andere reden sprak hij niet de waarheid.

'*Pinche cabrón mentiroso,*' beet Luis hem toe. 'Ik zit door jou tot over mijn oren in de ellende. Vervolgens geef ik je de kans om het goed te maken en dan krijg ik een dikke lading shit over me heen. Is dat je manier om respect te tonen?'

Hectors kettingen verraadden hem. Hij beefde zo erg dat ik ze onder tafel kon horen rammelen. Het was net de geest van Jacob Marley in het verhaal over Ebenezer Scrooge. Luis bleef de jongen aankijken met een woeste blik, en zijn wenkbrauwen vormden nu een geheel.

'Luis, ik weet dat ik het recht niet heb om het je te vragen, maar als ik het vertel, moet je me hierbinnen beschermen, anders ben ik er geweest. Dan ben ik dood.' Hector had tranen in zijn ogen, en zijn toch al schrille jongensstem werd nog hoger. Ik begon me nu echt zorgen te maken. Waar was dit sullige joch in verzeild geraakt?

Luis zweeg en staarde zijn babybanger een tijdje aan. Het rammelen van Hectors kettingen versterkte de spanning die in de lucht hing. Toen – alsof we in *The Godfather* zaten – knikte Luis langzaam. 'Je hebt mijn woord,' zei hij zacht, en hij leunde naar achteren in zijn stoel.

Hectors borstkas zwol op, en hij begon te snikken. Luis keek de andere kant op om hem wat privacy te geven, en ik volgde zijn voorbeeld. Toen het snikken was weggeëbd en in snuffen was veranderd, keek ik hem weer aan. Eindelijk begon Hector te praten.

'Een of andere gast zei tegen me dat hij een huis wist waar ontzettend rijke mensen woonden die 's avonds niet thuis waren. De achterdeur zou openstaan. Hij had het over cash geld en sieraden, en ik mocht het geld houden'–

Hector zweeg abrupt en keek naar Luis. Diens neusvleugels trilden toen hij op schorre toon zei: 'Waarom doe je zo stom? Denk 's na, man! Een of andere *vato* die je niet eens kent, geeft je een bom duiten en je vraagt je niet eens even af of zoiets misschien wel te mooi is om waar te zijn? *Qué tonto estás!* Snap je? Daarom moet je om toestemming vragen.' Hij priemde met zijn vinger in de richting van Hectors hoofd. 'Omdat je daarboven zaagsel hebt zitten.'

Hector liet opnieuw het hoofd zakken en knikte. 'Ik had het moeten weten. Maar ik dacht, als het me lukt, kom ik misschien hogerop.'

Een treetje hoger op de carrièreladder van de Sylmar Sevens. Er was natuurlijk weinig mis met een doel in je leven hebben.

'En klopte het? Was de achterdeur open?' vroeg ik. Dat was een belangrijk punt.

'Ja, maar'–

'Maar de bewoners waren thuis,' maakte ik voor hem af. Ofwel de 'gast' had de deur zelf opengelaten omdat hij toegang tot het huis had, of hij kende de gewoontes van het gezin goed genoeg om te weten dat ze hun deur nooit op slot deden. In beide gevallen was het een *inside job*.

Hector knikte.

'En had die gast ook een naam?' vroeg ik.

'Die heeft hij niet genoemd.'

Natuurlijk niet. Dat zou de zaak wel erg gemakkelijk maken. 'Beschrijf hem eens,' zei ik.

'Blanke vent, behoorlijk groot. Lang zwart haar, naar achteren getrokken in een paardenstaart.'

'Baard, snor, *soul patch?*'

'Nee.'

'Tattoos?' vroeg ik.

Hector knikte en wees op de linkerkant van zijn nek om de

plaats van de tatoeage aan te geven. Ik hoorde de kettingen opnieuw rammelen toen hij zenuwachtig met zijn knieën begon te dansen. Zijn reactie op mijn vraag vertelde me waarom hij zo bang was geweest.

'AB?' vroeg ik.

Hector knikte opnieuw, en Luis kreunde terwijl hij naar achteren leunde in zijn stoel. De Aryan Brotherhood was een van de oudste, machtigste en meest gewelddadige gevangenisbendes. Hector zou binnen vierentwintig bij de vissen slapen als ze ontdekten dat hij iemand van hen erbij had gelapt. Maar ze waren tegenwoordig niet zo groot als de SureÒos, een Latijns-Amerikaanse gevangenisbende die zijn wortels had in de oorspronkelijke Mexicaanse maffia. Uiteindelijk zou de grootste en gewelddadigste bende ervoor zorgen dat Hector niets overkwam, mits Luis de juiste connecties had. De babygangster en ik hoopten het allebei vurig. Maar welk bizar toeval had ervoor gezorgd dat een jonge Latijns-Amerikaanse gangbanger het pad kruiste van een lid van de Aryan Brotherhood?

'Waar ben je hem eigenlijk tegengekomen?' vroeg ik. Latijns-Amerikaanse gangbangers en blanke racisten kwamen normaal gesproken niet bij elkaar over de vloer.

Hector likte langs zijn lippen en keek van mij naar Luis. 'Gaan jullie hem arresteren?'

'Uiteindelijk wel, als we hem kunnen vinden. Maar dan ben jij allang veilig,' zei ik met meer vertrouwen dan waarschijnlijk gerechtvaardigd was. Als het om gevangenisbendes ging, bestond er eigenlijk niet zoiets als 'veiligheid.' Geluk, misschien, maar geen veiligheid.

Hector leek niet helemaal overtuigd, maar hij had ook niet echt een keus.

'Ik kwam hem tegen in de Oki-Dog,' antwoordde hij.

Als het de tent was die ik in gedachten had, was het een obscure kroeg waar fastfood verkrijgbaar was en buiten werd gegeten. Oki-Dog was gevestigd aan Fairfax, en je kwam er de gekste mensen tegen. Punkers, gangbangers, drugsverslaafden, aspirant-kunstenaars, scholieren die cool probeerden te doen – in de Oki-

Dog kwam je de hele wereld tegen.

'Had je hem daar al vaker gezien, of alleen die ene keer?'

Hector haalde zijn schouders op. 'Ik had hem al een paar keer eerder gezien.'

Ik probeerde zo veel mogelijk informatie uit hem te trekken, en toen ik geen vragen meer had, richtte ik me tot Luis. 'Heb jij nog wat?'

Luis schudde zijn hoofd, en we stonden op om de hulpsheriff te laten weten dat we klaar waren. Luis pakte zijn dossiermap van tafel en keek nog een keer naar Hector. 'Je bent mijn homie, dus ik zorg voorlopig voor je. Maar dat kan veranderen als je het nog een keer zo verpest, *m'entiende?*'

Hector knikte zwijgend. Ik vroeg me af of Luis werkelijk zoveel macht had dat hij de jongen kon beschermen tegen de Aryan Brotherhood. Maar daar zouden we vanzelf achterkomen zodra we Oki-Dogman hadden opgepakt. Dan zou het antwoord niet lang op zich laten wachten.

32

Toen Luis en ik naar buiten liepen, knipperden we met onze ogen tegen het felle zonlicht en liepen naar Baileys auto. Nadat we weg waren gereden, trok ik de pruik van mijn hoofd en zette ik de bril af. Bailey bracht ons naar een nabijgelegen kliniek waar ze iemand kende die een uitstrijkje van Luis' wangslijmvlies zou maken en bloed zou afnemen zonder dat er vragen werden gesteld. Ik vertelde haar wat ik van Hector te weten was gekomen en ze liet het nieuws zonder iets te zeggen op zich inwerken. Bailey, die zich niet op haar gemak voelde met Luis als bondgenoot, zei liever niet meer dan nodig was met hem in de buurt. Ik zou eigenlijk nog minder blij moeten zijn met zijn gezelschap, maar om een of andere reden geloofde ik dat hij werkelijk iets hogers nastreefde dan shotcaller zijn van de Sylmar Sevens.

Toen we de kliniek verlieten, zag ik even verderop een afvalcontainer waarin ik de blonde pruik dumpte. Ik wilde geen bewijsmateriaal bij me hebben. Luis leek teleurgesteld. 'Ik vond dat je er top uitzag, maar wie ben ik.' Hij was klaar met het omlaag rollen van zijn hemdsmouwen en zei: 'Gaan we nu mijn leugendetectortest doen?'

We stapten alle drie in de auto. Bailey en ik keken elkaar aan. Het zou erg lastig worden om Luis het bureau binnen te krijgen en hem een leugendetectortest te laten doen zonder dat iemand erachter kwam wie hij was. En als hij herkend werd, zouden ze hem opsluiten, wat we ook zeiden, en dat zou betekenen dat ik geen informatie van Hector meer hoefde te verwachten. Trouwens, afspraak is afspraak. Ik had beloofd hem uit de gevangenis te houden als hij meer informatie zou geven, en dat had hij gedaan. En ik had het trouwens toch niet zo op leugendetectors. Bailey sloeg linksaf en reed terug naar Bauchet Street.

Luis was bezig zijn manchetten en zijn boord recht te trekken toen hij uit het raam keek en zag waar we naartoe gingen.

'Eh, sorry hoor, maar waarom rijden we terug naar de gevangenis?'

Bailey reed verder en ik zei niks.

Luis schraapte zijn keel en probeerde het opnieuw. 'Zeg, dames, ik hoop niet dat jullie dit verkeerd opvatten, maar zouden we de zaak misschien af kunnen handelen? Ik heb nog een hoop dingen te doen.'

Om een of andere reden – misschien was het stiekem om toch iets van wraak te nemen – besloot ik hem een beetje te laten spartelen. Ik was bovendien wel nieuwsgierig. 'Wat voor dingen?'

'Ik moet vandaag met de kids helpen. Mijn moeder voelt zich niet lekker.'

Ik draaide me om en schonk hem een onderzoekende blik om te zien of hij me voor de gek hield. Maar hij keek me recht in de ogen; hij meende wat hij had gezegd.

'We slaan de leugendetector over. Die hebben we niet nodig. We hebben je DNA, dat is genoeg.'

Luis' gezicht werd rood, en hij fronste zijn wenkbrauwen. 'Wat? Nee! Dat is niet eerlijk, man,' zei hij, en hij schudde woest zijn hoofd om aan te geven hoe oneerlijk het was. 'Jullie hebben me een leugendetectortest beloofd – wat moet ik als ze een fout maken met dat DNA? Met dat soort shit gaat altijd wat mis. Ik vertrouw dat spul niet. Waarom belazeren jullie me?' zei Luis op verhitte toon. Hij keek me achterdochtig aan. 'Proberen jullie me er soms in te luizen?' Hij keek omlaag en schudde zijn hoofd alsof er op aarde niets meer was wat hij kon vertrouwen. 'En ik heb jullie zo goed geholpen daarbinnen...' Hij gaf een ruk met zijn hoofd in de richting van de gevangenis en schonk me een gekrenkte blik.

Het was een idiote situatie: een crimineel die om een leugendetectortest smeekte. Als ik nog aan zijn onschuld had getwijfeld, dan was dat nu definitief verleden tijd. Niemand is zo zeker van zijn vermogen om een leugendetector voor de gek te houden dat hij erom smeekt een test te mogen doen.

'Nee, Luis, ik ben niet van plan je "erin te luizen". Volgens mij gaat het DNA bewijzen dat jij die verkrachting niet op je geweten hebt. Ik vind het zonde om daar verder onze tijd nog aan te verspillen. Trouwens, je mag tegen iedereen zeggen dat er met DNA-tests vrijwel nooit wat misgaat. Maar ik wil wel graag dat je in de buurt blijft. Misschien hebben we je hulp nog een keer nodig met Hector, dus maak nog even geen vakantieplannen, oké?'

Luis keek naar me. 'Vakantieplannen? Ha! Ik durf te wedden dat je collega's je een giller vinden.'

Ik zag dat Bailey een glimlach onderdrukte terwijl ze haar auto aan de andere kant van de straat tegenover die van Luis parkeerde. Hij kneep zijn ogen half dicht en keek ernaar door het venster, op zoek naar eventuele aanwijzingen van ontheiliging. Aan zijn gezichtsuitdrukking te zien had het ding de bezoeking van een parkeerplaats vlak voor de Hellemond doorstaan.

Luis maakte aanstalten om uit de auto te stappen, maar stopte met één voet op de grond. 'Zorg er in elk geval voor dat jullie DNA-man weet wat hij doet, oké?'

Ik knikte

Hij keek me even aan en slaakte een zucht. Vervolgens stapte hij uit en sprintte naar zijn auto.

Bailey en ik keken toe terwijl hij zich in de bestuurdersstoel vouwde, zijn haar in model bracht in de achteruitkijkspiegel, de motor startte en vertrok.

'Zou hij echt zijn moeder gaan helpen?' vroeg Bailey.

'De komende uren misschien. Maar daarna...'

'Ja.'

Bailey reed in westelijke richting de snelweg op voor de ultieme ervaring op het gebied van contrast: van de poorten van de hel naar de luxe van Pacific Palisades om de verdwenen bewaker aan de tand te voelen die in Susans wijk werkte. Ik rolde het venster omlaag en stak mijn hoofd in de wind. Mijn haar was onmiddellijk een warboel, maar dat kon me niet schelen. Sinds we de gevangenis hadden verlaten, had ik bij elke ademtocht opnieuw de kwalijke geuren van het gebouw geroken, en ik moest ze kwijt zien te raken. Ik draaide mijn gezicht naar de hemel en inhaleerde voldaan het louterende aroma van koolmonoxide.

Toen Bailey de snelweg verliet, waagde ik een halfslachtige poging om mijn haar en mijn gezicht te fatsoeneren. Tegen de tijd dat we in westelijke richting Sunset opreden, had ik het gevoel dat het ergste van Bauchet Street uit mijn lichaam was verdwenen.

Bij nadering van het bewakershuisje bleek dat de bovenste helft van de deur openstond zodat we een blik konden werpen op een geavanceerd surveillancesysteem met een muur vol monitors. Er waren bewegende livebeelden van de straten te zien, en van alle voertuigen werden tijdstip en datum van aankomst geregistreerd. Zelfs Useless was op het idee gekomen om de videotapes in beslag te nemen, en we wisten al dat daarop geen ongewone activiteit in de buurt van Susans huis was waargenomen. Maar omdat de verkrachter via de achtertuin was binnengekomen en de bewoners het nog wat al te gortig vonden om Big Brothercamera's op hun grond te laten plaatsen, was dat geen verrassing.

'Hallo? LAPD,' zei Bailey terwijl ze haar insigne liet zien.

Een mollige bewaker met roze wangen die gekleed ging in hemdsmouwen en in zijn ergonomische stoel had zitten schommelen, stond met een klap op vanachter zijn monitors en verscheen met een welwillende glimlach in de deuropening.

'Wat kan ik voor u doen, rechercheur?' vroeg hij. Zijn enthousiasme vertelde me dat hij een dodelijk saai baantje had. Volgens zijn naamplaatje was hij HOOFD BEVEILIGING NORMAN CHERNOW.

Bailey schonk Norman een van haar professionele glimlachjes en antwoordde: 'We zijn op zoek naar agent Pickelman. Duane Pickelman.'

Op Normans hoofd verscheen een glimlach, en het begon vrolijk op en neer te dansen. 'Kijk eens aan, mevrouw. Dan kan ik u direct van dienst zijn. Hij is bijna klaar met zijn middagronde en hij zou over ongeveer een minuut hier moeten zijn.' Het behagen dat hij schiep in het kunnen voldoen aan ons verzoek was hartverwarmend, zij het enigszins overdreven.

'Wilt u hier binnen wachten?' Hij begon de deur al te ontgrendelen om ons binnen te laten.

'Nee, dank u. Dat is niet nodig,' zei Bailey, en ze gebaarde naar het ronde pleintje achter het bewakershuisje. 'Ik keer hierachter de auto even. Misschien kunt u even naar me zwaaien en hem aanwijzen wanneer hij er is, dat zou fantastisch zijn.'

'Begrepen, rechercheur. Geen probleem. Ik regel het,' zei Norman. Zijn hoofd danste op en neer en er verscheen opnieuw een brede glimlach op zijn gezicht.

Bailey parkeerde de auto achter het bewakershuisje en we wachtten af.

'Begrepen, rechercheur,' plaagde ik. 'Waarom laat je hem je pistool niet even zien – dan heeft hij de komende weken iets om over te praten?'

Bailey schonk me een blik die zei dat ze mijn humor niet kon waarderen. Jammer voor haar.

We keken naar het verkeer dat in- en uitreed via het reusachtige, elektronisch bediende ijzeren hek. Ik zag een splinternieuwe Hummer die werd bestuurd door een jongen met acne, piercings in zijn oren en een trotse mohawk. Hij sprak in zijn iPhone en bewoog zijn hoofd op de zware bassen van een gangstarapsong die uit een indrukwekkende luidsprekerset denderden. De Hummer werd gevolgd door een BMW cabriolet die zo te zien net bij de dealer was opgehaald. Hij werd bestuurd door een jong meisje met lang pikzwart haar dat achter haar in de wind wapperde. Ze droeg een leren armband met kraaltjes die fonkelden in de zon en voerde een verhitte discussie met iemand aan haar met edelstenen ingelegde mobieltje. Ik vroeg me af of Duane Pickelman na dag in, dag uit met deze gemakzuchtige rijkeluiskinderen te zijn geconfronteerd misschien iets te veel van het goede had gehad en was doorgedraaid.

Een fietser in felgeel spandex met zwarte strepen en een bijpassende geel met zwarte helm trapte heuvelopwaarts en draaide de oprit naar de hekken op. Hij zwaaide naar het bewakershuisje en Norman zwaaide vrolijk terug terwijl hij op de knop drukte om de fietser binnen te laten. De man reed een paar rondjes totdat de hekken open waren. Ik keek nog eens goed en tikte Bailey op de arm. 'Zie je die wesp op die fiets?' zei ik met een grijns. 'Als dat onze vriend Densmore niet is.'

Bailey keek ook. Ze knikte en gniffelde. 'Zo'n outfit is best handig, maar de beste man ziet er niet uit,' merkte ze op. 'Ik moet toegeven,' zei ze terwijl ze naar hem keek, 'dat hij prima in vorm is.'

Dat was misschien zo, maar zwart en geel? Spandex? De hekken voltooiden hun trage, statige zwaai en Frank Densmore reed heuvelopwaarts de wijk in. Einde van de show.

Terwijl hij uit het zicht verdween, reed een perfect geklede, gemanicuurde en gebotoxte vrouw van welbewust onbestemde leeftijd door het hek in een Porsche cabriolet. Ook zij had een mobieltje aan haar oor. Wat hadden die mensen in godsnaam allemaal te vertellen dat ze nog geen meter in hun auto konden rijden zonder direct aan de telefoon te hangen? De vrouw stopte vlak voor de hekken en maakte druk pratend weidse gebaren.

Op dat moment stak Normie een vrolijk zwaaiende hand door de deur. Hij wees naar een open bestelwagen met op het dak een lichtbalk waarop aan weerszijden PALISADES SECURITY – 24-HOUR PATROL stond. De bestelwagen reed door de hekken naar buiten en parkeerde naast het bewakershuisje. Bailey stapte uit en stond al naast het portier van de bestelwagen voordat de man een voet buiten de deur had kunnen zetten.

Ik zag dat ze haar insigne liet zien en vervolgens een stap achteruit deed om hem uit de bestelwagen te laten. Daarbij blokkeerde ze het portier om eventuele ontsnappingsmanoeuvres te ontmoedigen. Ik stapte uit en ging op de achterbank van Baileys auto zitten.

Pickelman was net geen een meter tachtig, mager en slungelig. Zijn witte overhemd en de zwarte broek waren eigenlijk te wijd voor hem. Hij veegde een vettige sliert vuilblond haar uit zijn ogen en gluurde zenuwachtig naar Bailey toen ze op haar auto wees. Ik zag hem even aarzelen en vervolgens met tegenzin knikken, waarna hij Bailey vergezelde naar het voertuig. Ze liet hem plaatsnemen op de passagiersstoel en bleef achter hem staan toen hij de deur opende en instapte. Vervolgens liep ze om de auto en stapte in. Ik zat achter onze passagier met mijn hand op het pistool in mijn tasje voor het geval hij 'op een idee mocht komen'.

Bailey stelde me voor. 'Dit is Rachel Knight, aanklager in de zaak.'

Aangezien ik noch zijn hand wilde schudden, noch mijn wapen los wilde laten, knikte ik alleen.

Pickelman keek over zijn schouder, knikte kort en richtte zich vervolgens tot Bailey. 'Ik heb niks nie gezien.'

'Maar u had die avond wel dienst, toch?' vroeg ze.

'En wat dan nog? D'r hadden zoveel lui dienst. Vraag het maar aan hunnie.' Er kroop iets strijdlustigs in zijn stem.

'"Hun." Het is "hun", niet "hunnie",' zei ik op geërgerde toon. Jezus, zo'n simpel woordje. Wat is daar nou zo moeilijk aan?

Pickelman keek verbaasd, maar zei vervolgens gehoorzaam: 'Hun.'

'Maar we vragen het aan jou, Duane. Mag ik je Duane noemen?' Ik zweeg heel even. 'Goed, Duane, is er die avond iets ongewoons gebeurd tijdens je ronde?'

'Nuh-uh...' zei hij vaag.

Aan zijn reactie te zien, wist hij donders goed dat hij zijn controlepunten had gemist. Wat hij niet wist, was of wij dat óók wisten.

'Dat is geen antwoord, Duane. Is er die avond iets ongewoons gebeurd?' probeerde ik opnieuw.

'Niet... niet dat ik weet. Ik bedoel, het is alweer een tijdje terug.' Hij struikelde over zijn woorden. Waarschijnlijk was dit al een hele toespraak voor hem.

'Maar het was geen gewone avond – voor zover ik weet, worden er in deze buurt meestal geen jonge meisjes verkracht. Denk nog eens goed na. Heb je iemand op straat gezien in de buurt van Susans huis? Of misschien een auto die je nog niet eerder had gezien?' vroeg ik in de hoop dat hij zou happen.

Duane Pickelman fronste zijn wenkbrauwen en trok een 'denkgezicht' waar een kleuterschoollerares nog niet in zou trappen. En ja hoor, daar verscheen het 'o-jagezicht'.

'Wacht eens even, ja. Ik geloof dat ik een witte Camaro heb gezien. Ik weet dat ik er rond die tijd een heb gezien, en ik herinner me nog dat ik iets dacht van, best een beetje vreemd, weet je wel?'

Ik kon zien dat hij trots was op zijn inspanning.

'En hoe laat was dat? Ongeveer?' vroeg ik.

Duane trok zijn gezicht nog verder in de rimpels. 'Volgens mij was het best laat, iets van tegen twaalven, of zo. Ik weet het niet precies...'

'Weet je nog waar je die Camaro hebt gezien?'

'Eh... nuh... ik weet het niet meer precies,' zei hij, en hij keek even vanuit een ooghoek naar Bailey.

'Maar het was wel hier in de wijk?'

'O, ja. Ja, het was zeker weten hier,' zei hij met een opgeluchte blik.

'Interessant dat je je dat kunt herinneren, Duane,' zei ik. 'Want volgens de computer heb je die avond al je controlepunten na elf uur gemist.'

Duane verschoot zo snel van kleur dat ik even dacht dat hij flauw zou vallen. Zijn mond ging open en vervolgens weer dicht totdat hij uiteindelijk besloot dat het waarschijnlijk beter was om niets te zeggen.

'Zou je ons willen uitleggen waarom je die controlepunten hebt gemist, Duane? Dit is je kans.'

'Ik... eh... ik weet het niet. Ik kan me niet herinneren dat ik ze heb gemist...' Duanes verbale motor zat opnieuw zonder brandstof.

'Ik stel voor dat we het voor iedereen gemakkelijk maken,' zei ik. 'Waarom kom je niet even mee naar het bureau, dan doen we een wangslijmvlies-uitstrijkje en nemen we een bloedmonster – dan kunnen we je uitsluiten. Zolang je niks met die verkrachting te maken hebt, interesseert het me eerlijk gezegd geen lor als je tijdens je werk hebt zitten slapen. Ik zeg het tegen niemand. Maar dan kunnen we je in elk geval uitsluiten en hoeft niemand te weten dat je je hebt gedrukt.'

Op het gezicht van Duane Pickelman verscheen een grimmige blik die aangaf dat de man dichtklapte. Hij schudde langzaam zijn hoofd. 'Nuh-uh, vergeet het maar. Dat doe ik niet.'

'Kijk, dat geeft me wel het idee dat jij dat meisje hebt verkracht, Duane. Maar dat heb je toch niet gedaan, mag ik hopen?'

'Ik heb niemand verkracht, mevrouw. Maar ik doe geen tests,' zei hij met het koppige gezicht van een kleuter die niet naar bed wilde.

Ik had het niet beter kunnen bedenken. Ik had niet verwacht dat hij akkoord zou gaan, en ik kon niemand dwingen om een DNA-monster te laten afnemen zonder gerechtelijk bevel. Ik wist ook niet of ik dat kon regelen. Het was erg lastig om een rechter een bevel voor een wangslijmvlies-uitstrijkje te laten tekenen als de donor niet in voorlopige hechtenis zat. Dat ellendige Vierde Amendement. Maar omdat Duane de test had geweigerd en bovendien niet kon uitleggen waarom hij zijn controlepunten had gemist, bestond er een kans dat een gerechtelijk bevel toch zou worden ondertekend.

'Oké, geen probleem. Luister, Duane: zorg ervoor dat je in de buurt blijft voor het geval we nog een keer met je willen praten. Want als we terugkomen en ontdekken dat je de benen hebt genomen, is dat zo goed als een schuldbekentenis, en ik weet dat je er niet graag schuldig uitziet. Toch? Duane?'

Duane bleef recht voor zich uit staren, maar ik zag zijn ogen afdwalen naar de hoeken, en hij schonk me een zijdelingse blik. Zijn neusvleugels trilden en op zijn wangen vlamden twee felrode cirkels. 'Ik heb geen enkele reden om te verdwijnen. Jullie kunnen niks bewijzen.'

Ik knikte, schonk hem een koel glimlachje en wees vervolgens op het portier. 'Zo mag ik het horen. Bedankt voor je tijd en nog een fijne dag.'

Duane wachtte niet totdat ik van gedachten zou veranderen. Hij opende de deur, maakte dat hij wegkwam en verdween in het bewakershuisje. Ik vroeg me af wat hij Normie zou vertellen.

Ik pakte een servetje uit Baileys handschoenenvak en veegde de stoel af voordat ik ging zitten. Even later vertrokken we.

'Misschien wordt het toch eens tijd dat je een wapenvergunning regelt,' zei ze met een blik op mijn tasje waar mijn .357 zich vreedzaam had neergevlijd. 'Je hebt lang genoeg gerebelleerd,' zei ze droogjes.

'Is dat de dank die ik als trouwe back-up krijg? Dat je me dwingt om een vergunning aan te vragen?'

'Als je iemand neerschiet, zit ik met twee keer zoveel schrijfwerk opgescheept.' Bailey schonk me een vermanende blik.

Schrijfwerk, een marteling voor elke politieagent. En ik moest erkennen dat het gênant zou zijn als Bailey me moest verbaliseren voor illegaal wapenbezit. En de kans daarop was aanzienlijk gestegen sinds ik door iemand op de korrel was genomen. Trouwens, nu ik op steun kon rekenen van Bailey en Graden, zou ik beslist niet worden afgewezen.

'Oké. Best. Dan vraag ik wel zo'n stomme vergunning aan,' zei ik, al bij voorbaat chagrijnig vanwege de papierwinkel.

'Weet je, een normaal mens zou zoiets met alle plezier doen,' zei Bailey. Maar toen ze besefte dat ik daar niet warm of koud van werd, gooide ze het over een andere boeg. 'Denk je dat Pickelman het heeft gedaan?'

'Misschien. Of misschien kent hij de dader. Of misschien heeft hij iets anders op zijn kerfstok.'

'Nou, dat maakt het een heel stuk duidelijker,' antwoordde Bailey.

'Graag gedaan.'

33

We bevonden ons ongeveer twee blokken van het Biltmore toen mijn mobiele telefoon begon te spinnen in mijn tasje. Ik viste het ding afwezig op. 'Ja?'

'Rachel?'

Ik herkende Gradens stem.

'Dat ben ik.'

'Ik bel omdat ik in de buurt ben en even bij wil kletsen...'

Zijn bewust neutrale toon deed me mijn oren spitsen. Trouwens, wij 'kletsten' niet bij, en het was niets bijzonders dat hij in de buurt was omdat we hier allebei ons werk hadden. Ik leidde hieruit af dat hij niet ongestoord kon praten. Misschien wel omdat er twee FBI-klonen achter hem stonden.

'Zullen we afspreken in de bar?' vroeg hij zacht.

Ik had graag een paar minuten gehad om mezelf even op te frissen. Mijn haar was nog steeds een puinhoop, en ik kon niet wachten om de districtsgevangenis van mijn lichaam te spoelen. Maar ik wist waarom hij had gebeld, en ik wilde dit niet uitstellen om mezelf even op te kunnen dirken. Hij moest maar genoegen nemen met mijn echte ik.

'Ik zie je over vijf minuten,' zei ik, en ik verbrak de verbinding.

Ik klapte mijn telefoon dicht en pakte mijn aktetas en mijn tasje. Als ik snel was, kon ik nog net op tijd in mijn kamer zijn om een luchtje op te doen en een kam door mijn haar te halen. Het was niet veel, maar het was beter dan niets. Ik begon in gedachten uit te rekenen hoeveel tijd het me zou kosten om naar de lift te rennen en in mijn kamer te komen, toen Bailey me onderbrak.

Ze had waarschijnlijk gehoord dat het Graden was, want zodra ze de auto had geparkeerd, draaide ze zich half om en bekeek me van top tot teen. 'Als ik jou was, zou ik even een spiegel opzoeken.'

Ik sprong uit de auto en zei: 'Ik bel je nog.'

Ik rende naar de deur terwijl Bailey wegreed. Er was blijkbaar net een of andere vergadering afgelopen, want de ingang werd geblokkeerd door een groepje kantoortypes. In gedachten kreunde ik geërgerd terwijl ik me langzaam een weg baande tussen de mensen door. Ik beende door de lobby, drukte op de liftknop en ging met mijn gezicht naar de koperen deuren staan om mezelf af te schermen tegen de blikken van de aanwezigen. Helaas stond ik daardoor oog in oog met een levensgroot spiegelbeeld van mezelf. Mijn mascara was uitgelopen in ringen onder mijn ogen, mijn haar hing erbij in ongelijke, verwelkte slierten en ik was erin geslaagd om mijn blouse te bevuilen met... geen idee wat het was. Het kon in elk geval geen eten zijn geweest – dat maakte mijn lege maag wel duidelijk. Het bordje boven de lift gaf aan dat de cabine zojuist op de eerste verdieping was gestopt. En toen gebeurde uiteraard het onvermijdelijke.

'Hé, Rachel,' zei Graden terwijl hij naast me kwam staan en mijn arm aanraakte.

Ik moest mijn best doen om niet weg te rennen, draaide me om en schonk hem een nonchalante blik. 'Hé.'

Hij keek naar me, en er verscheen een haast onmerkbaar glimlachje rond zijn lippen. 'Je hebt zo te zien een zware dag achter de rug.'

'Hoezo dat?' Als je je onzeker voelt – gewoon brutaal doen.

Hij grinnikte. 'Je wilde je zeker nog even opfrissen voordat ik kwam?'

Een heterdaadje. Het had geen zin om nog een smoes te bedenken, en ik slaakte beteuterd een zucht.

'Doe maar rustig aan,' zei hij. 'Ik bestel de drankjes wel.'

Ik haastte me naar mijn kamer, herstelde wat er te herstellen viel en schoof een kleine tien minuten later tegenover hem in de zitbox. Midden op tafel stonden heel uitnodigend twee ijskoude martini's. Ik zag dat Graden nog niet van de zijne had gedronken.

Hij knikte naar de drankjes. 'Perfecte timing. Ze zijn net gebracht. Ik wist dat je er goed uit kon zien, maar ik had er geen idee van dat het zo snel kon,' zei hij met een waarderende blik op mijn gekamde haar en de schone blouse.

Nog voordat hij kon vragen hoe mijn dag was geweest en ik gedwongen was allerlei leugens te bedenken die ik niet had voorbereid, schakelde ik over op een ander onderwerp. 'Heb jij die Feds nog steeds achter je aan?'

'Wat dacht jij dan? Ze willen met de eer gaan strijken, dus ze blijven totdat de zaak is opgelost.'

'Werken jullie nog samen, of hebben ze je ondertussen gedumpt?'

'Zo ver is het nog niet. Als ze alleen verdergaan en vervolgens klem komen te zitten, staan ze voor aap. Dus we voeren een dansje op waarbij zij alles voor zichzelf houden terwijl ze mij proberen uit te persen,' zei Graden hoofdschuddend.

'Betekent dat dat het niet gaat lukken om...?'

Graden glimlachte heel subtiel. 'Nee, het betekent dat je onder de indruk zou moeten zijn van hoe ik alle obstakels heb overwonnen om de draak te verslaan.'

Ik voelde onder tafel iets kriebelen tegen mijn knie. Toen ik omlaag keek, zag ik dat het een kleine manilla envelop was. Hij was erin geslaagd de foto van Kit Chalmers te pikken die op Jake was gevonden. Ik pakte de envelop en liet hem voorzichtig in mijn tasje glijden.

'Maak je geen zorgen, hij is al onderzocht op vingerafdrukken en alles,' verzekerde Graden me.

Ik schonk hem een bewonderende blik. 'Ik ben onder de indruk, Graden. Ik weet niet hoe ik je moet bedanken. Het was vast een riskante onderneming.'

'Dat was het inderdaad. Maar het was de moeite waard. Ik weet niet waar de Feds mee bezig zijn, maar hoe meer ik zie wat ze doen, des te meer ik denk dat het goed is dat jij je er ook in verdiept.'

Ik liet deze ontnuchterende informatie op me inwerken. De hoop die ik had gekoesterd dat de FBI verder zou kijken dan hun federale neus lang was en misschien een onschuldige verklaring zou vinden voor Jakes aanwezigheid in die motelkamer – die hoop was plotseling verdwenen als sneeuw voor de zon. Het kwam nu allemaal op mij neer. Op mij en Bailey.

'Ik zal doen wat ik kan, Rachel. Maar beloof me dat je voorzichtig bent. Als ze je betrappen, mag je blij zijn als je alleen je baan kwijtraakt.'

Een royement, een mogelijke arrestatie wegens obstructie... dat waren nog mijn minste zorgen nadat mijn auto was toegetakeld en ik was beschoten en ontvoerd. Maar dit was waarschijnlijk niet het beste moment om hem dat te vertellen, en in plaats daarvan hief ik het glas.

'Op mijn nieuwe carrière als struisvogelboer.'

We klonken voorzichtig en nipten van onze martini. Ik bracht Graden op de hoogte van het feit dat we Luis Revelo hadden uitgesloten als verkrachter in de zaak-Densmore – maar ik zei uiteraard niets over ons bezoekje aan Bauchet Street. Ik vertelde hem ook over ons contact met Duane Pickelman, die een goede kans leek te maken als dader.

'Jullie houden hem toch wel in de gaten, hè?' vroeg Graden nadat ik hem had verteld dat Duane een DNA-test had geweigerd.

'We doen ons best. Bailey is momenteel bezig een gerechtelijk bevel te regelen.'

Graden knikte, hoewel hij niet bepaald hoopvol keek. En hij had gelijk – het was niet eenvoudig om een rechter zo ver te krijgen dat hij toestemming gaf om iemand die nog vrij rondliep tot een DNA-test te verplichten. Maar ik wilde hem pas arresteren als ik zeker wist dat hij de dader was. Strafpleiters genieten er altijd van om een jury uitgebreid te vertellen wie we allemaal niet hadden moeten arresteren en weer laten gaan alvorens we uiteindelijk zijn cliënt hadden opgepakt. Zoiets ziet er niet best uit, en dat is nog voorzichtig uitgedrukt.

Vervolgens hadden we het over rechters die we al dan niet mochten, wat ons uiteraard op Toni en J.D. bracht en hoeveel bewondering we voor hen hadden, afzonderlijk en als stel.

'Hij was ook fantastisch bij de politie,' merkte Graden op. 'Ik zou alleen wel eens willen weten wat zijn probleem is.'

'Hoe bedoel je?'

'Met Toni. Ik weet dat hij gek op haar is, maar het lukt hem niet om haar voor zich te winnen.' Graden schudde niet-begrijpend zijn hoofd.

'Ik krijg de indruk dat ze allebei een bindingsangst hebben.'

'Eh, volgens mij komt dat maar van één kant.'

Ik keek Graden vragend aan.

'Volgens mij is zíj degene die een bindingsangst heeft. En híj is bang dat hij een blauwtje loopt.'

'Echt? Weet je dat zeker?'

Graden haalde zijn schouders op. 'Mijn ervaring is dat vrouwen vaak denken dat mannen zich niet willen binden, terwijl we in werkelijkheid veel sneller bereid zijn om ons te settelen dan de meeste vrouwen.'

Het gesprek had een onverwacht serieuze – en onbehaaglijke – wending genomen. Het feit dat ik me niet op mijn gemak voelde met dit onderwerp dwong me de mogelijkheid te overwegen dat hij gelijk had. Ik moest toegeven dat ik de muren op me af voelde komen zodra een man me voor zichzelf wilde. Het had voor mij het einde van verschillende relaties betekend. In elk geval tot Daniel. Plotseling besefte ik dat ik aan het dagdromen was en dat Graden op een reactie wachtte.

'Ze zeggen dat alleenstaande vrouwen een stuk gelukkiger zijn dan alleenstaande mannen,' grapte ik, en ik sloeg het laatste restje van mijn martini achterover.

Hij reageerde met een glimlachje op mijn behendige uitvlucht. 'Zullen we er nog een nemen?'

Ik keek in mijn glas. 'Ik heb niks meer.'

We stapten over op luchtiger onderwerpen, waaronder mijn voornemen om een wapenvergunning aan te vragen, en we praatten en lachten ongedwongen terwijl andere klanten kwamen en gingen. Graden begeleidde me naar de lift.

'Nog even over die vergunning – wat mij betreft is dat akkoord,' zei hij.

'Bedankt voor je vertrouwen.'

'Niet dat je mijn vertrouwen nodig hebt,' antwoordde Graden, en hij grinnikte.

Ik lachte instemmend, en hij lachte met me mee. Ik voelde me niet genoodzaakt om hem te vertellen dat ik al jaren een wapen op zak had.

De lift deed *ping*, en toen de deur open gleed, stak ik mijn hand uit om te voorkomen dat hij onmiddellijk weer dicht zou gaan.

'Bedankt,' zei ik op iets serieuzer toon. 'Voor alles.'

Hij keek me even recht in de ogen. 'Graag gedaan,' zei hij zacht.

In mijn kamer vroeg ik me af of ik me zo licht voelde vanwege die blik, of dat het door de twee martini's kwam. Ik keek nog wat televisie, nam een douche en ging vroeg naar bed. De mogelijkheid van een serieuze relatie met Graden lichtte zachtjes op in de verte. Of het inderdaad zou gebeuren – als ik het al zou willen – was onduidelijk. Ik was te moe om nog verder over die vraag na te denken. Ik sloot mijn ogen, en een paar minuten later sliep ik.

34

Toen ik de volgende ochtend wakker werd, schoot ik onmiddellijk recht overeind met het gevoel dat ik dringend iets moest doen. Maar wat? Ik stond op, liep de badkamer in en waste mijn gezicht met koud water.

Toen herinnerde ik het me. Ik trok in allerijl een spijkerbroek en een trui aan, pakte mijn laptop en mijn tasje en haastte me naar de lift. Ik stapte uit op de eerste verdieping en liep regelrecht naar het kantoor van de hoteladministratie.

'Morgen, Zoey. Zou ik je scanner even mogen gebruiken?' vroeg ik.

Zoey was niet bepaald het type dat je op de administratie van een grote hotelier zou verwachten. Ze was geboren in de jaren zestig, dus hippies waren al uit de mode toen ze oud genoeg was om er zelf een te zijn. Maar Zoey had zich daar niet door laten ontmoedigen. Ze droeg een gekleurde omabril, ging gekleed in wijde, fleurige rokken met sandalen en ze hield van kralenkettingen. In de lucht rond haar lange haar leek altijd een zweem van wierook te hangen. Zoey liep niet; ze vloeide als een kabbelend beekje – alles aan haar was relaxt. Toch slaagde ze erin het kantoor als een Zwitsers uurwerk te laten draaien. Het leek soms wel tovenarij: ze bewoog zich op *warp*snelheid terwijl ze stil leek te staan.

Zoey keek over de rand van haar omabril. 'Natuurlijk, ga je gang. Zal ik het even laten zien?'

'Nee, laat maar. Ik weet hoe het werkt.'

Ik liep naar de scanner, koos de instellingen en legde de foto van Kit op het glas. Nadat ik de klep dicht had gedaan, sloot ik het apparaat op mijn laptop aan. Een paar seconden later stond de foto op mijn harde schijf. Ik liet het origineel weer in mijn tasje glijden en trok het kabeltje los.

Zoey zat te bellen, en ik zei geluidloos *bedankt* met mijn lippen. Ze zwaaide, en ik ging terug naar mijn kamer. Ik opende mijn laptop, schreef een e-mail aan mijn 'verontruste' vriend Clive en voegde Kits foto toe als bijlage.

Ik stond op het punt om het origineel in het ritsvak van mijn tasje terug te stoppen, toen me iets opviel. Kit leek niet te poseren. Sterker nog, de fotograaf leek hem op een onverwacht moment te hebben vastgelegd. Ondanks alle stoere tatoeages en piercings had Kit de lege blik van een verloren kind in zijn ogen. Mijn hart kromp ineen toen ik het besefte. Ik had die blik te vaak bij de kinderrechter gezien. Kinderen die per ongeluk op de wereld waren gezet en in de steek waren gelaten om voort te woekeren als onkruid. De mensen die nog het dichtst bij het begrip ouderfiguur in de buurt waren gekomen en de moeite hadden genomen om ze wat richting te geven, waren rechters en reclasseringsambtenaren geweest. Ik keek opnieuw naar de afbeelding en bestudeerde de achtergrond in een poging te achterhalen waar de foto was genomen. Er was niet veel te zien. Geen tafels, geen stoelen en geen andere huisraad. Maar ik zag wel een zwarte verticale lijn. Ik hield de foto dichterbij. Wat was dat? Bevond die lijn zich op de muur achter Kit, of was het een of ander artefact vanwege een cameraprobleem? Ik kon het niet zeggen. Ik besloot het uit te zoeken met een vergrootglas en begaf me naar de douche.

Ik had me net afgedroogd toen de telefoon ging.

'Trek gemakkelijke kleren aan,' zei Bailey. Op de achtergrond klonken geluiden van verkeer; ze zat blijkbaar in de auto.

Ik trok mijn jeans weer aan en koos voor een T-shirt met lange mouwen met daaroverheen een dikke zwarte kabeltrui. Ik deed werktuiglijk mijn make-up en mijn haar en controleerde nog even mijn e-mail. Clive had teruggeschreven dat hij de foto had ontvangen en dat hij me zou laten weten wat hij had ontdekt. Ik had het gevoel dat ik efficiënt bezig was en vond het computertijdperk voor de verandering enorm handig. Ik sloot mijn laptop, schoof hem in de draagtas en stond al met een voet buiten de deur toen ik besefte dat ik mijn Nemesis was vergeten. Ik ging weliswaar met Bailey op pad, maar als ik gemakkelijke kleren aan moest trekken, betekende dat dat we naar buiten gingen. Ik liep de kamer weer binnen, haalde het kogelvrije vest uit de kast en trok met tegenzin mijn trui uit. Nadat ik mezelf in het vest had gehesen en me weer had aangekleed, liep ik stampvoetend naar buiten als een kind dat van zijn moeder nette schoenen moest dragen in plaats van gympies.

'Ik begrijp niet waarom ik dit rotding de hele dag aan moet,' zei ik toen ik naast Bailey in de auto zat.

Ze keek me aan. 'Omdat we dat hebben afgesproken, Knight.'

Ik probeerde verontwaardigd mijn armen over elkaar te doen, maar het vest maakte dat onmogelijk en ze gleden van elkaar. Vanuit een ooghoek zag ik Bailey zelfgenoegzaam gniffelen.

We reden Fairfax op in zuidelijke richting. Toen we Beverly Boulevard overstaken, zagen we in de verte de beroemde ontmoetingsplaats Oki-Dog opdoemen. Het was pas halfelf 's ochtends, veel te vroeg voor een gevuld terras, dus we hadden de eetgelegenheid voorlopig voor onszelf. Bailey parkeerde aan de overkant van de straat terwijl ik me afvroeg waarom deze uitgeleefde hut zo populair was. Met zijn tralies voor de ramen en de verschoten kartonnen borden waarop het slagaderslib *du jour* stond vermeld, kon je deze tent bepaald niet uitnodigend noemen. Maar de Oki-Dog trok om een of andere reden een breed publiek uit alle lagen van de samenleving. En als babygangster Hector Amaya de waarheid had verteld, had een van hun toegewijde klanten hem in de val gelokt door hem een rijke buit voor te houden in een huis vlakbij dat van Susan. Zodra we wisten wie deze man was, konden we uitzoeken waarom hij het had gedaan. Misschien had het niets met de verkrachtingszaak te maken, maar als dat wel het geval was, waren we een heel stuk verder.

Aangezien er letterlijk niemand aanwezig was, besloten Bailey en ik even bij Canters langs te gaan voor een snack. De *deli* had qua populariteit zijn ups en downs gekend, maar je kon er nog steeds fantastisch eten krijgen. Ik gooide elke waarschuwing in de wind en bestelde een bagel met gerookte zalm en roomkaas en kappertjes. Bailey nam een kaiserbrötchen met magere vis.

'Zijn de resultaten van Revelo al binnen?' vroeg ik haar.

Ze schudde haar hoofd. 'Dat duurt niet lang meer, maar we weten toch al dat ze hem uitsluiten.'

Ik knikte. 'Ik heb tegen Graden gezegd dat we hem vrijwel zeker kunnen doorstrepen. Wat zal Densmore op zijn neus kijken als ik hem vertel dat hij het mis had.'

Er verscheen een voldane blik op Baileys gezicht. 'Schitterend.' Ze zweeg even en vroeg toen: 'Wat heb je trouwens tegen Graden gezegd over hoe we Revelo hebben getest?'

'Hetzelfde wat we Densmore gaan vertellen – en Vanderhorn. We houden het gewoon vaag. Ik heb gezegd dat we hem hebben opgezocht en dat hij akkoord ging met een uitstrijkje.'

Bailey knikte goedkeurend.

Toen we terugkwamen bij de Oki-Dog begon het er langzaam vol te lopen. Bailey en ik vonden strategisch geplaatste stoeltjes aan de rand van het terras waar we het hele gebeuren konden overzien en onopvallend naar ons doelwit konden zoeken: de man van de Aryan Brotherhood. Hoewel we geen van beiden honger hadden, was de geur van gefrituurd voedsel niet bepaald bevorderlijk voor de concentratie. Ik bestelde een grote Diet Coke om mezelf bezig te houden en dronk er langzaam van om te voorkomen dat ik naar het toilet moest. Na drie uur, twee drankjes en een blaas die op knappen stond, hadden we onze man nog steeds niet gezien. Ik keek naar Bailey.

'Ik zou een paar agenten die hier in de buurt werken, kunnen vragen of ze een oogje in het zeil houden,' stelde ze voor.

We wisten allebei dat de kans nihil was dat de agenten hem zouden vinden; ze hadden tenslotte hun eigen werk. Maar ik had geen beter idee. Ik reikte naar de grond om mijn tasje te pakken toen ik iemand zag die me bekend voorkwam. Het was een lange, tengere zwarte knul met een afrokapsel, en hij stond bij een groep tieners links van de ingang. Ik keek naar Bailey en knikte in zijn richting. Ze keek zijn kant op en knikte terug. We stonden rustig op, liepen om het gebouwtje heen en naderden hem van achteren.

'Hé, Dante,' zei ik zo ongeveer in zijn oor. 'Hoe staan de zaken?'

35

De jongen sprong letterlijk een stukje de lucht in toen hij mijn stem hoorde. Voor het geval hij dacht dat hij nog wel een sprintje kon trekken, liep Bailey om hem heen en ging voor hem staan. 'Hé, Dante,' zei ze. En vervolgens richtte ze zich tot de andere jongens. 'Is het oké als we hem even van jullie lenen?'

Dante, die zijn vrienden duidelijk wilde maken dat hij geen verklikker was, zei: 'Gaat dit weer over Kit?'

'Klopt als een bus. We willen je even laten weten wat we tot op heden hebben, en daar willen we graag je mening over horen,' antwoordde ik om hem de kans te geven zijn gezicht te redden.

Niet dat hij een keus had, maar hij knikte wijselijk om het eruit te laten zien alsof dat wel zo was. Hij liep met ons mee terug naar ons tafeltje.

Toen we gingen zitten, zag ik dat hij vreselijk mager was. Misschien gebruikte hij drugs, hoewel hij niet die indruk wekte. 'Zeg,

Dante, wil je soms wat eten? Ik trakteer.'

Hij keek me heel even aan, maar zei vrijwel onmiddellijk: 'Ja, oké. Doe maar twee Oki-Dogs, een cheeseburger en een portie friet.'

'Ook wat drinken?'

'Eh, een Dr Pepper graag. Bedankt.'

Ik praatte met hem terwijl Bailey zijn eten ging halen. 'Heb je nog wat over Kit gehoord op straat? Misschien waar hij mee bezig was vlak voordat hij doodging?'

'Nah,' zei Dante. Hij wreef zijn handen af aan zijn jeans en keek ongeduldig in de richting van het gebouwtje.

'Waar woon je eigenlijk, Dante? Waar wonen je ouders?' Ik wist dat dat een veilige vraag was omdat deze knul daar duidelijk niet woonde.

'Mijn pa' – hij haalde zijn schouders op – 'geen idee. Heb ik ook nooit geweten. Mijn moeder woont in Jordan Downs, bij mijn oma.'

De moeder woonde in het hart van het getto in Watts; een arme, levensgevaarlijke buurt. Ik wierp een blik op zijn nette, maar dunne jeans, zijn veelvuldig gewassen shirt en de schone, maar versleten sneakers. Hij slaagde er blijkbaar al een tijdlang in om goed voor zichzelf te zorgen van heel weinig geld. Als ik hier te lang over nadacht, zou mijn hart breken waar hij bij zat. Ik keek om me heen naar de bezoekers van de Oki-Dog. Het was het gebruikelijke bonte clubje: *emo*'s met zwartgeverfde vingernagels, zwart haar en witte gezichten en kakkers uit de Rossmore *mansions* die het wel stoer vonden om met heftige types op te trekken – en er 'cool' uitzagen in hun Lacoste t-shirts en de keurig geperste kaki broeken.

Bailey kwam terug met haar armen vol eten en een Dr Pepper in haar zak. Ik dacht even dat ze Dantes bestelling had verdubbeld, totdat ik besefte dat de porties hier zo groot waren. Geen wonder dat deze tent populair was bij de kids – grote porties, lage prijzen en, naar de geur te oordelen, nog lekker ook. Dante viel aan op zijn feestmaal, en Bailey en ik leunden naar achteren om hem rustig te laten eten. Toen hij klaar was, veegde hij zijn mond netjes af met een servet. 'Bedankt, mensen. Echt,' zei hij.

'Dat zit wel goed,' zei ik. 'Zeg, Dante, is het oké als ik nog wat algemene vragen over Kit stel?'

Dante keek me verbaasd aan. 'Mij best, maar ze zeiden toch dat die gast van het OM het had gedaan, die Jake? Is dat dan niet zo? Ik bedoel, waar hebben we het eigenlijk over?'

Het was een reële vraag die een eerlijk antwoord verdiende. 'Ik denk dat Jake het niet heeft gedaan.'

Dante dacht daar even over na. 'Echt waar? Begrijp me niet verkeerd – als ik u was, zou ik ook niet willen dat een collega van zoiets rottigs werd beschuldigd. Maar soms moet je de feiten gewoon onder ogen zien.'

Godenwijsheid uit de mond van een zestienjarig straatjoch. Ik knikte. 'Dat doe ik ook. En als blijkt dat ik het mis heb en Jake het toch heeft gedaan, dan is het niet anders. Maar als ik gelijk heb, dan loopt de dader nog steeds vrij rond.' Ik zweeg even zodat hij de informatie tot zich kon laten doordringen. 'En het lijkt me dat jij me wel wilt helpen om hem achter de tralies te krijgen. Heb ik gelijk of niet?'

Dante wendde zijn blik af, en ik zag hem slikken. De dood van Kit had zijn zwakke plek blootgelegd – zijn eigen kwetsbaarheid. 'Als je gelijk hebt, dan wil ik dat die smeerlap de stoel krijgt,' zei hij zachtjes.

Ik knikte. 'Kit prostitueerde zichzelf, hè?'

Dante haalde diep adem, en ik zag dat hij in tweestrijd verkeerde. Hij keek omlaag naar de tafel en knikte.

'Had hij vaste klanten?' vroeg ik.

Dante schudde zijn hoofd. 'Daar heeft hij nooit iets over gezegd.'

'Had hij klanten die je kende?'

Hij schudde opnieuw zijn hoofd.

'Heeft hij wel eens voor porno geposeerd?'

Dante haalde zijn schouders op. 'We pakten wat we konden. Poseren was het snelste geld.'

'Herinner je je voor wie hij poseerde?'

'Geen idee. We gingen wel met elkaar om, hij en ik. Zo gaat

dat als je in dezelfde situatie zit, maar we waren niet echt close. Trouwens, ik kan me nauwelijks herinneren voor wie ik zelf heb geposeerd. Het is geen werk waar je graag over nadenkt, en ik heb het eigenlijk nooit als vaste job gedaan, dus...'

Ik knikte. Als ik in zijn schoenen stond, zou ik dat soort dingen ook het liefst zo snel mogelijk willen vergeten. 'Zou je iemand herkennen voor wie je hebt geposeerd als ik zijn foto had of je een beschrijving gaf?'

Dante haalde opnieuw zijn schouders op. 'Misschien. Dat kan ik zo niet zeggen.'

Ik had nog niemand, maar ik hoopte dat Clive me verder kon helpen. Ondertussen had ik een idee gekregen.

'Ik heb binnenkort misschien een paar foto's of beschrijvingen voor je, maar ik wil je om een gunst vragen. Mag ik een foto van je maken?'

Hij schonk me een behoedzame blik. 'Hoezo?'

'Misschien helpt het me om degene te vinden die foto's van Kit heeft gemaakt. Je krijgt hier absoluut geen problemen mee, dus je hoeft je geen zorgen te maken.'

Hij fronste zijn wenkbrauwen, hield zijn hoofd een beetje schuin om me aan te kijken langs zijn neus en dacht even na. Tenslotte zei hij schoorvoetend: 'Oké.' Ik haalde mijn mobieltje tevoorschijn en nam een foto. Om helemaal zeker te zijn, scrolde ik door mijn contacten en drukte op de belknop. Dantes telefoon ging over.

Ik glimlachte. 'Even testen.'

Hij wendde zijn ogen af en keek me vervolgens weer aan met een ernstige blik. 'Ik heb niks tegen homo's, weet je wel? Iedereen zijn eigen dingetje. Maar ik wil dat jullie weten dat ik geen nicht ben. Ik heb gewoon het geld nodig.'

'Ik snap het, Dante,' zei ik zacht, en ik meende het. 'En hoe zat dat met Kit? Denk je dat hij gay was?'

Dante zweeg even. 'Hij ging veel met Eddie om, maar dat zegt niks. Ik weet het gewoon niet.' Hij hield opnieuw zijn hoofd schuin. 'Hoezo?'

'Het zou kunnen helpen bij het zoeken naar een motief en mogelijke verdachten,' antwoordde ik. 'Dacht je dat het belangrijk was voor mij persoonlijk?'

Dante knikte.

Ik schudde mijn hoofd. 'Mij interesseert het geen fluit.'

36

'Als de agenten onze man niet vinden, zullen we zelf terug moeten,' merkte Bailey op terwijl we over Fairfax reden in de richting van de snelweg die ons terug zou brengen naar het centrum.

Ik knikte. We reden langs Fairfax High School. Als je naar de morsige voorgevel keek, zou je niet zeggen dat deze onderwijsinstelling genieën als James Ellroy, Larry Gelbart... en Slash had voortgebracht.

'Hallo? Aarde aan Knight,' zei Bailey, die daarmee een einde maakte aan de dagdroom waarin ik me voorstelde hoe het moest zijn geweest om met dat soort types in de klas te zitten.

'Wat? Ik ben er.'

'Mag ik je eraan herinneren dat hoe meer we in dit wereldje rondhangen, des te meer de mensen die achter ons aan zitten'– Bailey stopte halverwege haar zin om een auto te passeren. 'Ik bedoel, we beginnen ondertussen behoorlijk op te vallen.'

Dat klopte. Er ontwikkelde zich een plan in mijn hoofd, maar ik wilde er nog even over nadenken om te zien of het me wel beviel. Ondertussen vroeg ik: 'Heeft de politie nog munitie gevonden op de plek waar we zijn beschoten?'

'Volgens het rapport waren er twee kogels, geen hulzen.'

'Dus waarschijnlijk een revolver,' merkte ik op. 'Kaliber?'

'Volgens de Firearms Unit zag het eruit als een achtendertig. Zes links.'

Zes velden en linksdraaiende groeven. Dat zou meer uitsluitsel geven over het type wapen dat was gebruikt. 'Is dat een Colt?'

'Ik geloof het wel.'

'En hoe zit het met dat gerechtelijk bevel voor Pickelmans edele lichaamsvloeistoffen?' vroeg ik.

'Nog niks.' Bailey slaakte een zucht. 'Het zou een makkie zijn als we die gast gewoon arresteerden, maar dat is...' Baileys stem stierf weg.

Ik maakte de zin in gedachten af: een riskante zet als hij onze man niet is. Ik dacht na over de twee meest urgente problemen die op ons bord lagen. We reden verder zonder iets te zeggen terwijl ik piekerde over een manier om ze allebei te tackelen. 'Ik zat te denken, waarom verzinnen we geen verhaal over dat we de verkrachter hebben gearresteerd – zonder beschrijving? Dan heeft Pickelman geen reden om ervandoor te gaan en hebben wij tijd om dat gerechtelijk bevel te regelen. En als de echte verkrachter de man is die ons steeds lastigvalt, houdt hij er misschien mee op. Het enige probleem is'–

'Dat hij zich daardoor misschien veilig genoeg voelt om het weer te doen.'

Ik knikte.

We zwegen allebei, op zoek naar andere oplossingen. We vlógen bijna over de verrassend rustige snelweg terwijl in de verte de wolkenkrabbers van de binnenstad opdoemden. Het was bijna vijf uur, en de zon stond laag aan de hemel. Langzaam maar zeker begon de avondschemering zich uit te rollen over de wereld rondom ons.

'Het punt is: aangezien we min of meer zeker weten dat het Luis niet is, zou de verkrachter sowieso een nieuw slachtoffer kunnen maken,' merkte Bailey op.

Dat kon ik niet bestrijden. 'Zei je nou dat Luis' DNA-resultaten bijna binnen waren?'

'Misschien eind van de dag al, als de laborant tenminste op zaterdag werkt – maar in elk geval maandag.'

Ik slaakte een zucht. 'Oké. Ik neem contact op met mijn mannetje bij de *Times*. Het verhaal staat morgenochtend online en de volgende dag in de krant. Ik zal Frank Densmore moeten bellen om hem te laten weten hoe de zaak ervoor staat.'

Ik stond niet te trappelen om rapport uit te brengen aan *Herr* Densmore. Aan de andere kant zou het wel geinig zijn als ik informatie had waarvan hij steil achterover zou slaan.

'Zeg, Bailey, ik weet dat de kans klein is, maar zou je misschien toch even het forensisch lab willen checken? De dag is tenslotte wel zo'n beetje voorbij.'

Bailey glimlachte begrijpend. Ze gaf me haar mobiele telefoon en dicteerde het nummer van de laborant die de test deed.

Ik toetste het nummer in, en even later werd er inderdaad opgenomen door iemand met een hoge Aziatische stem. 'Lab – met Fukai.'

'Momentje. Hier is Bailey Keller.' Ik overhandigde Bailey de telefoon.

'Heb je de resultaten van Revelo's DNA-test al?' vroeg ze.

Ze luisterde zonder iets te zeggen, en ik wachtte af. Ik keek haar gespannen aan, op zoek naar een teken, maar ze hield haar ogen strak op de weg gericht. Haar gezichtsuitdrukking verraadde niets. Uiteindelijk klapte ze de telefoon dicht en gaf hem aan mij. 'En?' vroeg ik ongeduldig.

Ze keek me aan vanuit een ooghoek. 'Revelo is geen match.'

'*Yes!*' zei ik terwijl ik een triomfantelijk gebaar met mijn vuist maakte. Het zou goed voelen om die zelfingenomen trol te vertellen dat hij ernaast had gezeten wat Luis betrof. Maar ik wilde het eerst vertellen aan degene voor wie dat het belangrijkst was.

Ik haalde mijn telefoon tevoorschijn, zocht het nummer en drukte op de belknop. 'Susan? Hoi, met Rachel Knight. Heb je even?' Ik vertelde haar het nieuws.

Susans reactie maakte dat de lange avonden en weekends van deze baan de moeite waard waren.

Na een korte stilte hoorde ik haar de lucht uit haar longen blazen. Vervolgens klonk er een vreemd gilletje, waarna ze op triomfantelijke toon zei: 'Ik wist het! Ik wist het wel! Ik heb geprobeerd het hem te vertellen, maar hij wilde niet luisteren. En nu... wacht even, je weet het toch wel zeker, hè?'

Hem. Daarmee bedoelde ze Densmore. 'Ja. Er is geen twijfel mogelijk,' verzekerde ik haar. 'Je hoeft je geen zorgen meer te maken. Je had al die tijd gelijk, Susan, en ik ben blij dat ik het je heb kunnen vertellen.'

Dit zou haar weer een beetje controle over haar leven geven, en natuurlijk het vertrouwen in haar eigen oordeel herstellen. Dat is voor iedereen belangrijk, maar voor een verkrachtingsslacht-offer is het cruciaal.

Het luisteren naar haar opgetogen stem was als het kijken naar de zon die achter een donkere wolk vandaan kwam.

'Ga je het nu aan mijn vader vertellen?' vroeg ze.

'Meteen nadat we hebben opgehangen,' beloofde ik.

'O, oké,' zei Susan nu haastig om me niet verder op te houden. 'Laten we er dan maar een einde aan breien. Nogmaals bedankt! En bedank Bailey ook, oké? O, en zeg Luis maar gedag van me.'

Ik kon nu ook niet meer wachten om het telefoontje te plegen. Ik zei tegen haar dat ik nog wel contact zou opnemen en verbrak de verbinding. 'En nu,' zei ik tegen Bailey, enthousiast geworden door mijn gesprek met Susan, 'mag ik als toegift Mep de Zak spelen.'

Uiteindelijk bleek dat het – zoals zoveel momenten in het leven waar je een hoop van verwacht – een stuk minder leuk was dan ik had gehoopt. Toen ik Densmore vertelde dat de DNA-tests Luis Revelo hadden uitgesloten, schraapte hij zijn keel en vroeg on-middellijk of we al wat over de bewaker hadden gevonden. Niet eens een adempauze tussen mijn antwoord en zijn volgende bevel. Ik klapte de telefoon dicht en liet hem met iets meer kracht in mijn tasje vallen dan ik had gepland, wat aan Bailey een veelbe-tekenend glimlachje ontlokte.

'Had jij geen mensen aan bomen laten schudden om verdachte buren en werklui op te sporen?'

'Ja.'

'En? Is er nog iemand uit gevallen?'

'Een zwembadschoonmaker, een tuinman en een knul die hier in de buurt heeft gewoond totdat de financiële crisis toesloeg. Hij heeft blijkbaar tijdens de lunch met Susan zitten flikflooien nadat hij een vriendin van haar had bedrogen.'

'En verder?'

'De zwembadman heeft zijn been in een beugel vanaf zijn enkel tot aan zijn dij – die kan onmogelijk een ladder op zijn geklom-men. De tuinman had een goed alibi. We zijn nog bezig met die knul, maar zijn verhaal bevalt me niet.'

'Zijn verhaal bevalt me niet,' zei ik droogjes, het politietaaltje na-apend.

Bailey schonk me een dreigende blik. 'Precies. En hij heeft niet eens een alibi gegeven – zei dat hij lag te slapen, kun je nagaan.' Als we al geen gerechtelijk bevel kregen om Pickelman een DNA-monster af te nemen, konden we het helemaal vergeten voor een knul die niet eens de moeite had genomen om ons een of ander flauwekul alibi op de mouw te spelden.

'Ach, we kunnen morgen in elk geval weer naar de Oki-Dog,' zei ik. 'Die hamburger rook geweldig.' Ik begon in gedachten de work-outs al te plannen die de lunch van morgenmiddag moesten compenseren.

Maar het is niet voor niets dat ze zeggen: *De mens wikt, en God beschikt.*

37

Mijn telefoon ging om halfzeven de volgende ochtend. Ik pakte hem van het nachtkastje en keek naar het nummer op het schermpje zodat ik kon zien wie ik moest vervloeken. Het was Bailey.

'Pickelman is gisteravond niet op komen dagen voor zijn dienst.'

'En daar komen ze nu pas mee?'

'Het hoofd beveiliging kreeg het pas te horen toen hij op zijn werk kwam. We moeten erheen om zijn info op te vragen zodat we hem kunnen opsporen.' Ze verbrak de verbinding.

Ik kreunde en hees mezelf uit bed. Een snelle douche later, zonder tijd voor make-up, trok ik mijn jeans aan, een wit thermoshirt, mijn trouwe kogelvrije vest – ik had er voor de verandering geen probleem mee om het aan te trekken omdat de vroege ochtendlucht ijzig koud was – en een dikke jas. Bailey stond al met lopende motor voor de ingang te wachten. Ze gebaarde naar de kartonnen beker met koffie in de houder aan de passagierskant en zei: 'Zorg er eerst maar even voor dat je bij de mensen komt.'

Ik knikte, prutste het dekseltje van de beker om de stoom te laten ontsnappen, blies op de koffie en nipte vervolgens van het gloeiend hete vocht. Vijf in warmtegraad afnemende slokjes later rolden we over de snelweg met de rest van Los Angeles.

'Dus hij is gisteravond niet op komen dagen?' vroeg ik.

'En hij heeft ook niet gebeld om te zeggen waarom niet.'

Normie, het hoofd beveiliging, zei dat het hem oprecht speet en stelde ons bereidwillig alle bekende telefoonnummers en adressen van Duane Pickelman ter hand. Bailey belde om versterking aan te laten rukken naar zijn meest recente adres.

Dat bevond zich in Koreatown. Een uitgewoonde flat met één verdieping en een galerij die uitkeek over de straat. Naast de afvalcontainer aan het einde van de parkeerplaats had iemand liefdevol een oude zitbank neergezet. Toen we aan kwamen rijden, vloog een groep kraaien op die zich te goed had gedaan aan iets in een fastfoodverpakking. Ik deed mijn best om het niet als teken aan de wand te zien. Terwijl we parkeerden voor de deur van appartement A – onze bestemming – arriveerde de versterking. Op de deur zaten plakplaatjes van bloemen en een bumpersticker van een lokaal radiostation. Ik vond Duanes decoratieve talent nogal teleurstellend.

Vier stoere geüniformeerde politieagenten spraken kort met Bailey. Vervolgens renden twee van hen om het gebouw heen naar de achterkant terwijl de andere twee hun levensgevaarlijke zaklantaarns tevoorschijn haalden en een van hen op de deur begon te bonzen. Bailey en ik hielden onze pistolen op de grond gericht naast ons lichaam voor het geval er iets mocht gebeuren.

'Meneer Pickelman, politie! Open de deur!'

Nadat er enkele seconden waren verstreken zonder dat iemand had gereageerd, bonkte de agent opnieuw op de deur. Ik deed een stap naar voren om te luisteren en hoorde het geluid van rennende voetstappen en zachte stemmen. Bailey knikte, en de agent beukte nogmaals op de deur. 'Politie!'

Toen er weer geen reactie kwam, stapte de andere agent met getrokken pistool opzij, terwijl de man die had 'aangeklopt' zich met zijn schouder tegen de deur wierp om die vervolgens uit alle macht een indrukwekkende trap te geven. De deur klapte open, en ik hoorde het geluid van gillende meisjes.

Bailey en ik keken elkaar aan. Dit was niet wat we hadden verwacht. De agent die de deur had opengetrapt, haalde zijn pistool tevoorschijn en gebaarde naar zijn partner. Ik bleef staan terwijl ze elkaar dekking gaven en het appartement binnengingen. Een paar seconden later kwamen twee tienermeisjes in T-shirts en pyjamabroeken met teddyberen tevoorschijn. Ze liepen met de handen omhoog naar buiten, angstig in elkaar gedoken en met gebogen hoofd alsof ze bang waren dat ze elk moment een klap konden krijgen. De twee agenten die achterom waren gegaan, controleerden het appartement vanbinnen om zich ervan te vergewissen dat er niemand was achtergebleven die voor vervelende verrassingen kon zorgen. Het eerste team, dat de deur had ingetrapt, ontfermde zich over de meisjes en loodste ze weg aan hun elleboog.

Toen ze langsliepen, zag ik dat een van hen waarschijnlijk al tegen de twintig was terwijl het andere meisje eruitzag als een jaar of zestien. Hun gezichten waren asgrauw. Een van hen, de jongste van de twee, begon onbedwingbaar te huilen.

'Kunnen jullie het verder zelf af?' vroeg een van de agenten. De toon van zijn stem hield het midden tussen sarcasme en vermaak.

'Ja, waarschijnlijk wel,' zei Bailey. 'Heeft het andere team de boel binnen gecheckt?'

'Daar zijn ze nu mee bezig. Zij blijven hier. Wij moeten weer op pad.'

'Geen probleem. Bedankt, Red.'

'Hé, Red?' zei ik terwijl hij zich omdraaide om te vertrekken. 'Ben jij soms linebacker?'

'Bij de Saints.' Hij glimlachte, maakte een gebaar alsof hij zijn hoed aantikte en stapte samen met zijn partner in de patrouillewagen.

Ik draaide me om naar de meisjes, die inmiddels stonden te bibberen in hun dunne pyjama. Het tweede team kwam naar buiten en meldde dat alles in orde was. Aangezien het appartement weer beschikbaar was, stelde ik voor om naar binnen te gaan.

We namen plaats rond een goedkope imitatiehouten salontafel. De meisjes gingen zitten op een afgeleefde sofa die er nog slechter uitzag dan het exemplaar naast de afvalcontainer, Bailey en ik op de klapstoeltjes tegenover hen.

'Naam?' vroeg Bailey terwijl ze haar notitieblokje en haar pen tevoorschijn haalde.

'Amy Pickelman,' zei het jongste meisje. De overeenkomst was duidelijk nu ik het wist. Ze was bleek, mager en pezig, maar korter dan Duane, en haar haar hing in dezelfde verwelkte, vuilblonde slierten.

'Deandra Scorper,' zei het andere meisje. Ze was een beetje aan de mollige kant, maar ze was knap, had blauwe ogen en golvend bruinachtig haar.

Ik bestudeerde de meisjes even en richtte me vervolgens tot Amy. 'Mag ik je identiteitsbewijs even zien, Amy?'

Ze keek geschrokken. 'Ik, eh, weet niet waar ik dat heb gelaten.'

Ik wachtte totdat ze uit zichzelf zou bekennen, maar dat gebeurde niet, daarom deed ik het maar voor haar. 'Je bent weggelopen van huis,' zei ik op milde toon.

Na een korte stilte zei Deandra – waar ongetwijfeld ook wel wat mee aan de hand zou zijn: 'Hou maar op, Amy. Hier trapt geen hond in.' Deandra richtte zich tot mij. 'Ze mocht een tijdje bij ons blijven totdat haar moeder haar op zou halen. Ze wonen in Phoenix.'

Amy schonk Deandra een blik die hout zou hebben versteend. 'Ik word helemaal gek in dat stinkende gat!' riep ze uit. 'En ik mag helemaal *niks* van mijn stiefvader! Mooi dat ik niet terugga!'

Ik richtte me tot de bijna-volwassene van het tweetal. 'Wanneer hebben jullie Duane voor het laatst gezien?'

'Gisteren, vlak voordat ik naar mijn werk ging.'

'Waar werk je?' vroeg ik zonder bepaalde reden, behalve dat het wel een logisch vervolg leek.

'T.G.I. Friday's. Ik ben serveerster. Hij belde toen ik net thuis was. Zei dat hij iets belangrijks te doen had, dat hij snel terug zou zijn en dat ik me geen zorgen moest maken.' Ze zweeg en keek ons aan. 'Maar dat zal wel bullshit zijn geweest.'

'We hebben hem een paar dagen geleden gesproken en tegen hem gezegd dat hij de stad niet uit mocht,' antwoordde ik zodat ze haar eigen conclusie kon trekken.

'Godsamme. Hoe moet ik in godsnaam in mijn eentje de huur betalen? We hebben haar er ook nog bij,' zei ze terwijl ze met haar hoofd naar Amy knikte.

'Heeft hij je op je mobieltje gebeld?' vroeg ik.

'Ja,' zei Deandra. Ze pakte haar tasje onder de salontafel vandaan en overhandigde me haar telefoon.

Ik scrolde door de telefoontjes van de avond ervoor. 'Weet je nog hoe laat je thuis bent gekomen?'

'Halfelf. Hij heeft om een uur of elf gebeld.'

Ik liep de gesprekken langs tot aan het laatste nummer van die avond, en inderdaad, daar was het. Ik selecteerde het nummer en drukte op de belknop. Ik hoorde de stem van Duane die zei dat ik een bericht moest achterlaten. Ik verbrak de verbinding en gaf de telefoon aan Bailey zodat ze het nummer kon opschrijven.

'Heb je enig idee waar hij kan zijn?'

'Als ik het wist, zou ik het zeggen.'

Ik geloofde haar. Bailey en ik keken elkaar aan. We konden hier weinig meer doen. Ze riep de twee agenten die waren achtergebleven.

'Deze jongedame,' – Bailey gebaarde naar Amy – 'gaat met jullie mee. Ze is weggelopen van huis en ze gaat jullie de naam en het telefoonnummer van haar moeder geven.' Bailey zweeg en keek Amy recht in de ogen.

Het zag er even naar uit alsof Amy ertegenin wilde gaan, maar na een ongelijke strijd van vijf seconden liet ze het hoofd hangen. Ze gaf de agent met een zacht stemmetje de gewenste informatie.

'Bedankt, Deandra,' zei ik terwijl Bailey en ik opstonden om te vertrekken. Ik gaf haar mijn kaartje. 'Bel me zodra je iets hoort.'

'Oké, mevrouw. Doe ik.'

De vastberaden toon in haar stem vertelde me dat ze het meende.

Terwijl Bailey en ik vertrokken, hoorde ik een van de agenten aan de telefoon met Amy's moeder praten. Van wat ik ervan kon horen, zou Amy de komende tijd verre van blij zijn met haar leven.

38

Op de weg terug naar het centrum begonnen de gevolgen van het vroege ontwaken zich te openbaren. Het voelde alsof er loden gewichten aan mijn oogleden hingen. Mijn hoofd knikte voortdurend op mijn borst en ik had zo'n zin om een dutje te doen dat ik de slaap bijna kon proeven. Maar ik zou me schuldig voelen als ik Bailey liet rijden terwijl ik een uiltje knapte, dus ik hield mezelf wakker door me op onze volgende stap te concentreren.

'Ken jij iemand die Pickelmans telefoon kan traceren?' vroeg ik met een stem waarin de uitputting doorklonk.

'Ik ga meteen bellen zodra we bij jou zijn,' zei ze, en ze onderdrukte een geeuw.

Ik was een echt nachtmens, en vroeg opstaan was voor mij een probleem. Maar Bailey was van nature matineus. Ze gaapte om een andere reden. 'Overdag werken is een crime als je het met een barman doet,' zei ik, puur om te zien wat ze zou zeggen.

Bailey keek me even aan en richtte vervolgens haar blik weer op de weg. Er speelde een glimlachje rond haar lippen. 'Maar het is wel de moeite waard.'

Blijkbaar ging het nog steeds goed tussen Bailey en Drew. Ik was blij voor ze. En onder de indruk.

We verlieten de snelweg en zetten de auto voor het hotel neer. We gingen onmiddellijk naar mijn kamer, belden roomservice en bestelden koffie, fruit en vers banket. Bailey begon te telefoneren terwijl ik mijn koffie versneed met zoetjes en magere melk. Ondertussen probeerde ik het sirenengezang van de chocolademuffin te negeren die Bailey had besteld en tussen ons in op tafel had gelegd. Slaapdeprivatie leidt er gegarandeerd toe dat ik mijn leefregels aan mijn laars lap.

'Oké,' zei ze, en ze klapte haar telefoon dicht, 'de boel is aan het rollen. Laten we hopen dat die technische toestanden snel werken. Als hij die telefoon dumpt, kunnen we het schudden.'

Bailey brak een stuk van haar muffin af en begon te eten. Ik keek naar haar als een hond bij de slager. 'Hier, neem ook wat,' zei ze, en ze hield plagerig de andere helft voor mijn neus.

'Ik haat je,' zei ik, en ik pakte mijn walgelijk gezonde appel.

Bailey de Sadist legde haar voeten op de salontafel, leunde naar achteren en beet genietend kleine stukjes van haar muffin.

Haar telefoon ging. Ze wierp een blik op het nummer en keek me vervolgens verbaasd aan. 'Het is de centrale,' zei ze, en ze opende haar telefoon.

Ik was net zo verbaasd. De centrale belde niet naar rechercheurs, maar naar politieagenten.

'Keller,' zei ze, en ze luisterde even. Plotseling vielen haar voeten op de grond en ging ze rechtop zitten. 'Wat was dat adres ook alweer?' Ze haalde haar notitieblok en haar pen tevoorschijn, schreef iets op en bedankte de telefoniste. Vervolgens verbrak ze de verbinding.

'Wat zeggen wij altijd?' vroeg ze me.

'Waarom stop je niet met die geintjes en vertel je me niet meteen wat er aan de hand is?'

'Nee. Wij zeggen: "Liever geluk dan wijsheid".'

Dat was waar.

'En?' vroeg ik.

'We hebben Pickelman.'

We vlogen de deur uit terwijl Bailey voor de tweede keer die dag versterking regelde. Toen we weer op de snelweg reden, vertelde Bailey wat er was gebeurd.

'Nadat ik vanochtend had gehoord dat hij was verdwenen, heb ik de patrouillesergeant en de centrale laten weten dat ik naar Pickelman op zoek was. Blijkbaar heeft er net iemand 911 gebeld en gevraagd of er een beloning was uitgeloofd voor hem.'

'Waarom zou iemand dat denken?' merkte ik op. Ik had mijn contactpersoon bij de *L.A. Times* gebeld en een verhaal laten plaatsen waarin stond dat de verdachte in de verkrachtingszaak was vastgenomen. Ik kon me dan ook niet voorstellen dat het onlinenieuwsbericht de reden was geweest voor het telefoontje naar het alarmnummer.

'Ik neem aan dat Pickelman de persoon waar hij verbleef, heeft verteld dat hij uit handen van de politie probeerde te blijven. Die persoon weet waarschijnlijk niet eens dat het om een verkrachtingszaak gaat. Maar toen hij hoorde dat Pickelman gezocht werd, besloot hij onze vriend aan te geven en wat geld te verdienen. Dus hij belt, vraagt naar een beloning, en de telefoniste, die een stuk slimmer is dan deze nimrod, houdt hem lang genoeg aan het lijntje om het gesprek te kunnen traceren. Vervolgens vertelt ze dat hij als beloning niet zal worden gearresteerd voor het verlenen van onderdak aan een misdadiger en belemmering van de rechtsgang – mits hij onmiddellijk zegt waar Pickelman zich bevindt en ervoor zorgt dat hij blijft waar hij is'–

'Die telefoniste verdient een beloning. Hoe ver is het nog?'

'We zijn er al,' antwoordde Bailey terwijl ze de snelweg verliet in Boyle Heights.

Om te voorkomen dat het alsnog mis zou gaan duimde ik en probeerde ik er niet op te rekenen dat we Pickelman zouden vinden. Maar het was in elk geval een goed teken dat hij zo dichtbij was.

De versterking was al gearriveerd en stond geparkeerd voor het gebouw waarvan ik aannam dat het onze bestemming was. Het was een appartementencomplex zonder verdiepingen, gebouwd in ranchstijl en in de vorm van een hoefijzer – een groot roze hoefijzer dat verschoten en deels vergaan was in de vijftig jaar sinds het in die ongelukkige kleur was geschilderd. De voorzijde van de appartementen keek uit over het terreintje dat zich tussen de poten van de u bevond en bezaaid was met onkruid, junkfoodwikkels en flessen.

Bailey gebaarde naar de agenten dat ze haar geruisloos moesten volgen, en we renden naar de deur met nummer negen, die zich halverwege het hoefijzer bevond. Een van de agenten klopte, waarop ergens binnen in het appartement een luide schreeuw klonk.

Zonder op een antwoord te wachten, liepen twee agenten een paar stappen achteruit om vervolgens hun volledige gewicht tegen de deur te gooien. Die gaf mee alsof hij van brandhout was gemaakt, en het tweetal viel bijna letterlijk met de deur in huis. Ze trokken hun pistolen en renden naar binnen met Bailey en ik op hun hielen. We haastten ons door een vrijwel lege woonkamer een smalle gang in waar we gedwongen waren ons achter elkaar voort te bewegen. Verderop klonk woest gegrom vermengd met het geluid van boze mannenstemmen. Toen we de achterste slaapkamer bereikten, zag ik Pickelman op een onopgemaakt tweepersoonsbed staan terwijl hij probeerde uit het venster te klimmen. Een stel magere jonge mannen – één blank met een dunne, onregelmatige baard; de ander zo te zien een indiaan met lang zwart haar – greep Pickelmans bij zijn benen en het kruis van zijn broek en probeerde hem naar binnen te trekken.

De blanke man riep naar ons: 'Help dan toch, verdomme!'

Ik kon zweren dat ik een van de agenten hoorde grinniken toen ze samen de kamer in renden en Pickelman van de vensterbank trokken. Hij kronkelde en trapte waarbij hij erin slaagde om een van hen een flinke optater te verkopen. Dat deed de deur dicht de agenten vonden het welletjes en smeten de man met zijn gezicht omlaag op de grond, vouwden zijn handen achter zijn rug en sloegen hem in de boeien. Ik voelde even iets van voldoening.

'Wat een varken is die gast. Hij heeft de hele boel ondergekotst en hij gedraagt zich als een krankzinnige. Neem hem in godsnaam mee. Hij is levensgevaarlijk!' schreeuwde de blanke man schor. 'Ik heb hem alleen in huis genomen omdat jullie hem zochten en omdat ik dacht dat jullie een beloning hadden uitgeloofd of zo.'

Ik vroeg me even af wat het 'of zo' was wat hij in gedachten had. Vervolgens keek ik naar Pickelman. Hij zag er niet goed uit. En niet alleen omdat hij klappen had gehad. Er lag een ziekelijk bleke uitdrukking op zijn gezicht; iets waar je een tijdlang behoorlijk je best voor moet doen.

Ik ging op mijn hurken zitten en draaide zijn gezicht naar me toe. 'Wat is er met jou aan de hand, Duane? Je ziet er belazerd uit.'

Duane hijgde nog steeds en probeerde zijn gezicht af te wenden. Maar omdat hij door een agent werd vastgehouden en handboeien omhad, waren zijn inspanningen vergeefs.

'Kom op, Pickelman. Je zit toch al in de stront. We pakken je op wegens verzet bij arrestatie, en dat betekent dat we je DNA afnemen, dus je bent sowieso de lul. Je kunt net zo goed opbiechten waarom je er zo belabberd uitziet.'

Duane snoof, en gilde: 'Ik heb niemand verkracht! Ik ben 'm gesmeerd omdat ik mijn baan niet kwijt wilde raken! Als ik DNA afsta, komen jullie erachter dat ik *crank* gebruik. Ik moest een tijdje verdwijnen om te ontgiften zodat ik een cleane test kon doen!'

Bailey en ik moesten dit even op ons laten inwerken. Pickelman was verslaafd aan *crystal meth*. Het was ook te mooi geweest om waar te zijn. Mijn hart zonk in mijn schoenen omdat ik moest toegeven dat Duanes huilverhaal helaas erg waarheidsgetrouw klonk, en het werd op een overtuigende manier ondersteund door zijn bleke, bezwete gezicht.

'Breng hem naar het bureau,' zei Bailey tegen de agenten. 'Hij is waarschijnlijk nog steeds onder invloed, dus pak hem daar maar op, en vergeet niet zijn DNA af te nemen. Ik zorg er wel voor dat de monsters in het lab komen.'

Maar we wisten al dat de tests zouden uitwijzen dat hij geen match was.

We stapten in de auto, en Bailey reed terug naar het centrum. Ik keek uit het raam naar de auto's die voorbijreden, te moe en te gedeprimeerd om te denken. Ik wilde Susans verkrachter achter de tralies, een verdachte voor de moord op Jake en Kit, en een douche.

Voorlopig moest ik het doen met alleen de laatste van de drie.

39

De drie volgende dagen brachten we door bij de Oki-Dog. Zo ver mogelijk van de mensen vandaan lieten we onze blik zo onopvallend mogelijk over het zootje ongeregeld gaan, op zoek naar de man van de Aryan Brotherhood die Hector had beschreven. Ondertussen bedachten we hoe we hem zouden uitpersen als een citroen zodra we hem hadden gevonden. Maar voorlopig was het enige wat uitgeperst werd mijn buik, want mijn spijkerbroek ging elke dag strakker zitten. Als we die gast niet snel te pakken kregen, moest ik een compleet nieuwe garderobe aanschaffen.

Het was laat op de ochtend van de vierde dag, en er was geen wolkje aan de hemel. Bailey en ik droegen grote zonnebrillen die onze ogen verborgen.

'Hier is je wapenvergunning,' zei Bailey. Ze gaf me het gelamineerde kaartje en ik liet het in mijn zak glijden. Voor het eerst in mijn leven had ik legaal een wapen op zak. Het voelde niet alsof er iets was veranderd.

'Ik zie wel wat in onze werkhypothese dat die AB gast iets met de verkrachting te maken heeft. Het ziet ernaar uit dat hij de Sylmar Sevens heeft laten opdraaien voor de inbraak bij Susan in de buurt,' zei ik zacht.

Bailey knikte zonder me aan te kijken.

'Maar zelfs als we hem oppakken,' vervolgde ik, 'dan wil dat nog niet zeggen dat hij gaat praten. En ik heb geen connecties in de AB die voor ons zijn tong wat losser willen maken. Luis was stom geluk. Heb jij soms nog wat skinheadvriendjes in de aanbieding?'

Bailey keek naar me. 'Geen probleem. Ik heb jaren gepoold met Mazza. Ik geef hem wel een belletje.'

Donald Reed Mazza, een hotshot binnen een van de grotere skinheadclans, leefde al jaren in eenzame opsluiting in de zwaarst beveiligde gevangenis van Californië. Ik kreeg dan ook de indruk dat Baileys aanbod niet helemaal serieus was.

Mijn mobieltje zoemde in de zak van mijn sweatshirt. Ik klapte het open en antwoordde zacht: 'Yep.'

'Zit je soms in een bibliotheek?' vroeg Graden.

'Nee. Bailey en ik zijn aan het... surveilleren. Wat is er?'

Ik werd even afgeleid door een laagvliegende zeemeeuw die in de aanval ging om een half opgegeten Oki-Dog te grijpen die iemand op het deksel van de afvalcontainer had laten liggen.

'De Feds zijn de rest van de dag weg. Een of andere grote drugsvangst bij de grens. Ik zat te denken, misschien heb je zin om langs te komen en te bekijken wat we in het motel hebben gevonden.'

Plotseling was ik een en al energie. 'Hoe laat?'

'Ik neem aan dat dat ja betekent,' antwoordde Graden geamuseerd. 'Ik bel je wel zodra het rustig genoeg is.'

'Klinkt perfect,' zei ik, en we verbraken de verbinding.

Terwijl ik mijn telefoon dichtklapte, trok Bailey, die het gesprek gehoord had, een wenkbrauw op. 'Wel handig als je de baas kent, hè?'

Ik knikte. Vanuit een ooghoek zag ik dat een groep magere jongens en meisjes met wild haar, strakke jeans en kleine T-shirts zich bij een tafeltje in de buurt van het trottoir had verzameld. Een van de jongens deed een stap naar achteren en zette zijn voet op een stoel om de veters van zijn groen met paarse Conversesneaker vast te binden. Op dat moment zag ik een man van middelbare leeftijd met een donkere bril in het midden van de groep.

Er hing een zwarte snor over zijn mond, waarvan de hoeken naar beneden wezen, en zijn haar – dat veel te zwart was om natuurlijk te zijn – was in een paardenstaart gebonden. Hij zag er ruig uit op een manier die verder ging dan zijn zwarte Henley shirt met lange mouwen en het leren vest. Hij leek op zijn hoede, maar tegelijkertijd straalde hij overwicht uit, wat tot uitdrukking kwam in de manier waarop de tieners zich om hem heen schaarden. Ik zag hoe hij zich naar het meisje rechts van hem boog en haar een verkreukeld pakje sigaretten voorhield. Het meisje nam er een uit, en toen de man nog wat dichterbij kwam om hem aan te steken, trok er een rilling langs mijn ruggengraat. Ik haalde langzaam mijn mobiele telefoon tevoorschijn, liet me onderuitzakken in mijn stoel en nam een foto. Toen ik er nog een wilde maken, verplaatste een knul met borstelig haar zich naar de open plek waardoor mij het zicht werd ontnomen. Ik keek nog een tijdje naar het groepje, draaide me vervolgens naar Bailey en zag dat zij de man ook had gezien, hoewel ze haar blik leek te richten op iets dat zich links van hem bevond.

'Heb je hem?' vroeg ze zacht.

'Ik geloof het wel,' zei ik terwijl ik mijn telefoon onder de tafel hield om de foto te bekijken. Afgezien van de snor leek hij op de beschrijving van Hector Amaya. 'Denk je dat hij het is?'

'Zou kunnen,' antwoordde Bailey. 'Ik kan zijn nek alleen niet zien.'

'Zullen we even wat dichterbij gaan?' vroeg ik met het idee dat we hem, als we de tatoeage zagen, konden arresteren. Aan de andere kant; als we hem nu zouden oppakken, zouden we Hector Amaya zover moeten zien te krijgen dat hij zijn verhaal vertelde. Maar dat was van later zorg.

'We kunnen beter even wachten. Ik wil geen rel met al die kids erbij.'

Ik knikte. Maar plotseling bedacht ik me dat we dit varkentje ook op een andere manier konden wassen. Ik keek op mijn telefoon en drukte op de sneltoets.

"Lo?' kraste Luis schor.

Het was nog niet eens twaalf uur – veel te vroeg voor de shot-caller van de Sylmar Sevens om zijn mond open te doen. Ik wilde er niet eens aan denken wat hij de afgelopen nacht had uitge spookt. 'Luis, wordt wakker. Dit is belangrijk. Heeft Hector een mobieltje? Ik heb net een foto genomen die hij even moet bekijken. Kun je dat voor me regelen?'

Gedetineerden mochten geen mobiele telefoons bezitten, maar een indrukwekkend aantal beschikte er toch over.

Luis geeuwde luid en zei vervolgens: 'Stuur de foto maar door. Ik regel het wel.'

'En geen geintjes, Luis. Ik heb haast.'

'Ja, ja, stuur nou maar gewoon op, oké?'

'Hij komt nu naar je toe,' zei ik, en ik verzond de foto.

'Opgepast,' zei Bailey zacht terwijl ze aanstalten maakte om overeind te komen.

Ik keek op en zag dat ons doelwit was opgestaan om met een jong blond meisje te praten dat achter hem stond. Hij was ongeveer een meter tachtig, normaal gewicht. Ik vermoedde dat Bailey en ik hem wel aankonden – zeker als hij ongewapend was. Ik had nog geen bevestiging van Hector, maar ik was ervan overtuigd dat dit onze man was. Ik stond ook op, en Bailey en ik begaven ons nonchalant in zijn richting tussen de tafeltjes door. Voor de tweede keer sinds ik me daartoe genoodzaakt had gezien, was ik blij dat ik mijn vest droeg. Ik stak mijn hand in mijn jaszak en omklemde mijn .357 – je wist maar nooit.

We bevonden ons op nog geen drie meter afstand toen een van de jongens aan het tafeltje iets tegen ons doelwit zei en een ruk met zijn hoofd in onze richting gaf. De man keek over zijn schouder, en onze ogen maakten kort contact. Het volgende moment begon de groep zich plotseling rond hem te sluiten. Het was duidelijk dat we haast moesten maken. Bailey en ik lieten alle voorzichtigheid varen en begonnen ons tussen de tafeltjes door te wurmen. Toen we bij de groep arriveerden, was onze man verdwenen. Ik keek haastig om me heen en zag dat hij rechts van me over het parkeerterreintje rende in de richting van het benzinestation dat naast de Oki-Dog was gevestigd.

Bailey en ik zetten het op een rennen. We trokken alles uit de kast, en het vest drukte op mijn borst, wat het lastig maakte om te ademen. Ik overwoog even om versterking op te roepen, maar daar was geen tijd voor. Toen de man bij het benzinestation kwam, verdween hij in de werkplaats. Ik gaf Bailey al rennend een teken om haar te laten weten waar hij was. Als we geen dekking zochten, waren we wandelende schietschijven. Ze knikte en gebaarde dat we een positie moesten innemen aan weerszijden van het benzinestation.

Ik rende naar de andere kant en verschanste me tegen de muur van de werkplaats, mijn pistool in beide handen geklemd en schuin omlaag gericht. Ik hijgde nog na van het rennen en probeerde mijn ademhaling tot rust te brengen. Bailey stond aan de andere kant tegen de muur tussen het kantoortje en de werkplaats met haar pistool langs haar zij. Ik hoorde mannenstemmen, maar er klonk niemand buiten adem of opgewonden. Ik waagde verbaasd een blik naar binnen. Twee mannen in overall stonden over de motor van een oude Mercedes gebogen – geen paardenstaart, geen vest. Bailey en ik wisselden een blik uit.

Ik keek om me heen. Een vrouw met een nieuwe rode Corolla stond benzine te tanken terwijl een man in een wit t-shirt en met een helm op bezig was om de benzinedop op de tank van zijn motorfiets te schroeven. Ik liet opnieuw mijn blik door de werkplaats gaan. Er stond een auto op de brug en ik zag iets uit het raam bungelen. Ik liet de monteurs mijn insigne zien en blafte: 'Politie.' Dat was natuurlijk niet helemaal waar, maar dit was niet het moment om te gaan muggenziften. 'Laat die auto zakken.'

De kortste en kaalste van de twee staarde even naar mijn pistool en drukte vervolgens haastig op een knop. Toen de auto zich op minder dan een meter van de grond bevond, zag ik wat het was: een leren vest. Op dat moment klonk het geluid van brullende motoren die stevig op hun staart werden getrapt. Ik draaide me om naar de pomp – precies op tijd om te zien hoe de motorfiets op hoge snelheid wegscheurde. Ik rende naar buiten en botste bijna op een jonge man met grote zwarte ringen in zijn oren die vlak achter me uit het kantoortje was gekomen. 'Hé!' riep hij woest naar de steeds kleiner wordende motorfiets.

Ik rende naar de weg om te zien of ik kon achterhalen welke kant hij opging. Bailey voegde zich een seconde later bij me. Ik borg mijn pistool in mijn zak op, en samen zagen we de motorfiets in zuidelijke richting verdwijnen over Fairfax.

'Die gast heeft mijn motor gejat!' riep de man met de oorringen.

Ik gaf hem mijn mobieltje. 'Bel de politie maar.'

Hij keek verrast van mij naar Bailey, pakte vervolgens de telefoon aan en zei: 'Bedankt.'

Ik knikte en richtte me tot Bailey, die nog steeds in de verte staarde. 'Shit,' zei ze. Het was nog vriendelijk vergeleken bij wat ik in gedachten had.

Ik leunde tegen de benzinepomp. Bailey keek met een grimmige blik en haar handen in haar zij in de richting waar de motorfiets was verdwenen. De man met de oorringen gaf mijn telefoon terug en liep hoofdschuddend weg.

'Hij ging er meteen vandoor toen hij ons zag.'

Bailey knikte.

'Hij moet in elk geval één van ons hebben herkend,' zei ik.

Ze knikte opnieuw. 'Daar lijkt het wel op.'

'Tenzij hij er altijd vandoor gaat als hij vrouwen ziet'–

'Of hij zag dat we van de politie waren.'

Ik wierp een blik op Bailey. 'Dat lijkt me stug.'

Ze nam me even van top tot teen op. 'Je hebt gelijk.'

'Ik durf te wedden dat hij degene is die mijn auto heeft opgetuigd en op ons heeft geschoten.'

Bailey dacht even na. 'Klinkt logisch.'

'En weet je wat?' vroeg ik.

'Nee. Wat dan?' vroeg ze op effen toon.

'Dit betekent dat ons spelletje heeft gewerkt,' antwoordde ik. 'Toen hij dat verhaal in de *Times* las over hoe we een verdachte hebben aangehouden, nam hij aan dat het wel weer veilig was om uit zijn hol te kruipen.'

Bailey knikte.

'Dat is in elk geval iets,' zei ik.

Bailey knikte opnieuw.

'Weet je, de manier waarop jij altijd maar doorgaat, is soms echt een probleem.'

Op dat moment zoemde mijn telefoon in mijn zak. Ik haalde hem tevoorschijn en keek naar het nummer.

'Luis?' zei ik.

'Volgens Hector is het onze man.'

40

Het was inderdaad 'onze man'. In meer dan één opzicht, afgaande op wat ik bij de Oki-Dog had gezien. Ik wist niet wanneer – en óf – de politie hem zou aanhouden voor het stelen van de motorfiets. Diefstal van voertuigen had geen prioriteit. En ik kon de politie ook moeilijk vertellen hoe ik wist dat de AB-man de inbraak in de Palisades had georganiseerd, want die informatie was afkomstig van mijn geheime en uiterst illegale bezoekje aan babygangbanger Hector Amaya. Het goede nieuws voor Hector was dat we zijn verhaal nu niet aan de grote klok hoefden te hangen – we konden de AB-man nu gewoon oppakken wegens diefstal van een motorfiets. Als we hem tenminste konden vinden.

'Zou jij zonder dat iemand erachter komt, kunnen uitzoeken wie die kerel is?' vroeg ik aan Bailey.

Ze knikte. 'Zodra ik je heb afgezet.'

Maar ik was ongeduldig. Nu we vooruitgang begonnen te boeken, wilde ik niet zomaar afwachten; ik wilde iets doen. Nadat Bailey me bij het Biltmore had afgezet, ging ik onmiddellijk achter mijn laptop zitten om Clive de foto van onze AB-man te sturen. Als ik gelijk had, en die kerel was op een of andere manier bij Susans verkrachting betrokken, stond hij misschien ergens in een database. Clive kende trucjes om databases met kindermisbruikers te benaderen, en hij werkte snel.

Nadat ik verbinding had gemaakt, zag ik tot mijn verrassing dat er een bericht van Clive in mijn postvak zat. 'In de bijlage zoals afgesproken een aantal afbeeldingen die op de foto van je slachtoffer lijken. Laat het me weten als ik nog iets voor je kan doen.'

Ik stuurde de foto van de AB-man naar Clive met het verzoek om te achterhalen of de verdachte ergens geregistreerd was. Vervolgens opende ik de bijlage van Clives e-mail. Het waren zeven foto's van jonge jongens, allemaal ongeveer dezelfde leeftijd als Kit. Toen ik goed keek, zag ik dat ze allemaal dezelfde achtergrond hadden als de foto van Kit: de belichting, de afmetingen van de schijnbaar ongemeubileerde kamer en nog iets anders: een verticale zwarte streep. Ik concentreerde me op dit detail – toen ik plotseling een van de gezichten herkende: het was Dante.

Ik voelde de adrenaline door mijn aderen stromen, wat altijd gebeurde wanneer de stukjes van een puzzel in elkaar begonnen te passen. Als ik Dante deze foto liet zien, herinnerde hij zich misschien wie hem had gemaakt en waar hij was genomen. Ik belde hem meteen en beende nerveus door de kamer terwijl ik met mijn wilskracht probeerde hem de telefoon te laten opnemen. Maar ik kreeg zijn voicemail. Ik liet teleurgesteld een bericht achter met het verzoek om meteen terug te bellen. Vervolgens wierp ik me weer op de foto's om de achtergrond te bestuderen. Ik liet alle afbeeldingen opnieuw aan me voorbijgaan. De zwarte streep was op elke opname zichtbaar. Ik bekeek de foto van Kit nog een keer om zeker te zijn – en ik had gelijk: daar was de zwarte streep.

Ik haalde mijn vergrootglas tevoorschijn om de details beter te kunnen beoordelen en ik bestudeerde elke millimeter van de streep op alle foto's. Een voor een, steeds weer opnieuw. Maar de resolutie was niet hoog genoeg om te kunnen zeggen wat het was – de foto's waren erg korrelig en zagen er niet professioneel uit.

Wat het ook was, het moest deel uit hebben gemaakt van het vertrek; het was niet zomaar een toevallige schaduw of een of ander artefact. Dit bewees dat alle foto's op dezelfde locatie waren gemaakt. Met een beetje geluk kon Dante me vertellen waar die locatie was.

Ik wilde dat ik de oorspronkelijke foto van Kit had gehouden, maar ik had Graden niet in de problemen willen brengen, daarom had ik Bailey gevraagd of ze hem terug wilde geven. Mijn telefoon – nu niet meer in trilmodus – speelde het refrein van *Love Street* van The Doors. Ik had de ringtone gedownload in een aanval van verveling tijdens onze observaties bij de Oki-Dog, hoewel ik moest toegeven dat hij wat slap klonk.

Het was Dante. Hij was vreselijk nieuwsgierig en ik kwam direct ter zake.

'Ik heb een foto van je op het internet gevonden. Ik stuur hem meteen naar je op. Ik wil van je weten wat je je ervan kunt herinneren.'

Dante blies hoorbaar de lucht uit zijn longen, en vervolgens werd het even stil. Uiteindelijk zei hij: 'Stuur maar op.'

Ik zei tegen Dante dat hij de foto binnen vijf seconden kon verwachten, waarna ik de verbinding verbrak en het bestand verstuurde. Twintig seconden later ging mijn telefoon.

'Die foto van mij – ik kan me er helemaal niks van herinneren. En hij ziet er ook heel vreemd uit; niet als de dingen die we normaal gesproken doen,' zei Dante met een verbaasde stem.

Ik had op meer gehoopt, maar de reactie verraste me niet. Hij had me al verteld dat hij de herinneringen aan zijn fotoshoots het liefst zo diep mogelijk wegstopte. Maar het feit dat de foto buiten de norm viel, was een belangrijk stukje informatie. Op dit moment kon ik er nog niet veel mee, maar dat zou op een later moment kunnen veranderen. Ik zei dat ik hem op de hoogte zou houden en we verbraken de verbinding. Ik herinnerde me een sms'je dat ik had gekregen van T'Chia, Kits vriendin. Ze had besloten de waarheid te vertellen en ze had aangegeven dat Kit vlak voor zijn dood had opgeschept over een of andere deal waar hij een hoop geld mee dacht te gaan verdienen. Ze vermoedde dat het iets met drugs te maken had, maar omdat ze niks met dat soort dingen te maken wilde hebben, had ze niet verder gevraagd.

Het was geen spectaculaire onthulling. Omdat Kits naaktfoto in Jakes zak was aangetroffen, had afpersing al van het begin af aan boven aan het lijstje gestaan. De vraag was alleen: wie had Kit gechanteerd?

Ik begon opnieuw door de kamer te ijsberen en liep naar buiten, het balkon op. De zon was bijna onder, maar kleine schilfertjes licht gleden nog over de stad als de fonkelende sleep van een koningsmantel die de vorst werd nagedragen op de avondschemer.

Al met al was het niet eens zo'n slechte dag geweest, qua productiviteit. We waren weliswaar de AB-man kwijtgeraakt bij het benzinestation, en ik kon niet met zekerheid zeggen of hij de verkrachter was, maar ik was ervan overtuigd dat hij degene was die mijn auto had vernield en op Bailey en mij had geschoten. En nu hij ons had gezien, wist hij dat we hem doorhadden. Ik zou pas weer veilig zijn wanneer hij achter slot en grendel zat.

Mijn mobiele telefoon speelde opnieuw *Love Street*. Ik genoot even van het deuntje en nam vervolgens het gesprek aan.

'Ik heb nooit geweten dat het hier zo afgeladen was,' zei Graden zonder inleiding.

'Waar "hier"?'

'De bewijzenkamer. De volgende keer dat een strafpleiter begint te jammeren over alles wat we zijn vergeten, laat ik hem dit hok zien,' merkte hij droogjes op. 'Heb je nog zin om te komen kijken naar wat we hier hebben?'

Ik had nog niet opgehangen of ik was al buiten op straat, op weg naar het PAB. Ik zette er stevig de pas in en vroeg me af of ik het lot zou tarten als ik Graden zou vragen de foto van de AB-man te onderzoeken om te zien wat hij kon vinden.

De deur was open en hij stond bij de vergadertafel, rechts van zijn bureau. Verspreid over de tafel lagen zakjes met labels. Ik klopte op de deurpost, en hij keek op en gebaarde dat ik binnen moest komen.

'Dit is een ideaal moment om het bewijsmateriaal van een moord te bestuderen, vind je ook niet?' zei hij met een grijns.

'Is er ooit een slecht moment?' pareerde ik met een glimlach.

'Wel als iemand je hier ziet, dus doe wel de deur even dicht.'

Ik deed wat hij zei en liep naar de tafel.

'Ze hebben in feite het hele tapijt eruit gesneden en vervolgens elk draadje, steentje en muntje eruit gehaald dat ze konden vinden. En ze hebben natuurlijk elk denkbaar oppervlak op DNA getest en op vingerafdrukken onderzocht,' zei Graden terwijl hij zijn blik over de tafel liet gaan.

'En?' vroeg ik.

'De vingerafdrukken en het DNA hebben niks opgeleverd'–

'Verdomme,' zei ik teleurgesteld.

Graden knikte instemmend. 'We zijn alle kamers van het motel langsgegaan om getuigen te zoeken.'

'Dat zal een interessante ervaring zijn geweest,' zei ik droogjes.

'De junk die iets verderop in de gang zat, dacht dat hij vlak nadat de schoten waren afgevuurd een man had zien weglopen uit het motel. Maar verder herinnerde hij zich niks. Het enige wat hij wist, was: "Die gast was niet groot en niet klein." Hij heeft zijn hoofd niet goed gezien, dus we weten ook niks over haarstijl en haarkleur. Het is goed mogelijk dat die mysterieuze man niks met de zaak te maken heeft,' zei Graden hoofdschuddend.

'Zo te horen kunnen jullie binnenkort een arrestatie verrichten,' zei ik.

'Yep. We zijn bijna zover,' zei hij, en hij schudde opnieuw zijn hoofd. Hij gebaarde naar een aantal plastic zakjes in een doos op de hoek van de tafel. 'Ik heb alles bekeken. Dat is wat ze in het tapijt hebben gevonden.'

Ik bekeek de zakjes een voor een. Munten, een aansteker, wat sigarettenpeuken, opgebrande lucifers en een goedkope oorbel. Niks om over naar huis te schrijven. 'Het is niet veel,' zei ik, en ik slaakte een zucht.

'Ik weet het,' beaamde Graden. Hij opende zijn la, haalde een zak tevoorschijn die op M&M's leek en gaf hem aan mij. 'Troostprijs? En waarschijnlijk je avondeten.'

Ik keek naar de zak. 'Hij ziet er op een of andere manier anders uit,' zei ik terwijl ik een aantal snoepjes in mijn hand liet glijden.

'Het is een nieuw product. Ligt nog niet in de winkels.'

Ik keek naar Graden. 'Volgens mij is dit een gratis monster. Ze geven je dit soort spul vanwege je videogame, heb ik gelijk of niet.'

'Ik beken,' zei hij.

'Wat een schaamteloze oplichterij,' zei ik geamuseerd.

'Ik zit er niet mee, ik ben tenslotte een schaamteloos type.' Graden lachte. 'Maar ze smaken best goed, toch?'

Ik knikte, hoewel ik het eigenlijk niet met hem eens was. Volgens de verpakking zouden ze naar kokosnoot moeten smaken, maar ik proefde zeep. Ik gaf de zak terug, liep naar de tafel en bekeek nog wat zakjes met bewijsmateriaal. 'Wat is dit?' Ik hield een plastic zakje omhoog met daarin een rood glinsterend... iets.

'Ik zou zeggen dat het op de outfit van een hoertje heeft gezeten,' antwoordde hij.

Dat kon kloppen. 'En deze?' vroeg ik, en ik wees op de sigarettenpeuken. 'Geen DNA?'

'Niet veel. Het kwam in elk geval niet overeen met dat van Jake of Kit of iemand in de database.'

Ik slaakte een zucht en voelde me verslagen. 'En hoe zit het met de badkamer? Is daar nog iets gevonden?'

'Niks waar je blij van wordt,' zei Graden. 'Maar ik heb wel iets voor je.'

Ik schonk hem een scheve blik. 'Voorzichtig, hè. Ik heb tegenwoordig een vergunning.'

'Als je schiet, krijg je dit niet te horen,' zei hij met dezelfde quasi dreigende blik als ik. 'Een van onze oudgediende ballistisch experts is een vriend van me die ik een paar jaar geleden heb leren kennen bij een onderzoek naar een geruchtmakende onderwereldmoord. Je hebt er vast wel iets over gehoord. Een stel bangers was op pad gegaan om een vergeldingsactie uit te voeren en schoot het verkeerde appartement overhoop. Daarbij hebben ze een klein jochie doodgeschoten dat lag te slapen in zijn bouncer.'

Ik herinnerde het me. Het was een hartverscheurende zaak waarvoor zelfs de schutters zich hadden geschaamd. 'Had die expert van jou er niet voor gezorgd dat ze voor moord met voorbedachten rade konden worden aangeklaagd?'

Graden knikte. 'De verdediging kon niks tegen hem inbrengen. Die man is geniaal op zijn vakgebied. Ik heb hem het autopsierapport en het proces-verbaal plaats delict van Jake en Kit doorgespeeld en ik heb hem gevraagd wat hij van de moord-zelfmoordtheorie van de FBI vond.'

'En?' vroeg ik. Ik durfde haast niet te ademen.

'Hij zei dat de ingangshoek van de kogel en het wondspoor in Jakes hoofd niet klopten. Jakes dood kan onmogelijk zelfmoord zijn geweest.'

Ik werd overspoeld door opluchting en blies in één keer mijn ingehouden adem uit. 'En als Jake door iemand anders is doodgeschoten, ligt het veel minder voor de hand dat Jake Kit heeft vermoord. Wat het ook een stuk minder aannemelijk maakt dat hij door Kit werd gechanteerd.' Ik zweeg even om de betekenis van wat Graden me zojuist had verteld tot me door te laten dringen. 'En is die man van jou bereid om dat onder ede te verklaren?'

Graden knikte. 'Hij is honderd procent zeker van zijn zaak.'

Ik ging zitten met een bons, hoewel ik me nooit lichter had gevoeld. 'Dank je.' Ik keek hem recht in de ogen. 'Echt waar.'

'Nee, ik moet jou eigenlijk bedanken. Als jij er niet voor had gezorgd dat ik me erin was gaan verdiepen, was ik er misschien nooit achter gekomen. En wie weet wat de Feds dan hadden gedaan? Ik ben blij dat je ons voor een enorme miskleun hebt behoed,' zei Graden.

'Ik vind het rot om het te zeggen, maar het is nog steeds mogelijk dat Kit Jake heeft afgeperst. Het betekent misschien alleen dat er een derde partij bij de zaak betrokken is,' zei ik.

'Dat kunnen we niet uitsluiten. Maar een streep trekken door die moord-zelfmoordtheorie is geen slechte start.'

Dat was zeker waar.

'Ik denk dat ik nu nog wel wat van die rare snoepjes lust,' zei ik.

Graden strooide er wat in mijn hand, nam er zelf ook een paar en sloot vervolgens de hand met de M&M's. Hij stak hem uit naar de mijne, en we tikten elkaars met snoep gevulde vuist aan.

'Op een geslaagde dag,' zei hij.

'Daar snoep ik op.' Ik wipte een paar M&M's in mijn mond en vond ze bij nader inzien niet eens zo slecht smaken.

41

Graden zette me af bij het Biltmore. In de hoop dat ik een goednieuwsgolf te pakken had, haastte ik me naar mijn kamer om te zien of Clive Zorn al iets van zich had laten horen. Ik ging achter mijn computer zitten en maakte verbinding. Niks. Ik kon bijna voelen hoe onze verdachte zich van minuut tot minuut verder buiten ons bereik begaf. Ik keek ongeduldig op mijn horloge. Het was even na negen uur; nog niet te laat om Bailey te bellen.

'Heb je al iets over onze AB-man?' vroeg ik.

'Nog niet,' antwoordde ze.

Ik dacht even na om me op onze volgende zet te beraden. 'Misschien staat die smeerlap niet in de database, en ik wil eigenlijk niet zoveel tijd verliezen. Waarom sturen we mijn foto niet rond om te zien of iemand hem herkent? En we kunnen bij de klinieken van Densmore langsgaan. Als het klopt dat onze man bij de ver krachting betrokken is, zou ik wel eens willen weten hoe hij op het idee is gekomen om zich aan Susan te vergrijpen.'

'Ik haal je morgenochtend op,' zei Bailey. 'Halfacht. Zorg ervoor dat je op tijd bent.'

Ik hing op en nam een hete douche om mijn zenuwen tot rust te laten komen. Maar dat werkte niet, daarom opende ik een fles pinot noir. Dat werkte beter. Ik nam een detective mee naar bed tegen de slapeloosheid en was onder zeil voordat ik er erg in had.

De volgende ochtend werd ik wakker met het gevoel dat ik stikte. Ik raakte even in paniek, maar besefte vervolgens dat het boek nog opengeslagen op mijn gezicht lag. Ik sloeg het van me af en nam opnieuw een lange hete douche. Na snel mijn haar te hebben geföhnd en mijn make-up te hebben gedaan, trok ik een gemakkelijk zittende wollen broek en een coltrui aan. Het zou een lange dag in het veld worden.

'Heb jij de adressen van Densmores klinieken – o, neem me niet kwalijk, ik bedoel "gezondheidscentra"?' vroeg ik Bailey terwijl ik mijn gordel omdeed. Ik gaf haar een van de koppen koffie die ik beneden in het café had gekocht.

'Nee.'

'O, geweldig. Dus we gaan gewoon wat rondrijden en hopen dat we ze vanzelf tegenkomen?' vroeg ik. Het ochtendleven is niet mijn specialiteit. Bailey weet dat en maakt graag misbruik van mijn zwakte.

'Doe niet zo gek, Knight. Zo pak je dat soort dingen niet aan,' zei ze met een uitgestreken gezicht.

Ik zei het toch?

Ik weigerde opnieuw te happen, sloeg mijn armen over elkaar en wachtte op het antwoord terwijl we door de ochtendspits kropen in de richting van de snelwegoprit.

'We gaan naar het hoofdkantoor in Beverly Hills. Daar zit de administratief directeur, en van haar krijgen we de lijst.'

'Had je dat niet meteen kunnen zeggen?' zei ik. Het antwoord lag voor de hand, en Bailey deed geen moeite. We reden zwijgend verder.

Het Beverly Hills Children's Health Center bevond zich in een bomenlaan die heel fantasieloos Elm Street heette, in een buurt die de 'Flats' werd genoemd. De huizen zagen er prachtig uit en waren extreem goed onderhouden, maar het waren niet de vorstelijke paleizen waar het noorden van de stad om bekendstond.

Toen we het gebouw zonder verdiepingen binnengingen, zaten er maar een paar kinderen te wachten. Twee van hen zaten op de schoot van hun moeder en het derde vermaakte zich op de grond met een kleurboek van de Kleine Zeemeermin. Ze zagen er geen van allen ziek uit, maar kinderen kunnen tegen een stootje.

Bailey en ik liepen naar de receptie, en een vrij jonge vrouw met een blonde paardenstaart en roze lippen keek op. 'Kan ik u ergens mee helpen?' vroeg ze.

Bailey haalde haar insigne tevoorschijn. 'We hebben een afspraak met de administratief directeur, Evelyn Durrell.'

Het meisje zette even grote ogen op toen ze het insigne zag. 'Ik zal even zeggen dat u er bent,' zei ze. Ze stond op en verdween de kliniek in. Insignes kunnen enorm handig zijn.

Een paar seconden later kwam het meisje met de paardenstaart weer naar buiten. In haar kielzog liep een vrouw van gemiddelde lichaamsbouw die ongeveer even lang was als Bailey. Ze had kort bruin haar en een bril die ze boven op haar hoofd had gezet, en ze droeg een vest met bobbeltjes en een sportpantalon. Ze liep naar de balie, zoemde de deur open en gebaarde dat we binnen konden komen. Ze stak haar hand uit.

'Evelyn Durrell.'

Haar stem klonk kortaf en ze bewoog zich op een directe, economische en onbevallige manier.

'Bailey Keller,' zei Bailey terwijl ze elkaar de hand schudden.

'Rachel Knight,' zei ik. We schudden elkaar kort de hand. Haar greep was stevig en haar hand koud. Van dichtbij zag ik dat haar haar, dat ze achter haar oren had geschoven, grijs was bij de wortels. Haar make-up was subtiel, maar smaakvol: hij haalde haar hazelnootbruine ogen op – haar beste eigenschap – en leidde de aandacht af van haar smalle, opeengeklemde lippen. Kortom, ze zag eruit als een typische administratief directeur – een die haar carrière waarschijnlijk als verpleegster was begonnen.

Evelyn kwam direct ter zake.

'U wilde een lijst met klinieken van dr. Densmore, correct?' vroeg ze.

Bailey en ik knikten. Evelyn zette haar bril op, hield ons een vel papier voor en wees met een pen op de eerste vermelding.

'Hij heeft er zes, inclusief deze: de Palisades, Brentwood, Sherman Oaks, Calabasas en Hollywood – maar hij is al een tijdje niet in Hollywood geweest.' Ze overhandigde ons de lijst. 'Kan ik verder nog iets voor u doen?'

'Weet u misschien waar dr. Densmore vandaag is?' zei Bailey.

'Ik geloof dat hij in het Palisades centrum is.' Evelyn keek ons aan over de rand van haar bril. 'Is dat alles?'

'Nog één vraag,' zei Bailey. 'Heeft u deze man wel eens in of in de buurt van een van de klinieken gezien?'

Ze hield haar de foto van de AB-man voor. Evelyn pakte hem aan, bestudeerde hem even en gaf hem vervolgens terug.

'Nee, ik geloof het niet,' zei ze langzaam. 'Hoezo? Denkt u dat hij degene is die Susan heeft verkracht?' vroeg ze geschrokken.

'Dat weten we nog niet. Het is een van de alternatieven die we momenteel onderzoeken,' antwoordde ik.

'Mag ik het ook even aan uw receptioniste vragen?' zei Bailey.

'Ga gerust uw gang,' antwoordde Evelyn. 'Maar... u gaat die foto toch niet aan de ouders van de patiëntjes laten zien?'

'Nee, dat is niet nodig,' verzekerde Bailey haar.

Ik bedankte Evelyn voor haar hulp terwijl Bailey naar de receptioniste liep. Toen ik me bij hen voegde, zette het meisje zo mogelijk nog grotere ogen op. Ze schudde haar hoofd. 'Ik heb die man nog nooit gezien,' zei ze.

Of iemand als hij, zo vermoedde ik. We zeiden gedag en reden naar Brentwood, waar we een vergelijkbaar resultaat boekten.

'Volgens mij kunnen we van hieruit het beste naar de Palisades,' zei Bailey.

'Klopt,' beaamde ik.

Ze nam de toeristische route en reed Sunset op. Ik liet mijn blik over knappe mensen, mooie auto's en groene palmbomen glijden.

Even later parkeerden we de auto bij het Palisades gezondheidscentrum. Dat was precies waar het volgens Evelyn zou moeten zijn. En Densmore was er ook – precies zoals ze had gezegd. Die Evelyn was een georganiseerde dame.

Bailey liet de foto van de AB-man rondgaan, maar niemand herkende hem. Densmore zat in een vergadering die nog wel een paar uur zou duren, daarom zeiden we dat we later terug zouden komen en begaven we ons naar zijn beveiligde woonwijk. Nu we een foto hadden, zou een van de bewakers hem zich misschien herinneren.

Gelukkig had onze politiegroupie Norman Chernow dienst.

'Wat kan ik voor u doen, mevrouw de rechercheur?' zei hij vrolijk terwijl hij naar Bailey glimlachte en knikte.

Wat kregen we nou? Ik was er ook nog. Ik had ook een insigne. Misschien had ik het aan hem moeten laten zien. Misschien had ik hem ook mijn pistool moeten laten zien.

'Heb je deze man hier wel eens gezien?' vroeg Bailey. Ze overhandigde hem de foto.

Norman hield hem vlak voor zijn gezicht en kneep zijn ogen half dicht. 'Nee, komt me niet bekend voor. Zal ik het ook aan de andere bewakers vragen?'

'Dat zit wel goed, Norm. Ik regel het wel,' zei Bailey diplomatiek.

Het was net zo belangrijk om de reactie van de bewakers te zien, als te horen wat ze te zeggen hadden. Als iemand leek te schrikken terwijl hij beweerde van niks te weten, zouden we dieper moeten graven. We parkeerden de auto en gingen het huisje binnen om de andere twee bewakers te ondervragen. Helaas vertrokken ze geen spier toen ze zeiden dat ze hem nog nooit hadden gezien. *Verdomme.*

'Is het goed als we even een rondje maken door de buurt?' vroeg Bailey.

'Uiteraard. Geen enkel probleem, mevrouw de rechercheur,' zei Norman. Hij boog zich samenzweerderig een stukje naar Bailey. 'Die kerels zijn niet zoals wij,' zei hij terwijl hij met zijn hoofd een ruk in de richting van het bewakershuisje gaf. 'Ze werken niet echt hard, als u begrijpt wat ik bedoel.'

Die opmerking liet weinig te raden over. Bailey verzekerde hem dat ze begreep wat hij bedoelde, en Norman opende het hek. We reden naar binnen en rolden langzaam heuvelopwaarts.

'En wat gaan we nu doen, mevrouw de rechercheur?' vroeg ik op sarcastische toon. 'Gaan we overal in de buurt aankloppen?'

'Hoor ik daar een ondertoon van jaloezie?' vroeg Bailey met een pedant lachje.

'Nee,' loog ik. 'Maar zodra hij beseft dat mijn insigne groter is dan het jouwe, heeft hij alleen nog maar oog voor mij,' antwoordde ik minzaam.

We stopten voor het huis van de Densmores. 'Hoor 's, we kunnen echt niet overal aankloppen,' zei ik terwijl we uit de auto stapten. 'Wat is het plan?'

'Laten we beginnen met Susan en haar moeder. Die moeten ondertussen wel thuis zijn,' zei Bailey. 'Wanneer we dat achter de rug hebben, heb ik een plan.'

42

Bailey belde aan bij het huis van de Densmores, en ditmaal opende Janet zelf de deur. De huishoudster had blijkbaar een dag vrij. We wisselden de vereiste beleefdheden uit, en Janet ging ons voor naar binnen.

We vertelden waarom we waren gekomen en lieten haar de foto zien. Ze bekeek hem en trok haar wenkbrauwen op. 'Ik heb die man nooit gezien, en als dat wel zo was, had ik me dat zeker herinnerd.' Ze gaf de foto met een verbaasde blik aan Bailey terug. 'Wat zou zo'n man in vredesnaam in deze buurt te zoeken hebben?' vroeg ze. Vervolgens besefte ze wat ze had gezegd en sloeg haar ogen neer. Als wij haar zijn foto toonden, was het wel duidelijk wat hij in deze buurt had gedaan. 'Ik roep Susan even.' Janet haalde een mobiele telefoon uit de zak van haar kakibroek en toetste een nummer in.

Terwijl ze het telefoontje pleegde, vroeg ik me af of Susan misschien toch niet thuis was. Toen bedacht ik me dat je in een huis van deze omvang niet kon gaan roepen in de verwachting dat iedereen je hoorde.

Een paar seconden later verscheen Susan in een verschoten spijkerbroek en een grijs T-shirt met een ritszakje op de borst. Ik schatte dat het afgeleefd uitziende ensemble meer dan driehonderd dollar had gekost. Maar Susan zag er fantastisch uit. Hoewel ik de opluchting in haar stem had gehoord toen ik haar had verteld dat Luis vrijuit ging, kon ik nu pas met eigen ogen zien hoeveel het nieuws voor haar had betekend. Ik was ervan overtuigd dat de ontspannen houding en de natuurlijke glimlach niet alleen een terugkeer naar de 'oude' Susan betekenden; we zagen het ontluiken van een nieuwe Susan met meer zelfvertrouwen. Een jonge vrouw die niet alleen had bewezen dat ze gelijk had, maar ook dat haar vader het wel eens mis kon hebben. Misschien zou er uit deze tragedie toch iets goeds voortkomen.

'Hoi, Susan,' zei ik. 'Hoe gaat het?'

'Oké,' zei ze op een toon die opgewekter klonk dan ik ooit van haar had gehoord.

Ik vroeg haar hoe het op school ging, en we praatten wat over koetjes en kalfjes. Ten slotte kwam ik ter zake.

'We zijn bezig met een nieuwe tip. Zou je deze foto even willen bekijken en zeggen of je deze man ooit hebt gezien?'

Susan dacht even na, maar vervolgens stak ze haar kin vooruit. 'Geen probleem,' zei ze. Haar dappere blik maakte me trots en droevig tegelijk.

Bailey overhandigde haar de foto, en ik zag haar diep ademhalen voordat ze ernaar keek. Ze bestudeerde de foto, knipperde twee keer met haar ogen en trok haar wenkbrauwen op. 'Ik herken hem absoluut niet,' zei ze. Ze keek opnieuw naar de foto, schudde ten slotte haar hoofd en gaf hem aan Bailey terug. 'Ik heb die man nooit eerder gezien.'

Bailey en ik keken elkaar even aan. Ze klonk oprecht – ze wist niet wie de man was. Niet dat het me verraste.

We zeiden dat we ze op de hoogte zouden houden van de ontwikkelingen en liepen terug naar de auto.

'En nu?' vroeg ik aan Bailey.

Ze haalde haar schouders op. 'Het lijkt me dat we maar eens rond moeten kijken.'

'Is dat alles? Is dat je plan?'

'Heb jij iets beters, dan?'

Ik dacht even na en liet mijn blik over de straat gaan. Bailey stond aan de bestuurderskant van de auto met de sleutel in haar hand. Ik sprak tegen haar over de motorkap.

'Als er in deze buurt een onbekende rondhangt, ligt het dan niet voor de hand dat mensen die veel buiten zijn de meeste kans lopen om zo iemand te zien?' vroeg ik.

'Ja. Maar dat zegt die twee genieën in het bewakershuisje geen fluit,' zei ze zuur.

'Die twee kerels struinen de hele buurt af. Ik stel voor dat we een rondje om het huis van de Densmores lopen om te zien wie daar rondhangt.'

'En hopen dat we geluk hebben?' zei Bailey op spottende toon.

'Heb jij een beter idee?'

Ze schudde haar hoofd.

We liepen de straat in en troffen drie hoveniers die genoeg van mijn gebroken Spaans wisten te ontcijferen om te begrijpen dat ze ons moesten vertellen of ze de man op de foto herkenden. Ze schudden het hoofd. Geen geluk. Twee nanny's maakten samen een wandelingetje met hun baby's. 'Nee, nee. Hier niet gezien.' We kwamen nog drie nanny's tegen die honden uitlieten. De nanny's waren blij dat ze even een praatje konden maken; de honden vonden het minder interessant. Ook nu weer niets.

Een stukje verderop zag ik een lenige jonge vrouw in een spandex broek en een bijpassend topje dat haar middel onbedekt liet. Ze rende in achterwaartse richting voor een pezige oudere man uit die ze luidkeels aanspoorde tot *tempo vasthouden* en *pompen met die armen*. Ze was perfect gebruind en beschikte over het soort lichaam waarvoor bikini's werden gemaakt. Ik had het liefst een been uitgestoken en haar laten struikelen. Ik keek naar Bailey, die knikte, en we liepen haar kant op. De zonneklep en de zonnebril maakten het onmogelijk om het gezicht en de ogen van de vrouw te bekijken, daarom kon ik niet zeggen of ze ons had zien naderen. Als dat al zo was, reageerde ze daar in elk geval niet op. Ze bleef bevelen blaffen alsof zij en de oude man de enige twee mensen op aarde waren.

'Neem me niet kwalijk, mevrouw,' zei Bailey. Dat trok haar aandacht. Ze hield haar mond en keek naar ons met een geërgerde blik op haar gezicht.

Bailey haalde haar insigne tevoorschijn. 'LAPD. We onderzoeken een misdrijf. Mogen we misschien een momentje van uw tijd?'

De uitdrukking op het gezicht van de vrouw veranderde van ergernis in verbijstering, maar ze bleef staan, en de oudere man keek ons dankbaar aan. Hij boog voorover, plaatste zijn handen op zijn dijen en nam de gelegenheid te baat om op adem te komen.

'Kunt u ons vertellen of u deze man hier ooit in de buurt heeft gezien?' Bailey overhandigde de foto eerst aan de man.

Hij keek er een tijdje naar terwijl hij bleef hijgen. Zijn mondhoeken gingen omlaag, en hij schudde zijn hoofd. 'Nee.' Vervolgens gaf hij de foto terug aan Bailey. 'Heeft dit met dat meisje te maken wat verkracht is?'

Bailey negeerde hem en liet de foto aan de trainer zien.

Ze nam hem aan en bewoog haar zonnebril omhoog om beter te kunnen kijken. Eerst fronste ze haar wenkbrauwen, maar vervolgens knikte ze. 'Ja, hij ziet er bekend uit. Ik heb hem hier wel eens gezien, maar ik weet niet bij wie hij op bezoek was. Ik herinner me nog dat ik vond dat hij... uit de toon viel, begrijpt u wat ik bedoel?'

Dat deden we zeker. Bailey noteerde de gegevens van de trainer. Ze heette Miley Barone en ze was ook *life coach*. Dat zat erin.

'Hoe vaak heeft u hem gezien?' vroeg ik.

'Niet zo vaak. Een keer of drie, vier?' gokte Miley. 'Maar misschien is hij hier wel vaker geweest en heb ik hem niet gezien. Ik kom hier regelmatig, maar ik werk in de hele buurt.'

'Weet u nog wanneer u hem hier voor het laatst heeft gezien?' vroeg ik.

'Twee of drie weken geleden. Ik was geloof ik met Sookie Tuckman bezig.'

Twee of drie weken geleden. Dat was waarschijnlijk kort voor de verkrachting geweest.

'Waar woont mevrouw Tuckman?' vroeg ik.

'Op Briar Court, ongeveer twee blokken hiervandaan.' Ze wees in de richting van het adres.

Bailey en ik wisselden een blik uit. Dat was een blok voorbij het huis waar de Densmores woonden.

Bailey liet Miley de namen opnoemen van haar klanten in de buurt. Ze beloofde haar aan niemand te vertellen dat de informatie van Miley afkomstig was. De trainer leek niet te beseffen dat de oudere man een groter probleem vormde, maar ik besloot dat niet te zeggen. We bedankten Miley en haar cliënt voor hun tijd en vertrokken. Miley blafte: 'En daar gaan we weer!' De man schonk een weemoedige blik in onze richting om zich vervolgens met zijn laatste krachten tot een licht drafje aan te sporen. Zijn blik was grimmig.

We wachtten met onze high five totdat we in de auto zaten.

'Even kijken, wie kwam er ook alweer op het idee een stukje door de buurt te gaan lopen?' kraaide ik om het nog eens extra in te wrijven.

'Ik,' antwoordde Bailey. Ze reed naar buiten door het hek en ik keek naar haar.

'Jij krijgt straks een pak slaag, ik zweer het,' dreigde ik.

'Je gaat je gang maar, Knight. We zien wel wat er gebeurt.' Bailey grijnsde. Ze was een centimeter of zeven langer dan ik en was een stuk gespierder.

'Maar ik heb het verrassingselement aan mijn kant, *grasshopper.*'

We lachten, en een paar minuten later waren we terug bij het Palisades Health Center for Children. Ditmaal stond Densmore op ons te wachten. Hij zag er ongeduldig uit.

De receptioniste zoemde ons naar binnen, en een verpleegster escorteerde ons naar een kantoortje voorbij de onderzoekkamers. Densmore stond naast zijn bureau. Door het venster achter hem begon het late middaglicht langzaam weg te sterven.

'Ik moet zo meteen weer naar een vergadering, en gezien je staat van dienst lijkt me dit weer een doodlopende weg, dus houd het kort,' zei Densmore geprikkeld.

'Ik weet niet of uw administratief directeur, Evelyn Durrell, het u al heeft verteld, maar'– begon ik.

Densmore onderbrak me onmiddellijk. 'Voor het geval jullie het niet hebben meegekregen, ik heb de hele dag vergaderd. Niemand heeft de kans gehad om me ook maar iets te vertellen. Wat is er gebeurd?'

'We hebben reden te geloven dat deze man bij de aanranding betrokken kan zijn. We willen graag weten of u hem herkent,' zei ik. Bailey hield de foto van de AB-man voor zijn gezicht.

Densmore nam de foto aan en keek ernaar. Zijn kaak vertoonde een zenuwtrekje, en vervolgens schudde hij zijn hoofd. 'Nee. Denken jullie dat hij de verkrachter is? Of dat hij een of andere medeplichtige is?' Densmores stem klonk gespannen en boos. Maar ik kon hem geen ongelijk geven. Ik zou ook behoorlijk over de zeik zijn als ik dacht dat ik naar een foto keek van de man die mijn dochter had verkracht.

Bailey nam de foto van hem aan.

'We weten het nog niet,' antwoordde ik. 'Zodra we hem geïdentificeerd hebben, kunnen we nagaan of zijn DNA in de database zit.' Frank Densmore knikte kort, keek vervolgens op zijn horloge en schraapte zijn keel. 'Bel maar als jullie iets weten. Ik ben te laat voor mijn volgende vergadering.' Hij pakte zijn jasje en sleutels en loodste ons naar de deur, maar ik bleef staan met mijn hand op de knop.

'Dr. Densmore, we maken ons zorgen over de vraag waarom deze man het op Susan had voorzien'– zei ik.

Hij onderbrak me opnieuw. 'Hoe moet ik dat in godsnaam weten? Horen jullie dat niet uit te zoeken?'

'We kunnen niet heksen, dokter,' merkte ik op met ijzige stem. 'U heeft tegen ons gezegd dat u geen vijanden heeft, en u kunt zich niet herinneren dat u ooit problemen heeft gehad met de familie van uw patiëntjes. We kunnen alleen maar werken met wat we hebben.'

'Dan zullen jullie nog wat harder moeten werken, nietwaar?' beet Densmore.

De enige reactie die in me opkwam, zou me zwaar in de problemen hebben gebracht bij Vanderhorn, daarom opende ik de deur en liepen we naar buiten.

'Nou, dat ging lekker,' zei Bailey terwijl we onze gordels vastklikten.

'Blijkbaar is het na twee *strikeouts* te veel gevraagd nog op wat sympathie van die ouwe Frank te rekenen,' zei ik.

'Die vent had nog geen sympathie getoond als we meteen op de eerste dag iemand hadden gearresteerd,' mopperde Bailey.

Ze had natuurlijk gelijk. Maar haar opmerking over de twee strikeouts had me op een idee gebracht.

'Zit Pickelman nog vast?' vroeg ik.

'Ik neem aan van wel,' antwoordde Bailey. 'Wil je hem spreken?'

'Ja. Kun je dat regelen? We kunnen er op weg naar huis langs.' Pickelman zat in de districtsgevangenis in het centrum.

'Doen we,' zei Bailey terwijl ze haar mobiele telefoon tevoorschijn haalde.

'En controleer of hij geen advocaat heeft,' zei ik voor de zekerheid.

Bailey knikte. Terwijl ze Pickelman opspoorde, vroeg ik me af of ik de bewaker weer tegenover me zou krijgen die dienst had gehad tijdens mijn bezoekje aan babygangbanger Hector Amaya. Het leek onwaarschijnlijk dat ze me zou herkennen zonder pruik, maar toch. Het was niet iets om vrolijk van te worden.

43

We deden er relatief snel over, gelet op het feit dat het kwart over vijf was – midden in de spits. We gingen de gevangenis binnen, en ik probeerde me achter Bailey te verbergen toen we de hulpsheriff naderden die achter het kogelvrije glas zat. Ik wierp even een blik over Baileys schouder, maar ik kon niet goed zien wie het was, daarom probeerde ik naar de stem te luisteren toen de bewaker in de microfoon sprak tegen de mensen die voor ons in de rij stonden. Het geluid klonk erg gedempt. Ik wist dat ik logisch gezien niets te vrezen had, maar er was altijd een kans... Ik voelde hoe mijn hoofdhuid begon te zweten.

De deur zoemde, en de mensen voor ons gingen naar binnen. Bailey liep naar de bewaker, en terwijl ik haar volgde, veinsde ik interesse voor iets wat op de grond lag.

'ID, alstublieft,' zei de bewaker.

Het klonk als een man. Vol goede moed tilde ik mijn hoofd op om naar binnen te kijken. Mijn hart sloeg over. Het was geen man. Zíj was het. Dezelfde bewaker die dienst had gehad toen ik naar binnen was gegaan met Luis Revelo. Jezus, hoeveel pech kon een mens hebben? Het was een ander tijdstip, maar daar zat ze. Had ze dan nooit vrij? Maar het was te laat om nu nog terug te gaan. Ik liep naar voren en liet mijn identiteitsbewijs in de schuiflade vallen. Ditmaal koos ik voor de onbevangen aanpak. Ik keek haar met opzet recht in de ogen en daagde haar uit om me te herkennen.

De bewaker bekeek mijn ID. 'Hoort u bij haar?' vroeg ze, en ze gebaarde naar Bailey, die net naar binnen was gegaan.

'Ja,' zei ik.

Ze zoemde me met een verveeld gezicht naar binnen.

Ik genoot even van de ironie dat ik me opgelucht voelde omdat ik een gevangenis *binnen*liep, en volgde Bailey, die een bewaker had gevonden om ons naar een advocatenkamer te brengen.

Bailey voerde een gemoedelijk gesprek met de bewaker, die niet de moeite nam om te controleren of we verboden zaken bij ons hadden.

Toen we bij de kamer kwamen, opende hij de deur. 'Kijk eens aan. Hij is er over een minuutje. Geef maar een gil als jullie iets nodig hebben.'

Kortom: absoluut niet te vergelijken met mijn vorige bezoekje. En hij had niet zomaar wat gezegd – het was inderdaad nog geen minuut.

De kleur oranje flatteerde Duane Pickelman niet, maar hij zag er een stuk beter uit dan de laatste keer dat we hem hadden gezien.

'Hé, Duane. Hoe bevalt het hier?' vroeg ik.

'Klote,' antwoordde hij.

'Ik heb gehoord dat je een deal hebt gesloten – zes maanden en een ontwenningskuur,' zei Bailey.

'Klopt,' antwoordde hij nors.

Die Pickelman was een echte woordkunstenaar.

'We hebben een paar vragen voor je, Duane. Maar eerst moet ik je op je rechten wijzen. Je weet hoe het gaat,' zei Bailey. Ze handelde de procedure af en vroeg vervolgens of hij afstand wilde doen van zijn rechten en met ons wilde praten.

'Hangt ervan af,' zei Duane behoedzaam. 'Wat krijg ik ervoor?'

'Een betere ontwenningskuur en misschien werkverlof,' zei ik.

Duane knikte ernstig. 'Wat wouwen jullie weten?'

'"Wilden", Duane. Het is "wilden",' zei ik geërgerd. Blijkbaar ook zo'n moeilijk woord. Waar moest dat naartoe met de wereld?

'Wilden.' Duane voldeed ook nu aan het verzoek.

'We willen weten of je deze man herkent,' zei ik. Bailey hield de foto omhoog zodat hij hem kon bekijken.

Duanes ogen werden zo groot als schoteltjes en zijn mond viel open. 'Is dat?'– vroeg hij, en zijn stem beefde van ontzetting toen het tot hem doordrong. 'I-ik... d-dat wist ik e-echt niet. Jullie m-moeten me g-geloven!'

Ik knikte. Het lag nu voor de hand wat er was gebeurd. 'Hij heeft je omgekocht om hem op het terrein te laten, nietwaar?'

Pickelman hapte naar lucht, maar hij slaagde er nog net in om te knikken.

'Maar je wist niet waarom hij naar binnen wilde?' vervolgde ik.

'N-nee. E-echt niet.' Hij staarde naar de grond en schudde zijn hoofd terwijl hij twee en twee bij elkaar optelde – zonder zijn vingers erbij te gebruiken. 'Ik z-zou het nooit hebben gedaan als ik had geweten dat hij dat meisje wat wilde aandoen.'

Duane keek ons aan. 'Alsjeblieft, jullie moeten me geloven!' smeekte hij.

Ik geloofde hem wel. Duane was een triest hoopje mens, en het kleine beetje hersenen waarmee hij was geboren, had hij aan de drugs opgevoerd. Maar hij leek me niet het geharde type dat bewust iemand een handje zou helpen om een vijftienjarig meisje te verkrachten. Ik had meer informatie nodig.

'Even terug naar de avond van de verkrachting. Heeft hij je betaald om je controlepunten te missen?'

Duane schudde zijn hoofd. 'Nee. Daar heeft hij nooit iets over gezegd.' Hij slaakte een zucht, zweeg even en vervolgde toen: 'Hij had hele goeie *glass* voor me.' Het klonk aannemelijk. De man had Duane niet hoeven te vertellen dat hij zijn werk moest verprutsen. Hij had de bewaker gewoon een fijne portie *crystal meth* gegeven en vervolgens de natuur haar werk laten doen. Duane keek omlaag naar zijn handen. Ik kon zweren dat hij zich oprecht schaamde.

'Ik hing echt helemaal in de ringen. Ik bedoel, ik vloog gewoon.' Duane zweeg even. Hij liet zich meeslepen door de herinnering aan zijn trip en was alweer over zijn schaamte heen. Even dacht ik dat hij in huilen zou uitbarsten.

'Weet je hoe hij heet, Duane?' vroeg ik, en ik hield mijn adem in.

Hij dacht even na. 'Eh, Carl... nog wat.'

'Denk goed na, Duane. We hebben een achternaam nodig,' zei ik gespannen.

Hij dacht opnieuw na. Het was bijna pijnlijk om te zien hoeveel inspanning het hem kostte.

Uiteindelijk schudde Duane zijn hoofd. 'Ik geloof niet dat hij die ooit heeft genoemd,' zei hij.

Ik keek naar Bailey, en ze knikte. Meer zouden we niet uit Pickelman krijgen.

We stonden op, en Bailey gebaarde naar de bewaker dat hij Pickelman kon komen halen.

'Bedankt, Duane,' zei ik.

'Jullie regelen wat voor me, hè? Werkverlof of zo?' stelde hij voor.

'We gaan ons best doen,' zei Bailey.

De bewaker kwam binnen en nam Pickelman mee. Bailey en ik vertrokken.

'We waren er zo dichtbij,' zei ik. Ik stapte in de auto en liet me onderuitzakken. We waren wel wat verder gekomen, maar het was niet genoeg.

'Maak je geen zorgen,' zei Bailey toen ze mijn frustratie zag. 'Ik krijg die vent wel te pakken. Hij heeft die AB-tattoo niet omdat hij iedere zondag braaf naar de kerk gaat. Het is een kwestie van tijd totdat ik een naam heb.'

Even later parkeerde ze voor het Biltmore. 'Kom je nog even mee voor een drankje? Of wat te eten?' vroeg ik. Het was al zeven uur geweest, en mijn rammelende maag vertelde me dat we de hele dag niks hadden gegeten.

'Bedankt, maar ik moet nog naar kantoor om wat andere zaken af te handelen.'

Ik knikte. 'Bel me zodra je wat hoort,' zei ik. Bailey salueerde, en ik stapte uit en liep naar de lift.

Terug in mijn kamer deed ik mijn jas uit, zette mijn tasje op de grond en bestudeerde het menu van de roomservice. De dichtgeschroeide *ahi* tonijn met gegrilde courgettes zag er goed uit. Ik opende een gekoelde fles pinot *grigio* als begeleiding en dronk alvast een glas totdat het eten arriveerde. Een lange douche later lag ik in bed, te moe om zelfs maar te doen alsof ik een boek las. Ik knipte de lamp op het nachtkastje uit en gleed weg in een diepe slaap.

44

Ik werd om acht uur wakker omdat mijn kamertelefoon overging. Hij bleef rinkelen, en ik nam de hoorn van de haak met de gedachte dat het waarschijnlijk Bailey was. Alleen mijn naaste vrienden belden me op die telefoon, en alleen wanneer ze me wakker wilden maken. Ik had gelijk.

'Ik heb goed nieuws en slecht nieuws,' zei Bailey.

'Eerst het goede.'

'Onze vriend heeft een naam: Carl Stayner. Hij is een keer opgepakt wegens inbraak in Florida.'

'Perfect! Heeft Fukai zijn DNA vergeleken met dat op Susan?' vroeg ik opgewonden.

'En dat is het slechte nieuws,' zei Bailey met een zucht. 'Stayner zat er niet bij.'

'Hoezo "er niet bij"? Hoe kan hij niet in de database zitten?' vroeg ik geïrriteerd. Hoe was het mogelijk dat die klootzak ons voortdurend door de vingers glipte?

'Geen idee,' zei Bailey, die even chagrijnig klonk als ik me voelde.

'Oké, geef me alles maar wat je over hem hebt, dan zoek ik het wel uit,' zei ik.

Ze gaf me alle informatie over Stayner, en ik belde met het Openbaar Ministerie van het district Miami-Dade, waar hij veroordeeld was. Na een paar keer te zijn doorverbonden, kreeg ik de hulpofficier van Justitie te pakken die de zaak had behandeld; een man met de naam Fred Goins. Ik stelde mezelf voor, legde de situatie uit en vroeg of hij mijn foto even wilde bekijken om te zien of het dezelfde man was.

'Geen probleem. Blijf aan de lijn, dan start ik mijn computer even op. En als ik toch bezig ben, zal ik je mijn foto van deze verdorven ziel even sturen.'

Hij sprak 'verdorven' op een langgerekte manier uit.

Een paar seconden later keken we allebei naar de foto's.

'Yep. Dat is dezelfde vent,' merkte Fred op terwijl hij van een drankje slurpte.

Ik was het met hem eens. De foto die Fred had gestuurd, toonde een man die wat zwaarder was en iets korter haar had, maar het was hoe dan ook onze man.

'Wat is er gebeurd, Fred? Waarom zit hij niet in de database?'

Fred blies duidelijk hoorbaar de lucht uit zijn longen en zei vol afschuw: 'Daar mag je rechter LetEmGo voor bedanken. Hij heet eigenlijk Lettingail, maar je begrijpt wat ik bedoel.'

Dat deed ik.

'Stayners advocaat redeneerde dat zijn cliënt weliswaar een dief was, maar niet was aangeklaagd voor een geweldsdelict. Hij hoefde daarom niet in de database. Rechter LetEmGo was het daarmee eens en zei dat er geen reden was om hem de schande van een wangslijmvlies-uitstrijkje te laten ondergaan.'

Net als 'verdorven' rolde ook het woord 'wangslijmvlies-uitstrijkje' met een opmerkelijke loomheid van zijn tong.

'Dat is toch zeker een geintje?' zei ik.

'Welkom in mijn wereld,' antwoordde Fred. 'Ik heb een klein feestje gegeven toen ik naar een andere rechtbank werd overgeplaatst.'

'Dat zal best. Fijn dat je daar weg bent, en bedankt voor je hulp, Fred.'

'Hou je taai, Rachel. Het spijt me dat ik je niet verder heb kunnen helpen.'

Dat speet mij ook. We hingen op, en ik vroeg me af wat ik zou doen. Ik moest me om te beginnen maar eens aankleden. De dag was bewolkt, koel en wat winderig begonnen. Ik wist niet of ik op kantoor zou werken, dan wel buiten de deur, en ik had geen zin om dat verrekte kogelvrije vest weer aan te trekken als het niet nodig was.

Ik dacht even na over mijn volgende zet. Ik had geen DNA van Stayner, maar ik had wel foto's, en we hadden nog niet alle klinieken van Densmore bezocht. Dat betekende dat ik de deur uit moest. Ik begon mijn laden af te zoeken naar gemakkelijk zittende kleren en opende ondertussen mijn telefoon om Baileys nummer te kiezen. Op hetzelfde moment begon het ding te spelen in mijn hand. Ik prentte me in mijn geheugen dat ik hem straks voordat ik de deur uitging op de trilstand moest zetten en beantwoordde het gesprek. 'Knight.'

'Nieuwsflits,' zei Bailey op een – voor haar doen – opvallend enthousiaste toon.

'Laat maar horen.'

'We hebben Stayner.'

Ik klemde de telefoon stevig in mijn hand alsof ik bang was dat hij weg zou vliegen. 'Waar? Hoe?'

'Dat vertel ik je zo meteen. Zorg ervoor dat je over tien minuten beneden staat.'

'Ik ben er over drie minuten,' zei ik, maar ik sprak tegen dode lucht. Bailey had al opgehangen.

45

Ik stond al vijf volle minuten te wachten toen Bailey met loeiende motor het cirkelvormige pleintje opreed en met een schok tot stilstand kwam voor mijn neus. Ik sprong in de auto en deed mijn gordel om terwijl ze een rondje draaide, nauwelijks inhield voor het naderende verkeer en vol gas Figueroa opreed in de richting van de 101.

Bailey was in haar element. Ze laveerde tussen auto's door en vloog over de weg zoals alleen politieagenten en onsterfelijke tieners dat durfden. Het leek onverstandig – en misschien zelfs suïcidaal – om haar af te leiden met vragen, daarom bleef ik zwijgend zitten en troostte ik mezelf met de gedachte dat ik binnenkort alle antwoorden zou hebben.

Toen we door de San Fernando Valley reden en bij Las Virgenes van de snelweg gingen, wilde ik vragen waar we naartoe gingen, maar toen Bailey links afsloeg, besefte ik dat het alleen Malibu Canyon kon zijn. De smalle weg kronkelde met haarspeldbochten omhoog door de ongetemde Santa Monica Mountains, en Bailey reed nog steeds ruim honderd kilometer per uur. Ik hield mijn adem in en het dashboard vast terwijl we bijna kapseisden in de bochten. Aangezien ik me inmiddels volledig had geconcentreerd op het overleven van deze rit, wílde ik niet eens vragen meer stellen. Zwijgend raceten we de berg op.

Boven aan de canyon gingen we door een tunnel, en toen we aan de andere kant van de bergpas begonnen af te dalen in de richting van Malibu, zag ik de flitslichten van politieauto's, brandweerwagens en een ambulance. Bailey toonde haar insigne om de politieafzetting te passeren en parkeerde rechts in de berm. We stapten uit, staken de weg over en begaven ons naar het talud, waar zich een groepje mensen had verzameld.

Ik keek omlaag het ravijn in. Daar, zeker dertig meter beneden ons, tussen de rotsen en de struiken, lag een oude zwarte Escalade die frontaal op een dikke, korte boom was geklapt. De voorkant van de auto was compleet in elkaar geschoven en zeker één tak had de voorruit doorboord. Het portier aan de passagierskant was losgewrikt met een *Jaws of Life*, en naast de opening stond een brancard. Terwijl ik keek, tilden twee verpleegkundigen een lichaam uit de auto waarvan uit de nek een lange dunne tak naar buiten stak.

'Dat maakt het wel eenvoudiger om een DNA-monster van hem los te peuteren,' zei ik tegen Bailey.

'Ik voorzie alleen problemen met het verhoor,' antwoordde ze.

We liepen het ravijn in om te zien of we misschien nog iets zouden ontdekken.

Onderweg kwamen we de verpleegkundigen tegen, die hijgend en puffend de brancard de heuvel op droegen. Ik benijdde hen niet. Aan de andere kant: dat deed ik nooit.

Ik keek naar het weerzinwekkende schouwspel met de tak in Carl Stayners nek. 'Had hij gedronken?' vroeg ik een van de verpleegkundigen. Stayner zou niet de eerste zijn – en ook niet de laatste – die zich een stuk in de kraag had gedronken, een bocht verkeerd had ingeschat en vervolgens het ravijn in was gedoken.

'Lijkt me niet. Ik ruik in elk geval geen drank,' antwoordde hij.

Ik knikte en haastte me naar Bailey, die zich inmiddels bij het wrak bevond. Een groepje rechercheurs rond de auto maakte respectvol plaats voor haar. Dit was Baileys zaak; zij waren hier alleen om toe te kijken en te helpen. Toen ik de opening bereikte waar het portier van de bestuurder had gezeten, zag ik dat er verrassend weinig bloed was, waarschijnlijk omdat de tak zijn hart en alle lichaamsfuncties had stilgezet voordat de wonden de kans hadden gekregen om leeg te bloeden.

Bailey trok haar latexhandschoenen aan. 'Heb je nog een setje?' vroeg ik.

Ze klopte op haar zakken terwijl ze in de auto keek. 'Nee. Maar we kunnen sowieso niks verplaatsen totdat de technische recherche er is.'

Ik knikte en keek naar binnen over Baileys schouder.

'Zie je dat?' zei ik, en ik wees op iets wat op de passagiersplaats op de grond lag en eruitzag als een ouderwetse motelsleutel.

Bailey boog zich naar voren en las de naam. 'Surf Motel' zei ze.

Het Surf Motel. Dat kende ik. De niet bepaald originele naam was het beste wat het logement te bieden had. Het was een krakkemikkig geheel van tien aaneengeschakelde units die tegen de klippen langs de Pacific Coast Highway stonden en een indrukwekkend uitzicht boden op de Stille Oceaan. Het motel had betere tijden gekend, een jaar of veertig geleden. Nu bevond deze doorn in het oog zich om onverklaarbare reden op een schitterend stukje onroerend goed in een van de duurste buurten van het land. Ik had me al eens afgevraagd of het nog open was. En dit was mijn antwoord.

We vervolgden onze inspectie van de auto. De stoelen achterin waren losgemaakt en aan de zijkanten bevestigd om een grote laadruimte te creëren. Ik tuurde naar binnen om beter te kunnen kijken en zag een paar blikjes Red Bull en andere kleinere voorwerpen, maar de getinte ramen waren te donker om ze te kunnen identificeren.

Ik wilde net mijn nek uitsteken toen een fotograaf en drie technisch rechercheurs met haarnetjes en handschoenen tot aan hun ellebogen bij de auto bleven staan.

'Eh, mevrouw, zou u het erg vinden om even een stukje naar achteren te gaan?' zei een jonge Latijns-Amerikaanse vrouw van

wie het haarnetje doorzakte onder het gewicht van een indrukwekkende bos zwart haar.

Ik vond dat inderdaad erg, maar ging niettemin opzij en wachtte geduldig af terwijl Bailey met de oudste van de groep – een
corpulente man met een rood gezicht, een kleine neus en loen-
sende blauwe ogen – over een gezamenlijk bezoekje aan het Surf
Motel onderhandelde.

De twee jongere rechercheurs maakten plaats en bleven wachten terwijl de man met de camera vanuit een groot aantal posities
de buitenkant van de auto fotografeerde. Ik liep met hem mee.
Toen we bij de achterbumper kwamen, boog ik me naar voren
en zei: 'Zie je dat?' Ik wees op iets in het midden wat eruitzag
als een deuk.

De fotograaf – een dertiger met sproeten, ontploft haar dat alle
kanten op stond en een hoornen bril die zijn ogen dubbel zo groot
maakte – leek in eerste instantie geërgerd. Vervolgens keek hij wat
beter, zei: 'Ja,' en maakte een aantal foto's van de bumper.

'We weten alleen niet wanneer die buts daar is gekomen,' zei
hij. 'Hij lijkt me al vrij oud.'

'Maar je kunt nooit genoeg foto's hebben, toch?' Ik glimlachte
vriendelijk.

Hij schudde zijn hoofd, slaakte een zucht en schoot nog een
stel plaatjes. Het was duidelijk dat hij mijn gezelschap erg op
prijs stelde.

Bailey had haar gesprek met de oudere technisch rechercheur
afgerond, en ik vertelde haar wat ik had ontdekt. Ze liep naar
de achterkant van de auto om de bumper te bekijken. 'Ziet er
oud uit. Heeft er waarschijnlijk niks mee te maken.' Ze richtte
zich tot de fotograaf. 'Aan de andere kant – een paar foto's extra
kan nooit kwaad.'

Ik genoot even van mijn overwinning.

'Ik mis Dorian,' merkte ik op.

Bailey knikte. 'Maar Ben is ook oké,' zei ze, op de oudere man
met het buikje doelend. 'Hij wordt snel moe, maar hij is heel se-
cuur en ziet bijna niks over het hoofd.'

Het onderwerp van ons gesprek had juist de achterklep van

de Escalade geopend. Ik deed een paar stappen naar voren om beter te kunnen kijken. Het was schoner dan ik had verwacht: een paar verpakkingen van McDonald's hamburgers, een blikje Red Bull, een half opgerookt pakje Camel sigaretten, een aansteker, een pakje Quench kauwgom en een doos condooms.

Ik keek naar Bailey. 'Condooms.'

Het medisch onderzoek had de aanwezigheid van een glijmiddel aangetoond van het type dat veel op condooms werd aangetroffen.

Ze knikte. 'Kijk, zo komen we ergens.'

De fotograaf koos een nieuwe positie en begon foto's van de binnenkant van het voertuig te maken.

'Zullen we nog even boven kijken om te zien waar hij van de weg is geraakt?' vroeg ik.

We klommen weer omhoog, wat geen sinecure was. Behalve de steilte, de losliggende stenen en het zand, was er ook nog eens geen grip. We kwamen maar met moeite vooruit en moesten ons aan takken vastgrijpen om verder te komen.

De politie had een flink stuk weg afgezet op de plaats waar bandensporen aangaven dat de auto over de rand was gegaan.

'Nog iets bijzonders hier?' vroeg Bailey aan een van de technisch rechercheurs.

'Interessante sporen in het zand. Daar,' zei hij, en hij wees op een plaats net naast het wegdek.

'Hoezo interessant? Remsporen?' vroeg ze.

'Nee. Een soort vreemde kleine gaatjes, een paar maar,' zei de rechercheur. Vervolgens haalde hij zijn schouders op. 'Misschien is het niks. De grond is hier erg los, dus het is niet makkelijk te zien.'

Bailey en ik liepen naar de plek. Ik kon niet echt iets van de kleine kuiltjes maken. Ik keek naar Bailey, die haar hoofd schudde. 'Oké,' zei ik. 'Laten we naar de Surf gaan.'

Er was hier verder niks te doen, en ik kon niet wachten om Stayners motelkamer te bekijken.

Ze knikte en draaide zich om naar de technisch rechercheur. 'Roep Ben even,' zei ze. 'We vertrekken.'

46

De wolken die boven het centrum van L.A. hadden gehangen, waren hier buiten de stad nergens te zien zodat de afdaling richting Malibu een spectaculair uitzicht bood over de Grote Oceaan. Ik droomde even weg bij het schitterende panorama, maar keerde terug in de realiteit toen het Surf Motel opdoemde in al zijn vervallen glorie.

Alle tien de units in het gebouw zonder verdiepingen hadden ramen die uitkeken over zee en deuren met zicht op de Pacific Coast Highway. Er kon gemakkelijk worden geparkeerd op de onverharde lap grond tussen het motel en de weg. Ik zag dat voor de deur aan de andere kant een vw-kever geparkeerd stond. Rechts van de auto stond een Harley Davidson-chopper. Ik zou aan de ene kant wel willen weten wie de eigenaars van die voertuigen waren, maar aan de andere kant bleef ik liever bij ze uit de buurt.

Bailey en de surveillancewagen achter ons stopten voor een bord waarop OFFICE stond. Iedereen stapte uit, en we liepen gezamenlijk op de verweerde deur af. Zout is slecht voor verf, maar het zag er niet naar uit dat er zelfs maar een minimale inspanning was gedaan om het gebouw te onderhouden. Het oorspronkelijke hout van de deur scheen door de laatste restjes verf heen, die op het punt stonden af te bladderen. Bailey probeerde de klink. De deur was open.

Het kantoor was maar een kleine ruimte die aan het einde van de rij met kamers was neergezet. Als dit motel in het centrum had gestaan, zouden ze er kamers per uur hebben verhuurd – net als de plek waar Kit en Jake waren gevonden. We liepen naar de receptie, en Bailey drukte op de ouderwetse bel. Hij rinkelde niet, maar produceerde een dof gezoem. Een twintiger met wild haar die op blote voeten liep en alleen een *boardshort* droeg, kwam geeuwend tevoorschijn en krabde zijn buik. Ook hij produceerde een dof gezoem.

Bailey haalde haar insigne tevoorschijn. 'We onderzoeken een verkrachting en we hebben reden om aan te nemen dat de verdachte hier een kamer had.'

De jonge man leek absoluut niet onder de indruk, noch van Bailey, noch van de agenten achter haar. 'Moeten jullie dan niet iets van een huiszoekingsbevel hebben of zo? Ik bedoel, hoe zit het als die gast ons aanklaagt?'

'We hebben net wat er van hem over was van de bodem van de canyon geschraapt,' zei Bailey. 'Ik denk niet dat hij nog mensen gaat aanklagen.'

Hij knikte, dacht even na en keek vervolgens met samengeknepen ogen naar Bailey. 'Welke kamer?' vroeg hij.

'Hebben jullie er een verhuurd aan een zekere Carl Stayner?'

Hij opende een smoezelig uitziend boek met gelinieerde pagina's en liep met een vuile nagel de namen langs. 'Nee.'

Dat was te verwachten. 'Reed in een zwarte Escalade,' zei ik.

'Zag er zo uit,' voegde Bailey eraan toe terwijl ze de foto van Stayner voor zijn neus hield.

Hij kamde met zijn hand door de bos haar op zijn hoofd en bestudeerde de foto. 'O, ja,' zei hij, 'nummer tien.' De jonge man haalde zijn loper tevoorschijn. 'Maar, eh, maak er geen al te grote puinhoop van, anders krijg ik trubbels met de eigenaar.'

Bailey nam de sleutel aan, beloofde niets en liep het betonnen pad op dat naar nummer tien voerde.

Het nummer hing scheef aan de deur. Het was roestig en smerig en werd door nog maar één schroef op zijn plaats gehouden. Ik zou teleurgesteld zijn geweest als dat niet zo was. Ik hou van consistentie. De vieze, gescheurde gordijnen waren open en boden een kijkje in een walgelijk gore kamer. Ik vermoedde dat Stayner er niet lang genoeg was geweest om de boel een volledige behandeling te geven. Bailey opende de deur, en de geur van zweet, wiet en vuile kleren rolde in vettige golven naar buiten om ons te begroeten.

Ze stapte opzij om de fotograaf als eerste binnen te laten. Hij deed plastic schoenbeschermers aan en verplaatste zich langzaam door het vertrek om het vanuit alle hoeken te fotograferen voordat er zaken werden verplaatst. Vervolgens legde hij alles vast op video. Toen hij klaar was en verder ging met de badkamer, trokken wij schoenbeschermers en handschoenen aan en volgden.

Een doorgezakt, onopgemaakt bed met een lelijke versleten, grijze chenille beddensprei die opzij was geschoven, was bezaaid met kleren, een lege pizzadoos en verdwaalde sigaretten. Ik zag nergens een pakje liggen, dus het merk bleef vooralsnog onduidelijk. Ik liep naar de fotograaf: 'Heb je die sigaretten op het bed al?'

Het klikken van de camera in de badkamer stopte even en er klonk een hoorbare zucht. 'Ja, die heb ik,' zei de fotograaf met een vermoeide stem.

Ik keek om me heen. Door het venster aan de andere kant zou je in principe tot aan Catalina Island moeten kunnen zien, maar het vuil dat in de loop der jaren was aangekoekt, maakte alleen een vage indruk van het vergezicht mogelijk.

Ik keek achterom naar de deur en zag een uitpuilende koffer van canvas naast de kast staan.

'Zo te zien was Stayner van plan om te vertrekken,' zei ik tegen Bailey.

Ze knikte en gebaarde dat ik naar het nachtkastje moest komen. Tegen de muur tussen het nachtkastje en het bed was een vreemde bult in het tapijt te zien.

Bailey en ik keken elkaar aan.

Ze riep de fotograaf en wees op de bult. 'Maak hier ook wat foto's van.'

Het viel me op dat hij het niet aandurfde om Bailey een geërgerde blik te schenken. Hij kwam dichterbij en nam een aantal foto's.

'Ben, we hebben je nodig,' beval ze.

Ben inspecteerde de plek, pakte zijn koffertje, trok schone handschoenen aan en liet zich door zijn knieën zakken op het met een korst van vuiligheid bedekte tapijt. Ik keek naar hem terwijl hij met zijn handen naar een losse rand voelde, en voor de tweede keer die dag was ik blij dat ik rechten had gestudeerd.

Het tapijt kwam zonder problemen omhoog, en ik boog me naar voren om te kijken. De bult was veroorzaakt door een pistool en een stapel geld. Ik kreeg direct een idee.

'Kun je zien wat voor type pistool dat is?' vroeg ik.

Ben stak een pen door de trekkerbeugel en tilde het wapen op om het beter te kunnen bekijken. Vingerafdrukken van een pistool halen was niet zelden een probleem, maar het zou dom zijn om door onoplettendheid een kans te vergooien. 'Colt. Waarschijnlijk kaliber achtendertig,' antwoordde hij.

Ik keek naar Bailey. 'Da's ook toevallig.'

'Ben, als je het wapen hebt ingepakt en geregistreerd, wil je het dan aan mij geven?' zei ze.

Het was waarschijnlijk hetzelfde type en kaliber als het wapen waarmee op ons was gevuurd nadat we de school hadden bezocht. Ik hoopte vurig dat dit hét wapen was, maar Colt .38's zijn niet bepaald zeldzaam. En zelfs als dit het wapen was, hoefde dat nog niet te betekenen dat het door Stayner was afgevuurd. Het kon ook iemand zijn geweest die met Stayner had samengewerkt.

Bailey richtte haar aandacht op de koffer en zei tegen Ben: 'Laten we die eerst maar eens bekijken. Daarna kun je de rest van de vloer doen. Ik durf te wedden dat er verder niks meer onder het tapijt ligt.'

De fotograaf was opnieuw als eerste aan de beurt. Daarna begon Ben de voorwerpen in de koffer te onderzoeken – een voor een. Ik bleef een tijdje kijken, maar begon langzaam misselijk te worden van het ondergoed van die smeerlap, toen Ben een vak aan de zijkant openritste. En een blonde mannenpruik tevoorschijn haalde.

47

Bailey en ik keken elkaar veelbetekenend aan.

'Het is Dorian toch niet gelukt om die blonde synthetische haren uit het hoofdeinde van Susans bed met haar poppen te matchen?' vroeg ik.

'Nee.'

'Dan durf ik te wedden dat ze hier wel een match mee vindt,' zei ik.

'Yep,' antwoordde Bailey.

'Ik begrijp dat die pruik belangrijk is?' vroeg Ben.

'Ja,' zeiden we in koor.

Ben knikte. We keken toe terwijl hij de pruik zorgvuldig in een bewijszak stopte en een etiket invulde.

Ik belde Dorian en zei tegen haar dat we een pruik voor haar hadden.

'Zorg er dan wel voor dat hij fatsoenlijk wordt ingepakt. Jullie kennende gaan jullie er waarschijnlijk mee frisbeeën,' gromde ze.

'Frisbeeën? Met een pruik? Dat slaat nergens op, Dorian. Zo'n ding slingert alle kanten op.' Ik wachtte op een reactie. Niks. 'Maak je geen zorgen, hij zit al in de zak,' zei ik.

Dorian hing op zonder commentaar. Ik draaide me om naar Bailey.

'Als we ervan uitgaan dat Stayner die pruik niet voor iemand anders heeft verborgen'–

Ze volgde mijn gedachtegang. 'Wat nogal onwaarschijnlijk is'–

'En als we aannemen dat Dorian een match vindt met de pruik'–

'Wat aannemelijk is'–

'Dan zouden we daaruit kunnen afleiden dat Stayner onze verkrachter is.'

'Yep,' beaamde Bailey.

'Ik regel de telefoontjes wel.' Ik belde Baileys vriend Fukai in het laboratorium en vroeg hem zo snel mogelijk een monster uit het mortuarium te regelen en Stayners DNA te vergelijken met dat uit Susans medisch onderzoek. Vervolgens nam ik contact op met de Firearms Unit.

Ik gaf aan het hoofd door dat we een pistool voor hem hadden dat getest moest worden in verband met het onopgeloste schietincident bij Marsden High School. Aangezien Bailey nooit had gemeld dat wij het doelwit waren geweest, zag ik geen reden om dat detail nu alsnog wereldkundig te maken.

Ik zag dat de fotograaf was vertrokken en Ben naar de badkamer was gegaan. 'Waar zijn de jongens voor de vingerafdrukken?' vroeg ik.

'Onderweg,' antwoordde Bailey.

Ik knikte en zweeg om na te denken over wat we tot nu toe hadden.

Het bewijsmateriaal voor de verkrachting kwam nu binnen, maar er waren nog steeds veel onbeantwoorde vragen. En dan was er nog het feit dat onze verdachte op een nogal opmerkelijk tijdstip om het leven was gekomen.

'We weten nog steeds niet waarom Stayner het op Susan had voorzien,' zei ik. Ik keek even om me heen. 'En het is wel heel toevallig dat hij net de pijp aan Maarten geeft op het moment dat wij het plaatje rond beginnen te krijgen.'

'Precies. Volgens mij zit hier een luchtje aan,' beaamde Bailey.

Hoe meer ik erover nadacht, des te minder de zaak me beviel. 'Laten we eens aannemen dat Stayners ongeluk geen ongeluk was'–

'Dat levert een aardige waslijst met potentiële verdachten op,' zei ze. 'Er waren vast een hoop mensen met een motief om dat stuk schorem naar de andere wereld te helpen.'

'Om te beginnen wraak voor Susans verkrachting – daarmee zouden pa en ma in de picture komen...'

Bailey knikte. 'Maar hoe hadden ze hem moeten vinden?' vroeg ze. 'Volgens mij is er geen connectie tussen Stayner en hen.'

'Ik weet het.' Ik slaakte een zucht.

'En het kan evengoed wraak zijn voor een andere verkrachting,' zei Bailey. 'De kans is groot dat Susan niet de eerste was.'

Ik knikte. 'Of misschien had hij ruzie met een ander stuk schorem.'

Terwijl ik door de kamer ijsbeerde, kreeg ik een ander idee. Ik wilde het vertellen, maar het vertrek stelde nogal strikte grenzen aan mijn ijsbeerrondjes en ik begon langzaam een beetje draaierig te worden. 'Laten we even naar buiten gaan,' zei ik.

We liepen in de richting van de Pacific Coast Highway en ik snoof de frisse lucht op. De zeelucht voelde goed. Ik begon weer te lopen en probeerde me niet te laten afleiden door het schitterende zeegezicht.

'Als dit wraak is voor mishandeling of verkrachting, kunnen

we het schudden,' zei Bailey op grimmige toon. 'Zonder slacht-offer kunnen we niks.'

'Precies,' zei ik. 'Maar als onze moordenaar een medeplichtige is die over de zeik is gegaan, zouden we een match moeten vinden met eventuele vingerafdrukken in de auto,' zei ik. 'Ze onderzoe-ken de auto toch ook op vingerafdrukken?'

'Elke centimeter en alles wat ze erin vinden.'

Er kwam nog een andere theorie bij me op. Ik bleef staan en draaide me om naar Bailey. 'Wat dacht je van een zekere shot-caller? Iemand die er door Stayner is ingeluisd zodat hij de schuld kreeg voor Susans verkrachting?'

Bailey keek me aan. 'Luis Revelo,' zei ze, en ze knikte. 'Dat is mogelijk.'

Ik haalde mijn mobiele telefoon tevoorschijn, scrolde door de contacten totdat zijn nummer werd geselecteerd en drukte op de belknop.

'Zeg dat we hem meteen willen spreken,' zei Bailey.

Ik knikte, en we begaven ons in de richting van de auto.

'Señora Knight,' zei Luis. '*Wassup?*'

'Ik wil je spreken; op de West Side,' antwoordde ik.

'Waar gaat het over?'

'Dat vertel ik zodra je er bent.'

'Oké,' zei Luis. 'Wanneer?'

'Nu meteen,' zei ik.

Er volgde een korte stilte alvorens hij antwoord gaf. 'Wat mij betreft oké,' zei hij langzaam en met een opmerkelijk warme stem. 'Maar ik heb het momenteel een beetje druk. Kan het ook wat later? Vanavond bijvoorbeeld?'

Ik gaf niet direct antwoord. Zijn toon verbaasde me. 'Nee. Nu meteen. Bij Du-par's,' zei ik. Ik gaf hem het adres. Het ouderwetse restaurant in *diner*stijl in West Hollywood bevond zich halver-wege Luis' territorium en Malibu.

'Gaan we lunchen?' vroeg hij.

'Waarom niet?' antwoordde ik. Ik wilde hem niet de werkelijke reden voor onze ontmoeting laten weten.

'Cool,' antwoordde Luis, en hij verbrak de verbinding.

'Geregeld,' zei ik tegen Bailey.

We stapten in de auto en reden terug in de richting van de snelweg.

'Ik zou wel een lekker kippenpasteitje lusten,' zei Bailey met een sadistische glimlach.

Ik schonk haar een ijzige blik. 'Waarom maken we de marteling niet compleet en bestellen we pannenkoeken?' vroeg ik bits. Du-par's stond bekend om zijn zalige pannenkoeken.

'Goed idee,' zei ze. 'Pannenkoeken zijn nog veel beter.'

Ik dacht de rest van de rit na over een toepasselijke wraakactie.

48

Bailey was al halverwege een decadente stapel pannenkoeken met veel boter en stroop toen Luis tegenover ons in de zitbox schoof. Hij schonk Bailey een behoedzame blik en keek vervolgens naar mij.

'Ik dacht dat we met z'n tweeën zouden zijn,' zei Luis.

'Hoezo?' vroeg ik.

'Toen je me belde, zei je: "Ík wil je spreken,"' antwoordde hij.

Langzaam begon ik te begrijpen waarom zijn stem aan de telefoon zo warm had geklonken. 'Luis, je dacht toch niet echt dat je een officier van Justitie aan de haak kon slaan?' zei ik. Ik moest moeite doen om mijn gezicht in de plooi te houden.

Luis schonk me een sluw glimlachje. 'Waarom niet?' vroeg hij. 'Verandering van smaak doet eten.'

Dit was niet de houding van iemand die net een moord had gepleegd – of had laten plegen.

'Zou je ons misschien willen vertellen waar je gisterenavond was?' vroeg ik. Ik bestudeerde zijn gezicht om zijn reactie te kunnen beoordelen.

Luis wierp even een blik op Bailey en keek me vervolgens verbaasd aan. 'Bij mijn *tia*,' antwoordde hij ten slotte. 'Het was de *quinceañera* van mijn nicht.'

Hij straalde geen greintje nervositeit uit. Hij leek misschien wat bezorgd, en beslist nieuwsgierig – maar hij was niet nerveus.

'Van wanneer tot wanneer?' vroeg Bailey.

De toon van haar stem vertelde me dat Luis' ontspannen houding haar ook was opgevallen.

Hij haalde zijn schouders op. 'Vanaf een uur of zes. Ik heb geholpen de boel voor te bereiden.'

'En tot hoe laat was je daar?' vroeg ik.

'Tot zonsopgang natuurlijk. Het was feest,' zei Luis op geërgerde toon. 'Er waren zeker tien homies en misschien wel vijftig mensen van *mi familia* die jullie kunnen vertellen dat ik daar de hele nacht ben geweest.'

Ik kon zien dat hij zich beledigd voelde omdat we aan hem hadden getwijfeld. En ik was er ook van overtuigd dat hij een lijst van minstens tien pagina's had met mensen die zouden zweren dat hij bij hen was geweest – zelfs als dat niet zo was. Het alibi was voor mij minder belangrijk dan de manier waarop hij zich gedroeg – veel te trots om recentelijk een moord te kunnen hebben gepleegd. Luis was misschien goed, maar hij was niet *zo* goed.

'Waar gaat dit eigenlijk over?' vroeg hij.

Ik zag geen reden om mijn mond te houden, dus vertelde ik het hem.

Luis leunde naar achteren en keek ons ongelovig aan. 'Doe me een lol, zeg,' snoof hij. 'Vergeet het maar. Weinig kans.' Hij schudde resoluut zijn hoofd. 'Dat slaat helemaal nergens op.'

Luis vond het idee dat hij Stayner zou hebben vermoord zo onzinnig dat de stoom uit zijn oren leek te komen. Maar ik wist wat hij bedoelde. Een vergeldingsactie in de onderwereld is bedoeld om een tegenstander een boodschap te sturen, en er is geen sprake van een boodschap als iemand bij een 'ongeluk' om het leven komt. Ik was beslist van plan om de vingerafdrukken van Luis en zijn homies met die uit Stayners Escalade te laten vergelijken. Maar in dit stadium wilde ik Luis laten gaan.

'Denk niet dat ik die *pendejo* niet had willen pakken,' zei Luis op ijzige toon. 'Maar nadat Hector hem voor jullie had geïdentificeerd, wist ik dat jullie achter hem aan zouden gaan. Ik zou wel gek zijn als ik nu iets zou doen.'

Nu. Het was niet bepaald een geruststellende opmerking als ik Luis wilde uitsluiten, maar hij was tenslotte een shotcaller, niet de paashaas. Ik keek even naar Bailey, die alweer bezig was met haar pannenkoeken. Ik wist wat dat betekende.

'Oké, Luis,' zei ik. ' Je gaat voorlopig vrijuit.'

Hij maakte aanstalten om de zitbox te verlaten, maar toen herinnerde ik me dat ik een boodschap voor hem had.

'Susan vroeg of ik je de groeten wilde doen,' zei ik. 'Volgens mij hoopt ze nog steeds dat je je diploma wilt halen.'

'Hoe is het met haar? Ik was van plan om haar te bellen,' zei Luis.

'Het gaat elke dag een stukje beter,' antwoordde ik. 'En ik weet zeker dat ze graag iets van je zou horen.'

Luis reageerde niet meteen en knikte in gedachten. 'Ja, ik heb een beetje het idee dat ik mezelf niet meer ben door alles wat er is gebeurd,' zei hij op ernstige toon. 'Het wordt tijd dat ik weer in de boeken duik.'

Luis schoof naar de rand van de zitbox, bleef vervolgens nog even zitten en boog zich naar me toe met een scheef glimlachje. 'Als je nog 's van de betere dingen in het leven wilt genieten, geef me dan een belletje. *M'entiende?*'

Ik trok een wenkbrauw op. 'Ik stel voor dat je je zakken leegmaakt, dan zien we wel of we je laten gaan,' zei ik.

Luis stond op. 'Sjeez, ik maakte maar een grapje,' zei hij verontwaardigd. 'Weet je wat jullie probleem is? Jullie hebben geen humor.'

Ik had momenteel wel meer problemen. Het feit dat ik blijkbaar geen humor had, was daarvan nog wel het minste. Luis vertrok, en terwijl ik hem nakeek, herinnerde ik me een ander puzzelstuk dat niet in het plaatje paste. Ik pakte mijn tot dan toe ongebruikte vork en richtte me tot Bailey. 'We zijn er altijd van uitgegaan dat de verkrachter Luis Revelo erin heeft geluisd,' zei ik. Ik nam een hapje van de inmiddels koude pannenkoeken. Ze smaakten nog steeds goddelijk.

'Oké.' Bailey knikte.

'Maar wat we nog niet weten, is hoe Stayner wist dat Susan bijles gaf aan een knul die mooi in het plaatje paste.'

'Precies,' zei ze, en ze slaakte een geërgerde zucht. 'Hij moet op een of andere manier dicht bij Densmore hebben gestaan om dat soort dingen te weten. Heb jij nog een slim idee?'

Ik bracht opnieuw mijn vork omhoog, en Bailey schoof haar bord in mijn richting. Ik nam nog een mondvol pannenkoek en genoot van het zachte, zoete hapje om vervolgens met tegenzin mijn vork neer te leggen en een poging te doen om mijn idee te verwoorden.

'We hebben iedereen gecheckt die in of rond het huis werkt,' dacht ik hardop. 'Maar we hebben nog niet al Densmores gezondheidscentra bezocht.'

Bailey knikte opnieuw.

'Slimmer kan ik het op dit moment niet maken,' zei ik.

49

Het lukte ons in recordtempo het Calabasas Children's Health Center te bereiken; een in Spaanse stijl opgetrokken gebouw met dakpannen en een prachtige binnenplaats. Het was een kleine kliniek, en alle mensen die er werkten, waren aanwezig. Niet een van hen herkende Stayners foto, en niet een van hen wekte de indruk dat hij of zij daarover loog.

We begaven ons in oostelijke richting naar het gezondheidscentrum aan de Ventura Boulevard in Sherman Oaks. Dit bevond zich op de tweede verdieping van een groot kantoorgebouw met getinte ramen. Maar ook deze kliniek was even kindvriendelijk en vrolijk ingericht als de rest. De werknemers hier herkenden Stayner ook niet. Voor onze laatste stop reden we naar het zuidoosten: het centrum van Hollywood.

De meeste mensen die aan Hollywood denken, zien in gedachten sterren op de trottoirs, de flitsers van paparazzi camera's... zwembaden, filmsterren – om een oude sitcom te parafraseren.

Wat ze niet weten, is dat Hollywood ook vervallen, verwaarloosde appartementen heeft, luizige motels, hobbelige trottoirs en van urine doorweekte straathoeken. En Hollywood is ook een plaats waar daklozen, weglopers en drugsverslaafden voor problemen zorgen. De Yucca Street kliniek bevond zich in dat Hollywood.

Het kleine gebouw zonder verdiepingen waarin de kliniek zich bevond, beschikte aan de achterzijde over een parkeerplaats die ALLEEN VOOR PERSONEEL was. Bailey reed de auto in een van de vakken en zette de motor af. Het was al laat in de middag, en vrij veel bewoners in deze buurt hingen op straat rond – gewoon op de stoeprand, bij de ingang van een smoezelig drankwinkeltje of op de hoeken van de straat.

We liepen de wachtruimte binnen en keken om ons heen. Verrassend genoeg was er bijna niemand. De enige aanwezigen waren een veel te mager blond meisje met tatoeages dat lusteloos in een oud exemplaar van *People* bladerde, en aan de andere kant van het vertrek een jonge Latijns-Amerikaanse man die voorovergebogen in een stoel zat met in een hand zijn slordig verbonden andere hand. Bij de receptie was niemand aanwezig. Rechts van de balie bevond zich een hek. Daarachter was een gang die – zo vermoedde ik – naar de onderzoekkamers voerde. Het hek was ongetwijfeld voor de veiligheid.

'Hallo?' riep Bailey.

'Momentje!' antwoordde een vrouwenstem. Een minuut later verscheen een vrouw in een verpleegstersuniform. Ze had zwart, touwachtig haar tot op haar schouders, en aan een kettinkje om haar hals hing een bril.

'Zijn jullie de rechercheurs?' vroeg ze enigszins verbaasd.

'Zij wel,' zei ik. 'Ik ben officier van Justitie. Rachel Knight.'

'En ik ben Bailey Keller.'

'Sheila Houghton,' zei de vrouw. 'Aangenaam.'

Ze liet haar blik even door de wachtkamer glijden en keek vervolgens weer naar ons. 'Vreselijk, wat er met Susan is gebeurd,' zei ze zachtjes. 'Ik hoop dat jullie dat monster snel oppakken.'

Bailey zei dat wij dat ook hoopten en kwam direct ter zake.

Ze hield de foto van Stayner omhoog. 'Heb je deze man hier wel eens gezien?' vroeg ze.

Sheila legde haar klembord neer, zette haar bril op en bestudeerde de foto. 'Ja,' zei ze terwijl ze de bril weer afzette. 'Hij heeft hier een hoop tieners naartoe gebracht. Meestal weglopertjes,' antwoordde ze. 'Carl... nog wat, geloof ik.'

Ik knikte zonder haar te laten merken dat ze midden in de roos had geschoten. 'En waren dat meestal meisjes of jongens?'

'Allebei. Maar meer jongens. Hij zei dat hij bij een van de lokale opvanghuizen werkte,' zei ze. Ze fronste even haar wenkbrauwen. 'Ik kan me alleen niet meer herinneren welk.'

Dat deed er ook niet toe. Het was waarschijnlijk toch een leugen. Ik begon te vermoeden waarom Stayner kinderen naar een kliniek had gebracht, en dat was niet omdat hij bij een opvanghuis werkte.

'Wanneer heb je hem voor het laatst hier gezien?' vroeg ik.

'Ik weet het niet.' Sheila dacht even na. 'Nog niet zo lang geleden – misschien een paar weken?'

Dus waarschijnlijk een tijdje voor de verkrachting.

'Sheila, vind je het goed als we hier even wat rondkijken?' vroeg ik. Ik was eigenlijk meer geïnteresseerd in een kort onderonsje met Bailey dan in een bezichtiging van de kliniek. De ervaring had geleerd dat hoe minder een getuige op de hoogte is van wat wij denken, des te beter dat is. Getuigen praten graag – en meestal met de verkeerde mensen.

'Ga gerust je gang,' zei ze. Ze liep terug naar de wachtruimte. 'Meneer Flores?' riep ze. 'Komt u mee? Laten we maar eens kijken hoe het met die hand gaat.'

De deuren naar de onderzoekkamers stonden open, en terwijl ik langs de eerste liep, wierp ik een blik naar binnen. Een jonge Latijns-Amerikaanse vrouw met een forse luiertas over haar schouder was bezig een kind in een wandelwagen te zetten. Ze keek me aan en glimlachte even. Ik beantwoordde de glimlach en ze rolde het kind de kamer uit. Het vertrek was schoon, maar niet zo chic en geavanceerd als de kamers in de andere klinieken. Alles voelde een beetje gedateerd aan: een ouderwetse weegschaal in een hoek, naast de deur een meetlat om de lichaamslengte te bepalen en wat aftands houten speelgoed in een bak. Zelfs de voorspelbare kindvriendelijke poster – *Thomas de Stoomlocomotief* – was uit de tijd.

Onderzoekkamer twee was leeg. Onderzoekkamer drie ook. Ze zagen er allemaal hetzelfde uit: schoon, maar ouderwets en geen franje. Iets in de kamers kwam me op een of andere manier bekend voor, maar ik kon mijn vinger niet op de zere plek leggen. Sheila kwam onze kant op, en ik zag dat ze meneer Flores meenam naar onderzoekkamer twee. Er was geen tijd meer om na te denken, en ik trok Bailey haastig onderzoekkamer drie binnen.

'Volgens mij was Stayner de pooier van die kids en bracht hij ze hier voor controle,' zei ik.

'Precies,' beaamde Bailey. 'En het zou mij niet verbazen als een van die jongens had bedacht dat hij zijn carrière niet meer zo zag zitten.'

Ik knikte. 'Maar als het inderdaad om een kind gaat, is de kans klein dat we zijn vingerafdrukken in de database hebben.'

Bailey slaakte een sombere zucht. 'Je hebt gelijk.'

'Geweldig,' antwoordde ik. 'Perfect.'

We liepen de kamer uit en zwaaiden naar Sheila, die druk bezig was om in onderzoekkamer twee de hand van meneer Flores opnieuw te verbinden.

Bailey wurmde de auto tussen het bijna stilstaande verkeer op Hollywood Boulevard.

'Dus we hebben goed nieuws en slecht nieuws,' zei ik. 'Het slechte nieuws: ons lijstje met verdachten heeft nu de omvang van een telefoonboek. Het goede nieuws: we kunnen in elk geval Luis en Sheila uitsluiten.'

'Fantastisch,' zei Bailey sarcastisch. 'We hebben hem bijna.'

We reden zwijgend verder. Als er niets fatsoenlijks te zeggen valt, is het beter om je mond te houden.

Na een tijdje verbrak Bailey de ijzige stilte. 'Gaan we naar huis?'

'Waarom ook niet?' zei ik mistroostig. 'Zin in een borrel?'

'Wel tien.'

Het was niet zozeer een drama dat Stayner misschien was vermoord – zijn dood vormde geen tragisch verlies voor de mensheid. Het probleem was dat hij niet meer in staat was om onze vragen te beantwoorden. De enige die dat mogelijk wel kon, was zijn moordenaar, en die leek ons nu door de vingers te glippen.

Ik staarde zwijgend voor me uit. In de verte naderde het silhouet van wolkenkrabbers in de binnenstad terwijl oplichtende kantoren als vuurvliegjes de duisterende hemel bespikkelden.

50

Bailey en ik liepen humeurig de bar van het Biltmore binnen. We voelden ons geen van beiden onszelf. Drew schonk een rondje martini's in.

'Hoe is het, dames?' vroeg hij.

'Waardeloos,' zei Bailey, die onmiddellijk de olijf uit haar martini nam alsof het ding haar met opzet in de weg zat. Ze nam een grote slok van haar drankje.

Drew keek naar mij en trok een wenkbrauw op. 'Slechte dag?'

Ik rolde met mijn ogen, nam mijn glas van de bar en overwoog even het in één teug leeg te drinken. Maar ik wist mezelf in te houden – zij het met moeite – en nam in plaats daarvan een stevige slok.

Bailey, die een verstrooide blik op haar gezicht had, trommelde nerveus met haar vingers op de bar.

'Kan ik iets voor je betekenen?' vroeg Drew.

'Dat heb je net gedaan,' zei ze kortaf terwijl ze naar haar drankje knikte. Ze nam nog een slok en trommelde verder.

'Oké,' zei Drew, en hij hield zijn hoofd even schuin naar de andere kant van de bar. 'Jullie kunnen me daar vinden.'

'Slimme zet, Obi-Wan,' zei ik.

'Ik ben een doorzetter,' zei Drew poeslief. Hij liep naar het gedeelte waar de bestellingen werden doorgegeven en opgehaald.

Een kelner probeerde te ontcijferen wat hij op zijn blocnote had genoteerd.

Toen ik me omdraaide was Bailey bezig door haar e-mail te scrollen op haar mobiele telefoon.

'Is er al nieuws over de afdrukken?' vroeg ik.

'Maandagmorgen vroeg,' zei ze terwijl ze haar wenkbrauwen fronste.

'Lijkschouwer?' vroeg ik.

Ze scrolde verder. 'Ook ergens op maandag. Maar alleen voorlopige resultaten.' Ze liet haar telefoon in haar zak glijden en nam een slok van haar martini.

'Hoor 's, Bailey, het is heel goed mogelijk dat Stayner zelf van die klif is gereden,' zei ik. 'Een ongeluk is zo gebeurd.'

'Ja, net als toeval,' zei ze zuur. 'En we weten allebei hoe jij over toeval denkt.'

Dat was waar. Ik overwoog even haar te trakteren op een gemeenplaats over dingen die er zonniger uitzien na een goede nachtrust, maar ik had het gevoel dat we die voorlopig allebei niet zouden krijgen. We dronken zwijgend onze martini's, alsof ze onze medicatie waren. Wat in zekere zin ook zo was. Na een tweede dosis hielden we het allebei voor gezien.

'Je was toch niet van plan om nog naar huis te rijden?' vroeg ik.

'Eigenlijk wel,' antwoordde Bailey.

Drew, die in de buurt stond, boog zich naar haar toe. 'Daar komt niks van in, dame,' zei hij. 'Je slaapt ofwel bij haar, of je wacht op mij.'

'Kom maar met mij mee,' zei ik snel. Ik wist dat er niets goeds van zou komen als Bailey in deze toestand op Drew zou wachten.

'Best,' zei Bailey gelaten. Drew klopte op haar hand, en ze schonk hem een vermoeide glimlach.

'Bel me morgen maar,' zei hij.

Bailey knikte, en we begaven ons naar mijn kamer. Ik hielp haar bij het opmaken van de slaapbank en nam vervolgens een lange, hete douche. Ik besefte pas hoe moe ik was toen ik in bed stapte. Op het moment dat mijn hoofd in het kussen zakte, was ik weg. Dat kreeg je van te veel verdachten in combinatie met onvoldoende bewijsmateriaal – en een paar martini's, uiteraard.

De zondag verliep zonder incidenten. Bailey was al vertrokken toen ik wakker werd. Toen ik maandagochtend opstond, voelde ik me heerlijk uitgerust. Het was halfacht. Ik nam een douche, poetste mijn tanden en kamde mijn haar en liep naar buiten om te zien wat voor weer het was. De hemel was blauw, de zon scheen en de lucht had een prettige doorsnee temperatuur. Hopelijk was dat een goed teken. Ik liep naar mijn kast om kleren uit te kiezen. Ik wist niet wat de dag zou brengen – ik wist alleen dat ik niet naar de rechtszaal hoefde. Mijn keus viel op casual: een broek en een trui.

Moest ik nog steeds dat vest aan? Degene die Stayner had vermoord – aangenomen dat we gelijk hadden en het geen ongeluk was – liep nog steeds vrij rond. Maar die persoon leek niet zo dom om achter mij aan te gaan. Als ik zou worden uitgeschakeld, zouden er meteen honderd nieuwe officieren voor mij in de plaats komen. Ik besloot dat het veilig genoeg was om alleen mijn .22 Beretta mee te nemen en liet het vest in de kast liggen.

Het voelde goed, hoewel een beetje naakt. Maar ik kon me een stuk sneller verplaatsen. Een paar minuten later bevond ik me al op de trap naar de achterdeur van het gerechtsgebouw. Ik was net binnen toen mijn mobiele telefoon ging.

'Waar zit je?' vroeg Bailey.

'Op weg naar de lift.'

'Ik ben over tien minuten bij je,' zei ze, en ze hing op.

Negen minuten later beende ze mijn kantoor binnen. Ik hield de beker met koffie omhoog die ik voor haar in de kantine had gehaald.

'Lekker,' zei ze, en ze ging op de stoel zitten die voor mijn bureau stond.

'En?'

'De vingerafdrukken zijn grotendeels gecheckt,' antwoordde Bailey. 'Bijna alles is van Stayner.'

'Bijna alles?'

Ze knikte. 'Op één voorwerp zaten ze niet. Er is een setje duidelijke afdrukken gevonden, maar die zijn niet geïdentificeerd.'

'Niet geïdentificeerd?' herhaalde ik. 'Bedoel je dat er geen match was in de database?'

'Dat bedoel ik.'

Dat betekende dat Luis definitief uit de gevarenzone was en Stayner waarschijnlijk ook geen partner had gehad.

'Waar zaten die vingerafdrukken op?' vroeg ik.

'Op een pakje Quench kauwgom,' antwoordde Bailey.

Ik trok mijn wenkbrauwen op. Dat was niet bepaald wat ik verwacht had te horen. Maar het was beter dan niets. 'Dat is zoeken naar een naald in een hooiberg,' zei ik. 'Aangezien we geen treffer hebben in de database, moeten we er voorlopig maar van uitgaan dat degene van wie die vingerafdrukken zijn geen misdadiger is.'

'Voorlopig,' beaamde ze. 'Maar als we het criminele element uitsluiten, zitten we nog steeds met het motief'–

'Susans verkrachting' maakte ik af. 'En de enige niet-criminelen die we kennen én een motief hadden om Stayner te vermoorden vanwege Susans verkrachting, zijn Susan'–

'Ik neem aan dat we Susan zelf wel uit kunnen sluiten,' onderbrak Bailey.

'Heel gedurfd, maar vooruit,' zei ik. 'En daarmee blijven pa en ma over.'

'Maar we werken ons wel in de nesten als we niet oppassen,' zei Bailey. 'We hebben wel wat meer nodig dan een vermoeden voordat we hen kunnen beschuldigen. Dan gaan ze regelrecht naar mijn hoofdinspecteur'–

'En Vanderhorn'–

'...reken maar,' zei Bailey.

Ik dacht even na. 'Is er niet ergens een bestand met vingerafdrukken van artsen?'

Bailey hield haar hoofd schuin. 'Ik zou het niet weten,' zei ze. 'Maar daar kan ik snel genoeg achter komen.'

Ze pleegde een paar telefoontjes terwijl ik gespannen wachtte.

'Je had gelijk, Knight,' zei ze complimenteus. 'Ze zijn momenteel met Densmores vingerafdrukken bezig. We hebben over een uur antwoord.'

'En Densmore hoeft er nooit achter te komen.'

51

Het was een vreselijk spannend uur. Bailey wilde het kantoor niet uit omdat ze bang was in een gebied met slechte ontvangst verzeild te raken waardoor ze het telefoontje zou missen. Ik wilde juist naar buiten omdat ik beweging nodig had en mijn kantoor niet eens voldoende ruimte heeft om kleine rondjes te ijsberen. Maar ik vond dat ik erbij moest zijn wanneer Bailey het telefoontje kreeg. Ik bleef dus op het puntje van mijn stoel zitten en wachtte.

Een uur en twintig minuten later ging Baileys telefoon. Ze luisterde even, zei een paar keer: 'Uh-huh' en vervolgens: 'Bedankt,' waarna ze de verbinding verbrak. Ze keek me uitdrukkingsloos aan.

'Laat me niet in spanning zitten,' waarschuwde ik.

Aangezien ze niet het type is dat zich laat bedreigen, wachtte ze nog iets langer. Ten slotte zei ze: 'Frank Densmores vingerafdrukken staan op de kauwgom.'

'*Yee-ha!*' juichte ik.

Bailey lachte, en we deden een high five.

'Weet je, het klopt gewoon,' zei ik. 'Quench kauwgom leek me nou niet bepaald Stayners stijl.'

Bailey knikte. 'Meteen toen je je afvroeg of Densmores vingerafdrukken in een of andere databank stonden, herinnerde ik me dat ik ook altijd die kauwgom bij me heb als ik een stuk ga fietsen.'

Dat was waar ook. Densmore fietste. 'Maar je hebt niks gezegd,' merkte ik op.

Bailey haalde haar schouders op. 'Ik wilde wachten totdat we het resultaat binnen hadden,' zei ze. 'Ik had geen zin om eerst helemaal in de gloria te zijn om vervolgens weer bij de pakken neer te kunnen gaan zitten.'

Gezien het humeur dat we twee avonden geleden hadden, kon ik haar geen ongelijk geven. Ik dacht even na over waar we stonden. 'Het ziet er goed uit, maar het is niet genoeg voor een aanhoudingsbevel,' zei ik. 'Densmore kan gemakkelijk beweren dat Stayner de kauwgom in een van zijn klinieken heeft gepikt.'

'Of zelfs dat Stayner het voor zijn huis heeft gevonden,' zei Bailey. 'We weten dat Stayner in de buurt rondhing.'

'Maar als we ervan uitgaan dat Densmore de moordenaar is'–

'Dat zit er dik in.'

'Dan heeft hij gelogen toen hij beweerde dat hij Stayner niet kende,' vervolgde ik.

Bailey knikte. 'Anders had hij nooit geweten hoe hij Stayner had moeten vinden.

'Dat betekent dat het waarschijnlijk Densmore zelf is geweest die Stayner toegang heeft verschaft tot zijn huis en zijn gezin,' voegde ik eraan toe.

We lieten dat bizarre idee even op ons inwerken, en uiteindelijk was het Bailey die de prangende vraag stelde. 'Maar waarom in godsnaam?'

Ik schudde mijn hoofd. 'We hebben nog veel te weinig informatie om daar zelfs maar een gok naar te kunnen wagen. Maar laten we niet op de zaak vooruitlopen. We moeten eerst alle feiten van Stayners moord op een rijtje zien te krijgen. Dan weten we waar we staan.'

'Klopt.' Bailey sloeg haar armen over elkaar en leunde naar achteren in haar stoel. 'Het is een meevaller dat Stayners vingerafdrukken niet op de kauwgom zitten,' zei ze.

'Dat is waar,' bevestigde ik. 'Maar het is niet genoeg.' Mensen laten niet elke keer dat ze iets aanraken traceerbare vingerafdrukken achter. De afwezigheid van vingerafdrukken zegt dus wel iets, maar zeker niet alles.

'Dat is ook weer zo,' zei Bailey. 'We hebben dus meer informatie nodig over onze man.'

'Als je op de koning vuurt, kun je hem maar beter meteen doodschieten,' beaamde ik.

We zwegen allebei even om na te denken.

'En hoe zit het met de lijkschouwer? Nog iets van hem gehoord?' vroeg ik.

Bailey schudde haar hoofd. 'Het kan geen kwaad om hem een beetje achter zijn vodden aan te zitten.' Ze toetste een nummer in op haar telefoon.

'Als je de lijkschouwer niet te pakken krijgt, probeer ik Scott wel even om te zien wat hij weet,' zei ik.

Bailey knikte.

Ik stond op en ging voor het raam staan terwijl Bailey het telefoontje pleegde. De hemel was zo indringend blauw dat hij onwerkelijk leek, en door het felle zonlicht zag zelfs het gras rond het stadhuis er uitnodigend uit. Aan de andere kant van het veld stond een man zonder shirt heimelijk te urineren tegen een indrukwekkende esdoorn. Het gras zag er ineens een stuk minder uitnodigend uit.

Bailey gebaarde om mijn aandacht te trekken, en ik was blij dat ik mijn venster de rug toe kon keren. Ze hield haar hand op de telefoon en keek me veelbetekenend aan. 'Ik sta in de wacht. De assistent zegt dat ze de doodsoorzaak hebben gevonden,' zei ze. 'Het is een hartaanval.'

Ik trok mijn wenkbrauwen op. 'Komt de lijkschouwer aan de telefoon?'

'Dat moet zo meteen blijken,' zei Bailey. Even later knikte ze, en ze begon te praten. 'Ja, dag dokter Loujian.' Er volgde een korte stilte. 'Ja, Carl Stayner.'

Terwijl Bailey luisterde, liep ik onze opties na nu Densmore een potentiële verdachte was. Ik wees op de telefoon en fluisterde: 'Kun je hem vragen'–

Ze keek me aan. 'Heeft u een momentje, dokter? De officier heeft een vraag.' Ze overhandigde me de telefoon.

'Dokter Loujian, fijn dat u even de tijd neemt,' zei ik. 'Is dit een definitieve conclusie of een voorlopige?'

'Op dit moment is het een voorlopige conclusie,' antwoordde hij met zijn vreemd hoge stem, die nog meer uit de toon viel als je hem zag: hij was zeker een meter vijfennegentig lang.

'Was zijn lichamelijke conditie volledig consistent met een hartaanval?' vroeg ik.

De dokter dacht even na. 'Tja, laten we zeggen dat het niet inconsistent was,' antwoordde hij. 'Zijn hart was niet best. Aan de andere kant was het niet zo slecht als zijn lever. U had erbij moeten zijn. Die zag eruit alsof hij op het punt stond uit het lichaam te kruipen.' Dokter Loujian gniffelde om zijn eigen macabere grapje. Niet alle lijkschouwers hebben zo'n bizar gevoel voor humor, maar er zijn er genoeg om het cliché te rechtvaardigen.

Ik probeerde beleefd te lachen, maar het geluid bleef steken in mijn keel. 'Als iemand hem een middel zou hebben toegediend om de doodsoorzaak op een hartaanval te laten lijken, wat zou dat dan kunnen zijn?' vroeg ik.

'Er zijn verschillende mogelijkheden,' antwoordde hij. 'Maar het gaat wel wat tijd kosten om op al die stoffen te testen.'

Ik dacht even na. Stayner was een paar uur nadat ik zijn foto aan Densmore had laten zien, om het leven gekomen. Als Densmore het had gedaan, zou hij het spul bij de hand moeten hebben gehad. 'Ik zit te denken aan iets waar een arts relatief gemakkelijk aan kan komen.'

'Dat beperkt het aantal mogelijkheden aanzienlijk,' zei hij. 'Ik zal ze de toxicologische tests opnieuw laten doen, dan zien we vanzelf wat eruit komt.'

'Dat zou geweldig zijn,' zei ik. 'Hoe lang gaat dat duren?'

'Zolang als het duurt,' antwoordde hij.

Ik probeerde een beleefde manier te bedenken om hem te vragen of het snel kon. Maar voordat ik inspiratie kreeg, slaakte Loujian een zucht, en hij zei: 'Ik doe mijn best om het zo snel mogelijk klaar te krijgen, maar ik kan niks beloven.'

'Bedankt. Ik stel het echt op prijs.' In de wetenschap dat ik het lot tartte, maar niet in staat om mezelf in te houden, deed ik nog een verzoek. 'Zou u me misschien uw voorlopige rapport willen faxen?'

'Maar mevrouw Knight, u weet dat zoiets niet koosjer is.'

'Ik beloof u dat ik het aan niemand laat zien,' zei ik. 'U kunt me vertrouwen, dokter Loujian,' vervolgde ik snel. 'Vraag het maar aan Scott. Die zal het bevestigen. We kennen elkaar al jaren.'

Ik had niet de indruk dat het zou helpen als ik zei dat Scott ook voor me instond, want niemand had ontdekt dat hij op mijn verzoek Jakes autopsierapport had gepikt.

Na een korte stilte zei Loujian schoorvoetend: 'Goed. Ik doe het. Maar u moet het voor uzelf houden. En wanneer ik het definitieve rapport af heb, moet u de voorlopige versie vernietigen.'

'Ik beloof het,' zei ik.

'Ga bij het faxapparaat staan en zorg ervoor dat niemand u ziet,' zei de arts. 'De rest zal ik zo snel mogelijk doorgeven.'

Ik vroeg Bailey of ze wilde meekomen, en we haastten ons naar de fax in Melia's kantoor. Ondertussen vertelde ik haar wat de lijkschouwer had gezegd.

'Die toxicologische tests kunnen wel even duren,' zei ze op grimmige toon.

'Weet ik,' antwoordde ik. Toen we de secretariaatsruimte van Erics kantoor betraden, zag ik opgelucht dat Melia er niet was. Het laatste wat ik wilde, was dat ze haar nieuwsgierige neus in mijn zaken zou steken en vervelende vragen ging stellen. 'Maar hij zoekt naar behoorlijk specifieke stofjes, dus dat zou de zaak moeten versnellen.'

Een paar seconden later lichtte het faxapparaat op en werden de pagina's van het voorlopig autopsierapport uitgespuwd. Ik pakte de vellen zodra ze uit het apparaat kwamen, waarna we terugliepen naar mijn kantoor en ik me in mijn reusachtige rechtersstoel liet vallen om te gaan lezen.

'Trek in een snack?' vroeg Bailey.

Bij de gedachte aan voedsel kwam mijn maag met een dof gerommel tot leven, wat me eraan herinnerde dat ik mijn ontbijt had overgeslagen. De klok op het Times-gebouw gaf aan dat het al tien uur was.

'Ik rammel,' antwoordde ik. Ik begon naar mijn portemonnee te zoeken, maar Bailey hield me tegen.

'Ik trakteer,' zei ze.

Ik keek haar achterdochtig aan. 'Geen bagels en muffins, hoor.

Ik kan de stress nu even niet aan.'

Ze schonk me een quasi gekrenkte blik en liep naar de deur. 'Dat was onder de gordel, Knight,' zei ze.

'Ik meen het,' zei ik. 'Ik heb honger en ik heb een pistool. Ga me niet zitten zieken, Keller.'

Bailey trok een wenkbrauw op en liep naar buiten.

Ik nam een handvol minipretzels uit mijn onderste la om de hongerscheuten te pareren en pakte het autopsierapport op.

Stayner en Densmore. De kliniek in Hollywood was de link tussen hen. In gedachten bekeek ik de driehoek van alle kanten terwijl ik vluchtig de beschrijving van Stayners externe lichamelijke toestand doornam. 'Een goed doorvoede volwassen man... gewicht zesentachtig kilogram... lengte een meter achtenzeventig.' Ik stopte. *Lengte.* Diep in mijn herinnering roerde zich iets. Ik deed verwoede pogingen om de fantoomgedachte vorm te geven, maar ze ontglipte me. Ik slaakte een geërgerde zucht en gaf gefrustreerd een klap op mijn bureau.

Op dat moment kwam Bailey weer binnen. Ze zette een zak met bleekselderij, wortels en een appel op mijn bureau. 'Wat is er loos, Knight?' vroeg ze.

'Iets in het autopsierapport... deed me denken aan...,' zei ik. Ik zweeg even toen een zweem van een gedachte naderbij leek te komen. En vervolgens weer ontsnapte... Ik schudde mijn hoofd. Het was om gek van te worden.

Bailey pakte het rapport van het bureau en las hardop: 'Gewicht zesentachtig kilogram... lengte...'

'*Lengte,*' herhaalde ik. Ik stak mijn hand op om te voorkomen dat Bailey verder las.

Ik haalde haastig mijn afdruk van Kits foto uit het ritsvak van mijn tasje. Waar was mijn vergrootglas? Ik rommelde ongeduldig in mijn laden en klapte ze een voor een dicht.

'Wat ben je van plan, Knight?'

Ik schudde mijn hoofd, liet mijn blik over mijn bureau gaan en stond op het punt om naar de dossierkast bij de deur te lopen toen ik het vergrootglas op de tafel bij het raam zag liggen. Ik sprong op, griste het ding weg en liet me weer in mijn stoel vallen.

Ik hield het vergrootglas boven de afbeelding en tuurde ingespannen naar de verticale zwarte streep op de achtergrond. Nu ik wist wat het was, lag het zo voor de hand.

'Wat?' vroeg Bailey.

'Kijk hier eens naar,' zei ik.

Ik gaf haar het vergrootglas. Ze pakte het aan en bestudeerde de foto.

'Die zwarte streep op de achtergrond?' vroeg Bailey.

'Dat is een meetlat,' zei ik. 'Er hing er een aan de muur in alle onderzoekkamers van de kliniek in Hollywood.'

52

'Dus de foto's die Clive op het internet heeft gevonden, zijn allemaal in die kliniek gemaakt,' zei Bailey deels tegen zichzelf terwijl ze opnieuw naar de afdruk keek.

'Dat verklaart waarom geen van die kinderen eruitziet alsof hij poseert,' zei ik.

'Klopt. Ze zien er geen van allen echt sexy uit,' beaamde ze. 'Maar dat is meestal zo met foto's van kinderen.' Bailey legde het vergrootglas op tafel en leunde naar achteren.

Ik knikte. De onschuldige uitstraling vormde meestal een belangrijk onderdeel van de bekoring...

Plotseling zette ik het misselijkmakende idee van me af toen een nog schokkender besef daagde. Door de reikwijdte van het inzicht bleef ik als verlamd in mijn stoel zitten. Ik staarde naar buiten terwijl ik in gedachten de implicaties overwoog van hetgeen ons zojuist duidelijk was geworden.

'Wat?' vroeg Bailey.

Ik zocht naar woorden. Mijn conclusie was onvoorstelbaar maar tegelijkertijd onontkoombaar. 'Als we gelijk hebben en al onze gevolgtrekkingen kloppen, houdt dat in dat Susans verkrachting en Jakes zaak met elkaar in verband staan.'

Bailey staarde me aan en knipperde met haar ogen toen het ook tot haar doordrong.

Ik sprak langzaam om te kunnen denken terwijl ik de puzzel-stukjes op hun plaats legde. 'Kit is gefotografeerd in de kliniek van Densmore. De foto is gevonden op Jake. Densmore heeft Stayner vermoord – waarschijnlijk omdat Stayner Susan heeft verkracht.'

'Krijg nou wat,' zei ze zacht. De verbijstering was van haar ge-zicht te lezen. 'Je hebt gelijk.'

Een zaak zonder verrassingen bestaat niet; er zijn hooguit wat kleine dingetjes die op bijzaken betrekking hebben. Maar dit was een knaller van de eerste orde.

'Maar waarom heeft Densmore zich met een idioot als Stayner ingelaten?' vroeg ik.

'Geen flauw idee,' zei Bailey. 'Ik weet alleen wel dat deze twee zaken weer helemaal openliggen.'

Ik knikte. Op dit moment was alles mogelijk.

'Betekent dat dan dat Densmore in de pornobusiness zit?' vroeg ze met een stem vol ongeloof.

'Daar heb ik ook moeite mee,' bekende ik, en ik schudde mijn hoofd. 'Het slaat nergens op dat een multimiljonair met zoveel invloed zulke dingen doet. Zelfs niet als hij persoonlijk dat soort neigingen zou hebben'–

'Wat ik me eerlijk gezegd niet van hem kan voorstellen,' zei Bailey. 'Niet dat ik hem nou zo geweldig vind.'

'Nee, dat ben ik met je eens,' zei ik. 'Maar we kunnen hem niet uitsluiten.'

Ze knikte. 'En zelfs als Densmore niet degene is die zich met porno bezighoudt, moet het iemand zijn die gemakkelijk toegang heeft tot de onderzoekkamers.'

'Het enige wat ik zeker weet, is dat verpleegster Sheila het on-mogelijk kan hebben gedaan,' zei ik.

'Ja. Ik ga ervan uit dat iemand die "ga gerust je gang" zegt als de politie een kijkje wil nemen, niet iemand is die wat te verbergen heeft,' beaamde Bailey.

Ik slaakte een zucht en leunde achterover in mijn stoel. Hoe meer antwoorden we vonden, des te meer vragen er opborrelden. Bailey stelde er nog een.

'Ik probeer me die kliniek voor de geest te halen,' zei ze, 'maar ik herinner me geen plaats voor een camera in de onderzoekkamers. Jij?'

Ik dacht even na en schudde vervolgens mijn hoofd.

'We zouden er natuurlijk even naartoe kunnen rijden om een kijkje te nemen,' stelde Bailey voor.

'Goed idee. Maar dan moeten we wel een excuus bedenken voor Sheila,' zei ik. 'We moeten voorkomen dat ze gaat rondbazuinen wat wij daar aan het doen zijn.'

Zelfs als Sheila er niet bij betrokken was, mochten we niet het risico lopen dat ze per ongeluk Densmore op de hoogte zou brengen door hem te vertellen waar wij mee bezig waren. Daarbij was er nog de kleinigheid dat mij specifiek te kennen was gegeven me niet meer met Jakes zaak te bemoeien. Tot tweemaal toe.

'Dat lijkt me geen probleem,' antwoordde Bailey. Ze stond op en liep naar de deur. 'We bedenken onderweg wel wat.'

'Nog één ding,' zei ik. 'We moeten het verband tussen de verkrachting en de moorden voorlopig voor onszelf houden.'

'Je meent het?' beaamde ze gniffelend.

Als we onze chefs nu op de hoogte zouden brengen van de link, zouden ze ons van de zaak-Densmore halen en ons ervan langs geven omdat we ons op verboden terrein hadden begeven. Maar als ze erachter kwamen nadat we beide zaken netjes verpakt en met een strik eromheen hadden afgeleverd, zou het lastig worden om disciplinaire maatregelen te rechtvaardigen. Al met al besloot ik mijn motto te volgen: je kunt beter achteraf je excuses aanbieden dan van tevoren om toestemming vragen.

'Trouwens, zelfs als we het aan iemand zouden vertellen'–

'Zou er geen hond zijn die ons geloofde,' maakte Bailey voor me af.

We schonken elkaar een quasi zielig glimlachje.

Ik pakte mijn jas, stopte Stayners autopsierapport in mijn tas en borg de foto van Kit in het ritsvak op. We liepen mijn kantoor uit, de gang in.

'We kunnen natuurlijk tegen Sheila zeggen dat we wat xtc willen scoren,' stelde ik voor.

'Nah,' antwoordde Bailey. 'Dat is voor mietjes. Doe mij maar crystal meth.'

'Nooit gedacht dat jij een *tweaker* was,' zei ik.

'Ik ben een controlfreak,' zei Bailey. 'Crystal meth is een drug voor controlfreaks.'

'Interessant. Zo had ik het nog nooit bekeken.'

We waren bijna bij de afdelingsdeur toen ik Melia hoorde roepen: 'Rachel!'

Ik draaide me om en zag dat ze naar me zwaaide vanuit de deuropening van de secretariaatsruimte. Ik liep geërgerd terug. Toen ik voldoende dichtbij was om niet te hoeven roepen, bleef ik staan. 'Ja?'

'Er is telefoon voor je,' zei ze. 'Een of andere dokter. Hij heet geloof ik... eh... Luanne?'

Loujian. De lijkschouwer. *Dat was snel.* 'Bedankt, Melia,' zei ik. Terwijl Bailey en ik ons terug haastten naar mijn kantoor, riep ik over mijn schouder naar Melia: 'Zeg maar dat ik eraan kom.'

Ik hijgde toen ik de hoorn opnam. 'Dokter Loujian?'

'Ik geloof dat ik u moet bedanken, mevrouw Knight,' zei hij. 'Ik heb het lichaam nog een keer gecontroleerd en heb een injectieplaats in de rechterbil gevonden. Ik heb nog wat tests uitgevoerd, en ik vermoed dat de moordenaar misschien anectine heeft gebruikt – een slimme zet, want de halfwaardetijd daarvan bedraagt ongeveer twee minuten, en dan is het weg. Maar ik kan nog wel testen op de metabolieten.'

'Wat is anectine?'

'Dat wordt gebruikt om de spieren van het ademhalingsstelsel te ontspannen zodat een buis voor anesthesie kan worden ingebracht. Het verlamt in principe de spieren van de luchtwegen waardoor een overdosis op een hartaanval lijkt,' legde dr. Loujian uit.

'Zou een arts zoiets bij de hand hebben?'

'Vast wel,' antwoordde hij. 'Maar ik denk niet dat hij het zou toedienen zonder anesthesist erbij. Hoewel dat natuurlijk niet echt een punt is als hij het zou gebruiken om er mensen mee om zeep te helpen,' zei de dokter, en hij gniffelde om zijn grapje.

Het had ook wel iets komisch, dus ik gniffelde even mee. Ik beloofde het voorlopige rapport te vernietigen, bedankte hem uitgebreid en hing op.

Ik bracht Bailey op de hoogte, en ze haalde onmiddellijk haar mobiele telefoon tevoorschijn.

'Wie ga je bellen?'

'Ik stuur units naar de klinieken van Densmore om uit te zoeken of ze anectine op voorraad hebben en zo ja of er iets mist,' antwoordde ze.

'Perfect.'

Terwijl Bailey telefoneerde ging ik achter mijn computer zitten om huiszoekingsbevelen voor de woning van Densmore en de klinieken te regelen. De meeste personeelsleden van de gezondheidscentra zouden er waarschijnlijk sowieso geen probleem mee hebben. Maar aangezien ik vermoedde dat het pornoverhaal een inside job was, lag het voor de hand dat er ten minste één persoon was die geen toestemming zou geven als dat mogelijk was.

Bailey borg haar telefoon op en zei: 'Ze bellen zodra ze de informatie hebben. Als iedereen bij de klinieken tenminste meewerkt.'

Ik vertelde dat ik bezig was met de huiszoekingsbevelen. 'Maar als we er zeker van willen zijn dat de rechter een arrestatiebevel voor Densmore goedkeurt, moeten we een scenario uitwerken waaruit duidelijk blijkt hoe hij de moord moet hebben gepleegd,' zei ik. 'De rechter wil niet het risico lopen dat hij Densmore onschuldig laat vastzetten.'

'Precies,' beaamde Bailey. 'Ik heb daar wel een idee over. Ik denk dat Densmore Stayner ergens naartoe heeft gelokt'–

'Waarschijnlijk de kliniek in Hollywood,' zei ik. 'Hij had een rustig plekje nodig om Stayner uit te schakelen en hem zonder te worden gezien de injectie toe te dienen. En die kliniek is de enige plek die hen met elkaar verbindt.'

'Klinkt logisch,' zei Bailey. 'En vervolgens heeft hij zijn fiets en Stayners lichaam in de Escalade geladen en is naar de top van Malibu Canyon gereden.'

'En dat pakje Quench kauwgom is uit zijn fietstas gevallen.'

Bailey knikte. 'Densmore heeft de fiets gepakt, Stayner in de bestuurdersstoel gezet en de Escalade het ravijn in geduwd. En vervolgens is Densmore op zijn fietsje naar huis gereden.'

'Helemaal naar de Palisades? Dat is een flinke rit,' merkte ik op.

'Niet voor hem,' legde Bailey uit. 'Vergeet niet dat het bergaf gaat tot aan de Pacific Coast Highway, en de rest van de PCH is een vlak stuk. Voor iemand met zijn conditie is het goed te doen. En als hij moe was geworden, had hij de bus kunnen nemen; de route loopt via de PCH en komt zo ongeveer langs zijn huis.'

'Dan laat ik de fiets ook in het bevelschrift opnemen,' zei ik, en ik draaide me weer om naar mijn computer. 'En we moeten de administratie van de bewakers bij het hek controleren om te zien of hij die avond laat naar huis is gekomen.'

'Ik denk niet dat ze het komen en gaan van de mensen bijhouden,' zei Bailey. 'Het hek pikt het signaal op van de transponders die de bewoners in hun auto hebben. Zijn fiets zal er waarschijnlijk geen hebben.'

'Dat is waar,' antwoordde ik. 'Misschien kan een van de bewakers zich nog herinneren hoe laat hij thuis is gekomen.' Ik dacht daar even over na. 'Aan de andere kant, laat maar zitten. Als ik hem was, had ik dat risico niet genomen. Dan zou ik de fiets hebben verborgen en ergens over de omheining zijn geklommen waar niemand me kon zien.'

Bailey knikte opnieuw. 'Dan zou hij de volgende dag terug kunnen rijden zonder de aandacht op zich te vestigen. Ik zal een team het terrein langs de omheining laten afzoeken naar een plek waar je gemakkelijk binnen kunt komen.'

Haar mobiele telefoon ging.

'De troepen melden zich,' zei ik.

'Laten we het hopen,' zei ze. 'Keller.' Ze luisterde even en verbrak vervolgens de verbinding. 'Brentwood, Palisades en Calabasas hebben anectine,' zei ze.

'En?'

'Alles is er nog en staat netjes in de administratie vermeld.'

Ik blies de lucht uit mijn longen en leunde naar achteren. 'Ik ga verder met de bevelschriften,' zei ik. 'Maar ik ga er pas mee naar de rechter zodra we van alle klinieken hebben gehoord.'

Bailey knikte. Tien minuten later ging haar mobiele telefoon opnieuw. Dit was zenuwslopend. Ik stopte met mijn werk en keek naar haar terwijl ze het gesprek beantwoordde.

Even later verbrak ze de verbinding en stak ze de telefoon in haar zak. 'Sherman Oaks en Beverly Hills – zelfde verhaal,' zei ze. 'Niks vermist.'

Ik begon me zorgen te maken en vroeg me af of we misschien moesten uitzoeken waar Densmore ziekenhuisprivileges had. Het kostte me moeite om me weer op de bevelschriften te concentreren. Bailey trommelde nerveus op de leuning van de stoel.

Er gingen vijf minuten voorbij. Ik kon niet nalaten steeds weer op de klok van mijn computer te kijken. Waarom hield Bailey niet op met dat irritante getrommel?

Tien minuten – nog steeds niks.

Om vijf over halftwee was ik eindelijk klaar met de bevelschriften, en ik klikte op AFDRUKKEN. Precies op het moment dat de pagina's uit de printer begonnen te rollen, ging Baileys mobiele telefoon weer. Ik keek haar aan, en we wisselden een blik.

'Keller.' Ze luisterde even. 'Oké, blijf daar voorlopig maar even hangen,' zei ze, en vervolgens hing ze op.

'Dat lag natuurlijk voor de hand,' zei Bailey op effen toon.

'Wat? *Wat?*' zei ik ongeduldig.

'De kliniek in Hollywood. Ze hadden twee injectieflacons besteld. Volgens de administratie is er nooit een gebruikt,' zei ze. Na een korte pauze vervolgde ze: 'Maar een van de flacons is verdwenen.'

Ik liet opgelucht mijn schouders zakken. We hadden onze missende anectine.

Ik zei gepikeerd: 'Je hebt me voor de gek gehouden.'

'Een beetje maar,' erkende Bailey met een grijns. 'Ideaal om de spanning te doorbreken, toch?'

'Nee.' Ik ging weer achter mijn computer zitten, voegde de nieuwe informatie aan de bevelschriften toe en klikte nogmaals op AFDRUKKEN. Vervolgens overhandigde ik de papieren aan Bailey. 'Heb je al een rechter in gedachten?'

Ze glimlachte ondeugend. 'Ik had het idee om rechter J.D. Morgan een bezoekje te brengen,' zei ze. Ze keek op haar horloge. 'Volgens mij is hij ondertussen wel terug van de lunch.'

'Geniaal, Keller,' zei ik met een bewonderend lachje. J.D. was niet alleen een vriend, hij was ook nog eens een rechter die absoluut niet bang was om een knuppel in het politieke hoenderhok te gooien. De perfecte man om een zaak te behandelen die de voorpagina van elke krant zou halen.

Bailey stond op en haastte zich naar de deur. 'Zodra deze getekend zijn, moeten we meteen naar het huis van Densmore. Als hij wil praten, moeten we zorgen dat we erbij zijn om te horen wat hij te zeggen heeft.'

'Ik ben er klaar voor,' zei ik.

53

Niet veel later bevonden Bailey en ik ons in haar auto op weg naar de Palisades. Onmiddellijk nadat J.D. de bevelschriften had ondertekend, had Bailey een aantal units op pad gestuurd om Densmore op te sporen. Ze waren hem gevolgd naar zijn huis, hadden uit het zicht geparkeerd in de buurt van de voor- en de achteringang en wachtten nu op Bailey.

Terwijl ze via de tunnel naar de snelweg reed, stelde ik me in gedachten voor hoe de politie het reusachtige huis omsingelde. Ik vroeg me af hoe Susan en Janet zich moesten voelen. De vervoering die ik in eerste instantie had gevoeld, vloeide uit mijn lichaam weg. Ik kon me niet voorstellen hoe ze dit alles moesten verwerken. Aan de ene kant leek het misschien nobel dat Densmore de verkrachter van zijn dochter had vermoord. Maar aan de andere kant moest de link tussen Densmore en Stayner wel een voorbode zijn van nog meer slecht nieuws. Ik had me in eerste instantie verheugd op het verhoor van Densmore; nu begon ik ertegen op te zien.

Toen we bij het huis arriveerden, was onze versterking al ter plaatse. Bailey stapte uit en droeg de collega's op haar te volgen. Niemand dacht dat er wapens nodig waren, maar je wist het nooit.

Bailey klopte aan. Toen de huishoudster de deur opende en de slagorde politieagenten achter haar zag, verstijfde ze van schrik.

'We zijn op zoek naar dr. Densmore,' zei Bailey.

'Sí, sí,' antwoordde de huishoudster, 'allá,' en ze knikte naar links. Vervolgens draaide ze zich om en rende het huis in.

Bailey liep door de openstaande deur naar binnen met haar pistool omlaag gericht langs haar zij.

Janet kwam de hal binnen, 'Goedemiddag. Kan ik u ergens mee helpen?' vroeg ze. Toen ze zag dat Bailey een pistool in haar hand had, sperde ze haar ogen wijd open van angst en trok ze wit weg.

'Het spijt me, mevrouw Densmore. We zijn hier voor uw echtgenoot. Is hij aanwezig?' zei Bailey.

'Frank?' Janet zag eruit alsof ze elk moment flauw kon vallen. 'Hij zit in de studeerkamer.' Ze wees naar links.

Bailey gebaarde naar twee agenten dat ze mee moesten komen, en ze begaven zich in de aangegeven richting om dr. Densmore het arrestatiebevel te overhandigen. Ik bleef staan om met Janet te praten.

'Wat is er aan de hand?' vroeg ze met bevende stem.

'Het spijt me vreselijk, Janet, maar je man wordt gearresteerd,' zei ik, 'voor moord.'

Janet begon heen en weer te zwaaien, en ik pakte snel haar arm vast. Op een of andere manier wist ze zich voldoende te herstellen om zich door mij naar de sofa in de woonkamer te laten loodsen.

Nadat ze was gaan zitten, bood ik haar een glas water aan. Ze schudde haar hoofd, en ik nam naast haar plaats. Ik wilde haar troosten met de mededeling dat de man die Densmore had vermoord, Susans verkrachter was, maar de bevestiging daarvan was nog niet binnen.

'Kun je me vertellen of je Frank gisteravond nog hebt gezien?' vroeg ik.

Janet opende haar mond, maar vervolgens schoten haar ogen

naar de hal, waar nu politieagenten begonnen binnen te stromen. Janet legde haar hand op haar borst, en haar mond zakte een stukje open. Ten slotte zei ze zwakjes: 'Ik – ik geloof dat ik beter niet met je kan praten.'

Waarschijnlijk niet, nu ik er eens over nadacht. Ik had onder dergelijke omstandigheden ook niet met mezelf willen praten. In dit stadium was er in elk geval geen reden om de zaak te forceren.

'Is Susan thuis?' vroeg ik. Ik wilde niet dat ze zag hoe haar vader met handboeien om werd afgevoerd.

'Nee, ze is bij een vriendin,' antwoordde Janet. Haar stem was nauwelijks een fluistering.

'Is er iemand bij wie je vannacht kunt slapen?' vroeg ik.

Ze antwoordde niet. Ze staarde met een apathische blik uit het raam naar de golvende gazons en de bloembedden in haar achtertuin.

'Wil je dat ik iemand voor je bel?' vroeg ik.

Janet schudde langzaam haar hoofd. 'Dat doe ik zelf wel,' zei ze met een dun stemmetje.

Ik knikte. Waarschijnlijk wilde ze niet dat ik ooit nog iets voor haar deed.

Ik voegde me bij Bailey en de agenten in de studeerkamer. Frank Densmore lag plat op de grond en was grondig gefouilleerd. Een van de agenten hielp hem overeind en zette hem op de leren sofa. Hij zag eruit alsof er een flinke worsteling had plaatsgevonden.

'Dr. Densmore, ik ga u nu op uw rechten wijzen'– begon Bailey.

'Laat maar zitten. Ik zeg toch niks,' zei Densmore op kille toon. 'Geef me mijn telefoon. Ik wil mijn advocaat bellen.'

De agent aan zijn rechterkant liep naar het bureau, pakte de telefoon en vroeg Densmore om het nummer. Densmore noemde de cijfers op en de agent toetste ze in. Nadat hij op de belknop had gedrukt, hield hij de telefoon bij Densmores oor. Opmerkelijk genoeg zag hij er zelfs met zijn handen geboeid op zijn rug nog heerszuchtig uit.

Ik zuchtte, maar het lag voor de hand dat hij een beroep zou doen op zijn recht om te zwijgen. Er viel voor hem niets te winnen als hij met ons zou praten, en hij was slim genoeg om dat te beseffen.

We konden hier voorlopig niets meer doen. Bailey knikte in de richting van de deur. Ik draaide me om en we begaven ons naar buiten.

'Zullen we nog even in de garage kijken voordat we vertrekken?' vroeg ik.

'Zeker weten.'

De garage was reusachtig en brandschoon. Uiteraard.

'Is dat zijn fiets?' vroeg ik, en ik wees naar de geel met zwarte racefiets die aan het plafond hing.

'Zo te zien wel,' antwoordde Bailey. 'Hij is opgenomen in het huiszoekingsbevel. Ik mag ze er wel attent op maken dat ze voorzichtig doen bij het inpakken. Ik wil geen grondmonsters kwijtraken.'

'Die gaatjes in de grond langs de wegberm zouden wel eens van zijn fietsschoenen kunnen zijn,' zei ik.

'Precies,' zei Bailey. Ze toetste iets op haar mobiele telefoon in en sprak even met iemand over het inpakken van de fiets.

'Weten ze dat ze ook naar de schoenen moeten zoeken?' vroeg ik.

Ze gaf het door en beëindigde het gesprek.

'De kliniek?' vroeg ik.

'De kliniek,' beaamde Bailey.

We liepen naar haar auto – en de andere kant van de wereld.

54

Er bevond zich maar één politieagent in de kliniek toen we er arriveerden. Voor zover ze wisten, hielden ze alleen een oogje op een bepaald schap in een kast met geneesmiddelen. Ze hadden er geen idee van dat de kliniek in verband stond met de moord op Jake.

We liepen het gezondheidscentrum binnen en zagen dat Sheila, de verpleegster, aan de balie zat om haar administratie bij te werken. We kregen een warm welkom, maar ik zag dat ze nieuwsgierig was naar alle drukte rond de anectine. Ik nam me voor om het haar te vertellen... maar niet nu.

'Hoe vaak kwam dr. Densmore hier?' vroeg ik.

Sheila tuitte haar lippen en slikte woorden in die ze zich niet kon veroorloven. 'Vrijwel nooit. Ik denk dat het een jaar geleden is dat ik hem hier voor het laatst heb gezien,' zei ze met een afkeurende ondertoon in haar stem. 'De agent staat achter op u te wachten.'

'Ja, ik weet het,' antwoordde Bailey. 'Bedankt voor je hulp, Sheila.'

'Graag gedaan,' antwoordde ze. Ze ging verder met haar administratie en we liepen rustig de gang in. Ik fluisterde vanuit een mondhoek naar Bailey: 'Stuur jij je man weg?'

Ze knikte. 'Begin maar vast. Ik kom eraan.'

Na een haastige blik over mijn schouder om er zeker van te zijn dat Sheila niet keek, liep ik onderzoekkamer drie binnen, sloot de deur en positioneerde me tegenover de muur met de meetlat die op alle foto's had gestaan. Ik probeerde de locatie te zoeken waar de camera zich moest hebben bevonden. Toen ik het gevoel had dat ik op de juiste plaats stond, draaide ik me om. Niets. Er moest toch een camera in de buurt zijn – tenzij ze hem weg hadden gehaald. Maar de enige persoon die reden had om te vermoeden dat de kliniek onder verdenking stond, was Sheila. Ik hield er niet van om mensen uit te sluiten op grond van hun verschijning, maar ditmaal was ik zeker van mijn zaak. Ze straalde niets uit wat ook maar enigszins de indruk wekte dat ze hierbij betrokken was.

Ik probeerde het nog een keer. De camera moest zich ongeveer aan de muur tegenover de meetlat hebben bevonden. Ik inspecteerde de muur. Er waren een spoelbak en een compacte ionisator met kastjes eronder en erboven. De kastjes bevonden zich overal te hoog of te laag voor de opnamehoek die ik in de foto's had gezien. Ik opende ze alsnog en keek erin. In de onderste kastjes stonden alleen maar schoonmaakartikelen en in de bovenste lagen papieren schorten.

Ik klopte op de muur boven de spoelbak, op zoek naar een verborgen ruimte. Niets. De stekker van de ionisator zat in een wandcontactdoos naast de spoelbak. Ik trok hem los en nam het apparaat in mijn hand. Het gewicht leek normaal. Ik schudde het ding even heen en weer, maar hoorde niks. Toen zag ik dat het rooster van de ionisator kon worden verwijderd. En daar was hij. De camera. Hij zag er zo onschuldig uit dat hij was verborgen op een plek waar iedereen hem had kunnen vinden. Ik verbaasde me over de moderne technologie, maar tegelijkertijd walgde ik van de manier waarop die hier was ingezet. Je moest wel iets van digitale beeldbewerking weten om hier video's en foto's uit te halen die verkoopbaar waren, maar het was beslist mogelijk. Het computertijdperk had veel deuren geopend.

Ik stak de stekker van de ionisator weer in de contactdoos en probeerde uit te dokteren wie dit had bedacht, toen Bailey binnenkwam. Ik wees op de ionisator en bracht een vinger naar mijn lippen om haar te waarschuwen dat ze niets moest zeggen. Bailey keek ernaar en vervolgens naar mij en trok een vragende wenkbrauw op. Ik gebaarde dat ze mee moest komen en nam haar mee naar onderzoekkamer twee. Ik controleerde de muren, ditmaal wetend waarnaar ik zocht. En inderdaad, aan de muur tegenover de meetlat en even boven de spoelbak bevond zich een ionisator. Zonder iets te zeggen, wees ik Bailey erop, en ze knikte. We deden hetzelfde in kamer een. Daar haalde ik de ionisator los en verwijderde het rooster aan de voorkant. Bailey bestudeerde de camera.

Ik sprak zachtjes om te voorkomen dat iemand me hoorde. 'Stayner moet wel deel uit hebben gemaakt van deze operatie, maar ik betwijfel of hij deze dingen heeft geïnstalleerd,' zei ik, en ik gebaarde naar de ionisator.

'Nee,' beaamde Bailey. 'Maar ik durf te wedden dat de arrestatie van Densmore al op het nieuws is'–

'Dus degene die dit gedaan heeft, zal ondertussen wel bezig zijn om zijn biezen te pakken en ervandoor te gaan,' zei ik, haar gedachte afmakend.

Bailey knikte. 'Ik stel voor dat we de boel in de gaten houden en kijken wie zijn spullen komt halen.'

Ik dacht even na. Het was misschien niet het beste plan, maar het was wel het enige wat we op dit moment hadden.

Ze keek naar me. 'Wat denk je ervan?' vroeg ze.

'Oké. Ik doe mee.'

55

Het was bijna zeven uur en er was niemand meer in de kliniek. Sheila liep met een sleutel in haar hand naar onderzoekkamer een om het gebouw af te sluiten voor de nacht.

'Sheila, ik stel voor dat je alles voorlopig laat zoals het is zodat we de medicijnkast kunnen fotograferen en op vingerafdrukken onderzoeken,' zei Bailey.

Dat was deels waar. We hadden inderdaad foto's en vingerafdrukken nodig; dat was de reden waarom Bailey er eerder een agent had geposteerd. Dat zouden we alleen niet vanavond doen. Momenteel was het vooral belangrijk om erachter te komen wie de verborgen camera's had geïnstalleerd. Foto's konden elk moment worden genomen, en wat de vingerafdrukken betrof – hoewel het mooi zou zijn als we Densmores tengels naast het flesje met anectrine zouden aantreffen, zou dat niet direct een overtuigend bewijs zijn, aangezien hij wettelijk toegang had tot de medicijnkast. Aan de andere kant, gezien het feit dat hij hier zelden kwam, zou het wel iets betekenen.

'Geen probleem,' antwoordde Sheila.

'Het zou ons wel goed uitkomen als we hier op de technisch rechercheurs konden wachten,' zei Bailey. 'Is dat goed?'

Sheila dacht even na. 'Geen enkel probleem, rechercheur,' antwoordde ze. 'Dan zal ik u even laten zien waar de deuren zijn. Als u de kliniek niet afsluit, is de boel vóór middernacht afgebroken.'

Ze liet ons zien waar de achterdeur was. Het gedeelte met de wachtkamer en de receptie was dieper dan ik had verwacht. Aan de andere kant van het vertrek bevond zich een deur die uitkwam op het parkeerterreintje voor personeelsleden achter het gebouw. De verpleegster liet zien welke sleutel er in dat slot paste. Vervolgens loodste ze ons de gang door, langs de onderzoekkamers. Aan het einde van de gang bevond zich een kantoortje. Een deur in de zijkant kwam ook op het parkeerterrein uit.

'Twee achterdeuren?' vroeg ik. Merkwaardig.

'Ja,' zei Sheila. 'Dit gebouw was vroeger een woonhuis. Als je goed kijkt, kun je zien waar de extra kamers zijn aangebouwd om er een kliniek van te maken. Ik geloof dat de deur in het kantoortje de oorspronkelijke achteringang was.' Ze pakte haar tasje en haar jas. 'Is er verder nog iets?'

'Mogen we je telefoonnummers hebben?' vroeg ik. 'Voor het geval we nog vragen hebben.'

Sheila gaf ons de nummers van haar mobieltje en haar vaste aansluiting thuis en gaf de sleutels aan Bailey. 'We gaan morgenochtend trouwens om zeven uur open,' waarschuwde ze.

'Ik zal zorgen dat ik er ben,' beloofde Bailey.

We keken Sheila na terwijl ze het parkeerterreintje verliet en begonnen vervolgens met het bepalen van onze strategie. Dat moest noodgedwongen een simpele zijn.

'We moeten zowel de voordeur als de achterdeuren in de gaten houden,' zei ik.

'Klopt. Maar de kans is groot dat onze vriend via de achterdeur binnenkomt. Ik stel voor dat ik de achterkant in de gaten houd, dan doe jij de voorkant.'

'We hebben maar één auto,' merkte ik op.

Ze knikte. 'En die kan niet in zijn eentje op de parkeerplaats staan. Dan kunnen we net zo goed een neonbord uithangen. Rij hem maar even naar de voorkant,' zei ze, en ze overhandigde haar sleutels.

'Waar zit jij in de tussentijd?' vroeg ik.

We draaiden ons om en keken naar buiten door het raam van het kantoortje. De parkeerplaats bood geen dekking. Ik liet mijn blik over het terrein glijden. Links van het huis liep een steegje. Even verderop stond een klein benzinestation dat van het steegje was gescheiden door een laag stenen muurtje, maar dat zou geen probleem vormen als Bailey snel in actie moest komen. Er waren bovendien genoeg auto's, mensen en bedrijvigheid rond het benzinestation, dus ze zou er niet opvallen.

Ik keek naar Bailey en zag dat ze ook het benzinestation observeerde. 'Het is niet perfect,' zei ik.

Ze knikte. 'Maar we zullen het ermee moeten doen.'

'Heb je toevallig een jas in je auto?' vroeg ik. De avond begon fris te worden, en misschien zou onze verdachte de komende uren niet verschijnen – als hij al zou komen. Het zou voor Bailey geen pretje zijn als ze lang buiten moest staan.

'Heb ik niet nodig,' antwoordde ze. 'Ze hebben vast een hoop ranzige koffie bij dat benzinestation. Die houdt me wel warm.'

'Dat is hetzelfde als zure regen, Keller. Je verraadt jezelf als je oplicht in het donker,' zei ik met een nerveuze grijns.

Baileys glimlach was al even gespannen.

'We verraden onszelf sowieso als we de kantoorverlichting niet uitschakelen en maken dat we wegkomen,' zei ze. 'Ik ga in positie.' Ze zweeg even en keek nog een keer naar het benzinestation. Vervolgens zei ze op ernstige toon: 'Jij blijft nog even hier totdat je hebt gezien waar ik sta. Ik heb mijn mobieltje op trillen gezet. We maken om de tien minuten contact, maar ik bel jou – jij belt mij niet. Ik sta buiten, en je kunt onmogelijk zien of er iemand in de buurt is. Gesnopen?'

'Gesnopen.' Ik knikte in de richting van de deur. 'Wegwezen.'

Bailey opende de deur op een kier, keek om zich heen om zich ervan te verzekeren dat de kust veilig was en trok een sprintje over het parkeerterrein. Ze stapte over het stenen muurtje en liep naar het benzinestation. Voor de inmiddels gesloten werkplaats stond een stel auto's geparkeerd. Bailey glipte ertussendoor en draaide zich om met haar gezicht in mijn richting. Ik zwaaide vanuit het kantoor om aan te geven dat ik haar positie in mijn hoofd had geprent. Ze haalde haar telefoon tevoorschijn. Een seconde later hoorde ik die van mij overgaan. Ik zette hem haastig op trillen en nam op.

'Alles oké. Ik ga naar buiten.'

'Vergeet niet de deur van het kantoortje af te sluiten, en doe de andere ook op slot voordat je vertrekt,' zei Bailey ten overvloede, waarna ze de verbinding verbrak.

Ik sloot de kantoordeur af en deed de verlichting uit terwijl ik door de kliniek liep. Nadat ik het veiligheidshek bij de receptie op slot had gedaan, brandde er alleen in de wachtkamer nog licht. Mijn ruggengraat tintelde van de zenuwen, en ik bleef even staan om te luisteren. Had ik iets gehoord? Ik keek om me heen en zag alleen duisternis. De stilte van het kantoor bezorgde me plotseling de kriebels, en ik haastte me naar de voordeur. Ik dwong mezelf het licht in de wachtkamer uit te doen alvorens ik de deur opende zodat ik ongezien naar buiten kon glippen. Nadat ik de deur zachtjes achter me had gesloten, draaide ik met bevende handen het nachtslot en het slot in de deurknop dicht om me vervolgens naar het parkeerterreintje te haasten zonder de aandacht op mezelf te vestigen.

Ik bleef bij de hoek van de kliniek staan en keek om me heen. Het parkeerterrein was donker, maar het leven in de huizen rond de kliniek en in het benzinestation waar Bailey zich bevond, ging gewoon door. Enigszins gerustgesteld door de aanblik van andere mensen in de buurt keek ik nog een laatste keer om me heen om mezelf ervan te verzekeren dat er niemand aan kwam. Vervolgens liep ik op een drafje naar Baileys auto. Ik drukte op de afstandsbediening om de deur te ontgrendelen, sprong naar binnen en reed het terrein af. Even later begaf ik me langzaam in de richting van Yucca, op zoek naar een plekje voor de auto. Ik vond er een voor een klein dichtgespijkerd huis vol met graffiti, even ten westen van North Cherokee Avenue. Ik draaide de auto, parkeerde hem en zette de motor af. Ik bevond me niet ver van de kliniek en had een onbelemmerd uitzicht op de voordeur.

Ik liet me onderuitzakken om te voorkomen dat iemand me zag en hoopte maar dat er niet toevallig een idioot op het idee zou komen om in Baileys auto in te breken. Even later trilde mijn mobieltje. Ik keek even om zeker te zijn dat het Bailey was.

'Waar zit je?' vroeg ze.

Ik vertelde het.

'Goed zo.' Ze verbrak de verbinding.

Op straat begonnen jonge tienerjongens zich te verzamelen in groepjes van twee en drie. Sommigen leunden tegen palen van straatnaamborden; anderen tegen omheiningen en muren van huizen. Ze waren stuk voor stuk broodmager, hadden lang haar en zagen er bijna androgyn uit. Het was niet moeilijk om je voor te stellen dat Kit ertussen stond. Of Dante. Het waren gedachten die me verdrietig stemden. Ik nam me voor iets te bedenken om Dante uit deze beerput te halen en wendde mijn blik af.

Bailey belde nog twee keer om te laten weten dat alles in orde was. De derde keer zei ze dat ze naar binnen ging voor een kop koffie. Als ik daar had gestaan, had ik al vijf koppen achter de kiezen gehad en was ik alsnog een blok ijs geweest. 'Ik stap wel even uit om het over te nemen,' zei ik.

'Blijf maar zitten. Ik heb liever niet dat ze je die auto in en uit zien gaan. Ik ben zo terug,' zei ze

Ik trok een gezicht naar de telefoon en verbrak de verbinding. Wachten was niet mijn sterkste punt. Stilzitten trouwens ook niet.

'Ik kreeg net een e-mail van de SID,' zei Bailey tijdens haar vierde telefoontje. 'Stayners DNA komt overeen met dat op Susans nachthemd.'

'Mooi zo,' antwoordde ik. Ik verbaasde me erover wat een anticlimax het nieuws eigenlijk was – we waren er zo van overtuigd geweest dat het Stayner was, dat het niet eens in me op was gekomen om me zorgen te maken over de mogelijkheid dat hij niet de verkrachter was. Nu het officieel was, kon iemand het tenminste aan Janet en Susan vertellen zodat ze een begin konden maken met het verwerkingsproces.

Bailey hing op en ik observeerde de straat.

De tijd tikte. Soms belde Bailey. De tijd tikte verder. Nog steeds niks.

'Ik moet echt even de auto uit, anders word ik gek,' zei ik tijdens het negende telefoontje.

'Help me eraan te herinneren dat ik je nooit meeneem naar een echte observatie,' mopperde Bailey. 'Oké, neem het dan maar even over. Ik ga naar de wc.'

'Haast je niet,' antwoordde ik.

Ik keek om me heen om te zien of iemand de auto in de gaten hield. Dat bleek niet het geval. Ik stapte uit, drukte het portier zo voorzichtig mogelijk dicht en sloot het af met de sleutel om de *biep* van de afstandsbediening te voorkomen. Vervolgens wandelde ik naar de kliniek, waar ik het steegje inliep naar de parkeerplaats voor het personeel. Tegen het gebouw stonden struiken. Ik vond een plekje op de hoek van de parkeerplaats en verschanste me tussen het groen en de muur. De parkeerplaats was nog steeds leeg.

Ik stond net op het punt om terug te lopen naar de auto, toen ik rechts van me iets zag oplichten. Het leek erop dat er in het kantoortje licht brandde. Als dat het geval was, dan was er iemand via de voordeur naar binnen gegaan nadat ik de auto had verlaten – natuurlijk precies nu Bailey even van haar plek was. Altijd hetzelfde. Angstig, maar te nieuwsgierig om te blijven waar ik was en even na te denken, sloop ik door het steegje naar de voorkant van de kliniek om de deurknop te proberen. Ik draaide hem om, duwde – en de deur ging open. Ik glipte voorzichtig en zonder geluid te maken naar binnen. Mijn hart bonkte als een basdrum.

Ik sloot de deur, maar drukte hem niet dicht omdat ik bang was dat het geluid de indringer zou waarschuwen. Vervolgens bleef ik even staan om te luisteren. Zo te horen was er iemand in de eerste onderzoekkamer – het vertrek dat zich het dichtst bij de receptie bevond. Ik voelde in mijn zak en haalde mijn .22 tevoorschijn. Nadat ik de veiligheidspal had omgezet, liep ik op mijn tenen in de richting van de receptie. Ik zwaaide een been op de balie, trok mezelf eroverheen en liet me aan de andere kant voorzichtig op de grond zakken. Uit de eerste onderzoekkamer klonken voetstappen, en ik dook in elkaar. Maar het geluid verdween al snel in de richting van de tweede onderzoekkamer. Toen ik weer durfde te kijken, was er niets te zien.

Ik sloop de gang in met de bedoeling om de indringer, die zich nu in de tweede onderzoekkamer bevond, in het nauw te drijven. Met ingehouden adem begaf ik me in de richting van de deuropening. Het pistool, dat ik met beide handen omklemde, hield ik schuin op de grond gericht. Ik voelde mijn slaap bonken en ik slikte nerveus. Plotseling stapte de indringer het vertrek uit. Ik had nauwelijks een seconde om te beseffen dat het een vrouw was, toen ze haar monsterlijke tas in mijn richting zwaaide. Ik dook net op tijd weg, maar toen ik mijn handen optilde om mijn hoofd te beschermen, raakte de tas mijn rechteronderarm. Ik wist niet wat er in de tas zat, maar het was iets heel zwaars. Toen ik weer rechtop stond, was de vrouw al halverwege het kantoor.

Ik zette de achtervolging in en voelde het bloed in mijn oren kloppen. Ze rende de hoek om en schoot het kantoor in. Juist toen ik het einde van de gang had bereikt, smeet ze de deur dicht. Ik wierp mijn hele gewicht ertegenaan, en nog een keer, en de deur vloog open – precies op het moment dat de vrouw de achterdeur uit rende. Onze voetstappen stampten op het asfalt terwijl ik haar achternazat over het parkeerterrein. We renden in de richting van Yucca Street, waar vermoedelijk haar auto stond. Ik zette alles op alles om terrein te winnen. Toen we het trottoir bereikten, wist ik dat ik nog maar een paar seconden had. In een combinatie van wanhoop en pure onnozelheid lanceerde ik mezelf in haar richting om haar vast te pakken. Maar ik miste. Ik slaagde er nog net in haar enkels te grijpen, en mijn pistool viel kletterend op de tegels. Ze struikelde, maar ik was vlak achter haar ook op de grond gevallen.

Ze slaagde erin een voet los te trekken waarna haar laars in mijn gezicht belandde. Vervolgens draaide ze zich om en begon te trappen; hard en snel, tegen mijn borst en hoofd. Ik zette alles op alles om mijn greep op haar enkel niet te verliezen en weg te rollen zodat mijn hoofd buiten haar bereik kwam, maar ze slaagde erin om zich naar voren te buigen en begon met haar vuisten mijn rug, hoofd en schouders te bewerken... Ik voelde dat ik langzaam weg begon te zakken. Mijn greep op haar enkel verzwakte, en ze probeerde op te staan. In mijn wanhoop wierp ik mijn hele lichaam op haar benen waardoor ze opnieuw tegen de grond sloeg. Ik hoorde een *woemp* en een doffe bons toen ze viel. Nog half verdoofd ging ik schrijlings op haar rug zitten. Ik zag dat haar hoofd het trottoir had geraakt – en hard ook. Er sijpelde bloed op de stenen. Ik keek om me heen naar mijn pistool in de wetenschap dat ik haar niet lang in bedwang kon houden. Het lag rechts achter me, ongeveer een meter van me vandaan. Ik leunde naar achteren en probeerde het te pakken, maar net toen ik mijn vingers rond de loop had, schoof ze haar handen onder haar lichaam waarna ze probeerde me van zich af te werpen. Terwijl ik achterover viel, slaagde ik erin mijn wapen vast te pakken en de kolf met kracht tegen de zijkant van haar hoofd te meppen. Ze verslapte net lang genoeg om mij in de gelegenheid te stellen een arm rond haar nek te slaan. Terwijl ik haar in een wurggreep hield, drukte ik mijn pistool tegen haar achterhoofd en gilde: 'Beweeg je niet!'

Eindelijk ontspande haar lichaam zich. Buiten adem, bloedend en vol met blauwe plekken dacht ik: *En wat nu?*

Op dat moment hoorde ik het meest welkome geluid dat ik me had kunnen voorstellen.

'Stap maar af, Knight. Ik regel het verder wel.'

Ik werd overspoeld door opluchting, en de adrenaline verdween acuut uit mijn bloed. Mijn maag kwam omhoog, en ik kroop naar de bosjes, waar ik overgaf totdat ik helemaal leeg was.

Toen ik me weer iets beter voelde, ging ik op de grond zitten met mijn rug tegen de muur van de kliniek. Ik keek naar de vrouw, van wie de handen inmiddels geboeid achter haar rug zaten. Het was Evelyn Durrell. Administratief directeur. En ze zat blijkbaar ook in de porno.

56

Bailey stond erop dat ik naar het ziekenhuis ging, hoewel ik wist dat er eigenlijk niks met me aan de hand was. De artsen maakten röntgenfoto's en pulkten en frutselden aan me totdat ik met een rechtszaak dreigde, maar uiteindelijk kwamen ze tot de conclusie dat ik niets had gebroken en er geen andere verwondingen waren. Ik mocht dezelfde avond alweer naar huis.

Ik nam een lange, hete douche, dronk een groot, hoog glas Patrón Silver met ijs en dook mijn bed in. In mijn droom herhaalde de achtervolging zich schrikbarend gedetailleerd – tot en met de pijn die ik steeds opnieuw voelde wanneer ik me probeerde om te draaien.

Toen ik de volgende dag wakker werd, voelde ik me als het kauwspeeltje van een buldog. Zelfs de kleinste beweging deed elk spiertje in mijn lichaam schreeuwen. Logisch dat ik me ziek meldde. Maar blijkbaar had het nieuws van mijn heldendaad zich snel verspreid. Niet lang nadat ik had gebeld, werd er een groot boeket rozen bezorgd van Eric en de hulpofficieren van Special Trials met een kaartje erbij waarop stond dat ik ontzettend cool was. Of eigenlijk stond er: *Voor Rachel, die verder gaat dan de plicht verlangt – en het gezond verstand reikt.* Hartverwarmend. Graden liet zien dat hij wist met wie hij te maken had: hij stuurde me een fles Russische Standard Platinum wodka. Er zat ook een vriendelijk briefje bij: *Als je nog een keer zoiets doet, trek ik je vergunning in.*

Het viel me op dat Vanderhorn niets van zich had laten horen. Ik nam aan dat het iets te maken had met het feit dat ik een van de belangrijkste geldschieters voor zijn campagne van moord had beschuldigd – onsportief hoor.

Toni's proces zat erop, dus ze had alle tijd om me te betuttelen. Dat deed ze zo grondig dat ik haar uiteindelijk vriendelijk doch dringend verzocht om televisie te gaan kijken in de andere kamer zodat ik kon werken. Ik moest telefoontjes plegen en onderzoek doen. Bailey was ook hard aan het werk, en we vergeleken regelmatig onze bevindingen, inclusief een interessant juweeltje met betrekking tot Stayner, dat Bailey had opgegraven.

De volgende ochtend hobbelde ik naar de lobby van het hotel, waar ik probeerde niet tegen de muur te leunen terwijl ik op Bailey wachtte. Er was niet één plekje op mijn lichaam dat geen pijn deed zodra het werd aangeraakt.

Even later stopte ze voor het Biltmore. Ik stapte voorzichtig in de auto, helaas niet zonder een paar keer ineen te krimpen van de pijn.

'Je ziet er goed uit,' zei Bailey.

'Dank je,' antwoordde ik met zoveel waardigheid als mijn schrammen en kneuzingen dat toestonden.

Evelyn Durrell zat in voorarrest in de Hollywood Station gevangenis. Die was kleiner en veiliger dan sommige andere penitentiaire inrichtingen, en de bewakers waren goede vrienden van Bailey. Evelyn had de agenten die haar hadden ingerekend, gezegd dat ze wilde praten. Maar de periode van achtenveertig uur die daarvoor stond, liep vandaag af. Dat betekende dat ik één kans had om te zien wat ik uit haar kon krijgen.

Toen Bailey en ik het verhoorkamertje binnenliepen, zat Evelyn er al. Ze was met haar boeien aan de tafel gekluisterd. Het deed me genoegen te zien dat ze ook blauwe plekken had. Ik wierp een blik omhoog om te controleren of het rode lampje van de videocamera brandde. Vervolgens wees Bailey haar op haar rechten, waar ze afstand van deed.

'Aangezien we de ionisators en de camera's in je tas hebben gevonden' – vandaar het gewicht – 'ben je op heterdaad betrapt en word je aangeklaagd wegens het produceren en verspreiden van pornografisch materiaal,' begon ik. 'Ik kan nog niet zeggen hoeveel onderdelen de aanklacht gaat bevatten, maar ik weet wel dat het alles bij elkaar heel wat jaartjes worden.' Evelyn wist al dat ze diep in de problemen zat, maar ik wilde haar nog even duidelijk laten beseffen hóe diep. 'Dus als je denkt dat je informatie hebt waarmee je kunt onderhandelen, moet het echt iets bijzonders zijn.'

Ze stak haar kin naar voren en keek me recht in de ogen. 'Dat heb ik.'

Ze klonk vol zelfvertrouwen. We zouden zien of daar reden toe was.

Ik besloot te beginnen met het meest voor de hand liggende punt. 'Stayner zocht de kinderen voor je, nietwaar?' vroeg ik.

'Ja,' antwoordde ze.

'Wie kwam er als eerste op het idee om de kliniek te gebruiken voor kinderporno?' vroeg ik.

'Carl. Hij kwam heel vaak met kinderen naar de kliniek. Dan

maakten we een praatje. Hij vertelde nooit waar hij mee bezig was, maar op een gegeven moment begon ik het idee te krijgen dat hij ze prostitueerde. Na een tijdje kwam hij op de proppen met het pornoverhaal. Hij zei dat de kids zichzelf toch wel verkochten, dus het maakte niks uit.'

Zelfs als dat waar was, was Evelyn uit vrije wil met hem in zee gegaan. Erg laaghartig voor iemand die met kinderen werkte.

'En Densmore, was hij er ook van op de hoogte?' vroeg ik.

'Die zat er tot over zijn oren in,' antwoordde ze met een ondertoon van woede. 'Daarom wist Carl waar hij woonde. Densmore had hem een keer uitgenodigd omdat hij ook camera's in de luxeklinieken wilde installeren.'

Ik schudde mijn hoofd. 'Daar geloof ik niks van,' zei ik. 'Densmore heeft geld zat. Hij heeft dit soort vuiligheid niet nodig. Waarom zou hij alles op het spel zetten door met jou en Stayner te gaan samenwerken?'

'Omdat hij ook zo is,' zei Evelyn. 'Hij valt op jongens.' Ze keek me aan. 'Dat wist je niet, hè?' vroeg ze met iets triomfantelijks in haar stem.

Als officier van Justitie in Los Angeles kwam ik weinig dingen tegen die me verbaasden – dit was er niet een van. Maar ik moest me beheersen.

'Waarom zou ik dat geloven?'

'Omdat ik het kan bewijzen,' antwoordde ze zelfgenoegzaam. 'Ik heb een video waarop hij bezig is met een van die jochies in de kliniek in Hollywood.'

Ik haalde diep adem. 'Wanneer is die video gemaakt?' vroeg ik.

'Een paar jaar geleden,' zei ze. 'Maar hij is niks veranderd. Geloof me maar. Hij valt op wat oudere jongens. Een jaar of achttien, twintig.'

Ik zweeg even om te verwerken wat ze had gezegd.

'Dus je hebt Densmore op video met een jongen,' zei ik.

'Zeker weten,' zei ze uit de hoogte.

Ik zou haar het liefst een klap in haar gezicht geven. En hard ook...

'Dat betekent dat jullie al een camera hadden geïnstalleerd. Jullie operatie draaide al, Evelyn.'

Het hooghartige glimlachje verdween plotseling.

'Ik zal je vertellen wat er is gebeurd,' zei ik. 'Je hebt gewoon geluk gehad. Het was geen vooropgezet plan, maar je hebt Densmore toevallig op video vastgelegd. Perfect materiaal om iemand af te persen. Een man als hij, een gerenommeerd zakenman – zo iemand kan het zich niet veroorloven dat de mensen weten dat hij het met straatjochies doet. Voor jou was dat een klapper, want je hoefde je daarna geen zorgen meer te maken dat hij erachter zou komen.' Ik leunde achterover in mijn stoel. 'We hebben trouwens een huiszoekingsbevel voor je. Als we die tape vinden, zal ik met genoegen een aanklacht wegens afpersing aan je indrukwekkende lijstje toevoegen.'

Ik weet niet of het de aanklacht wegens afpersing was of het noemen van het huiszoekingsbevel – of misschien was het wel alles tegelijk – maar ze leek voor het eerst van slag. Maar wat had ze dan verwacht? Aan de andere kant, ze was ook niet bepaald een typische carrièrecrimineel.

Evelyn zei niets, wat me enigszins zorgen baarde. Ik bleef praten in de hoop haar te provoceren.

'Ik geloof niet in het verhaal dat Densmore Stayner bij zich thuis heeft uitgenodigd,' zei ik. 'Zal ik je eens vertellen wat ik denk? Volgens mij stond Stayner op een gegeven moment onaangekondigd voor de deur om Densmore te dwingen camera's in zijn luxe gezondheidscentra te installeren.'

Het was een slag in de lucht, maar aan Evelyns grimmige blik te zien, had ik de spijker op de kop geslagen. Ze zei alleen geen woord. Dat zag er niet goed uit. Ik pakte de dossiermap die ik had meegenomen uit mijn aktetas en sloeg hem open. Ik nam even de tijd om de notities door te nemen die ik een dag eerder had gemaakt.

'Ik heb niet de indruk dat je een crimineel type bent. Of in elk geval was je dat niet.' Ik keek op van het dossier en bestudeerde haar gezicht. 'Je bent al vanaf het begin bij Densmore, toen hij de kliniek in Hollywood opende. Dat was toch de eerste?'

Evelyn knikte behoedzaam.

'Oké. Nog geen dure "gezondheidscentra" in die tijd,' zei ik. Ik keek met opzet naar mijn aantekeningen om te doen alsof ik iets nalas. 'En als alleenstaande moeder werkte je je uit de naad om je tienerdochter Katie te kunnen onderhouden. Dus je was dankbaar toen Densmore zei dat je haar mocht aannemen om te helpen bij het opruimen van het archief, dat klopt toch?' vroeg ik.

Toen ik haar dochter noemde, verstarde Evelyns gezicht. Het verhaal van Katie hadden we van Sheila, die tegelijkertijd met Evelyn in de kliniek in Hollywood was begonnen. Sheila was een fantastische informatiebron gebleken – toen we eenmaal wisten welke vragen we moesten stellen.

Ik zag Evelyns reactie, en ik wisselde een korte blik uit met Bailey, die aan de andere kant van het vertrek tegen de muur stond. Ze knikte en kwam wat dichterbij, en toen Evelyn naar haar keek, begon Bailey te spreken.

'Maar nadat Katie daar begon te werken, werd ze ziek. Hepatitis C. Ze werd verliefd op een jongen van de straat, nietwaar?' vroeg Bailey.

Evelyn, die nu merkbaar van de kaart was, knikte. Ze had een verbitterde blik op haar gezicht.

'En hij heeft haar met een potentieel dodelijke ziekte opgezadeld,' zei Bailey met compassie.

Evelyn knikte opnieuw.

'Toen je besefte hoe slecht ze eraan toe was, was ze waarschijnlijk al een jaar ziek. Densmore heeft je geholpen met het nieuwe interferon, maar Katie is er doodziek van geworden. En ze voelde zich waarschijnlijk toch al beroerd. Misschien was ze zelfs suïcidaal. En toen heb je die zogenaamd supermoderne medicijnen gekocht die een wonderbaarlijke genezing beloofden. Maar ze waren vreselijk duur'–

'En ze werkten niet eens!' spuwde Evelyn woest uit.

Bailey knikte instemmend. 'En Katie is nog steeds heel ziek,' zei ze. 'Van wat ik ervan heb begrepen, is de kans groot dat ze sterft aan leverkanker. En dat allemaal omdat jij in die kliniek moest werken.' Ze zweeg even om de woorden goed tot Evelyn te laten doordringen. 'Geen Hollywood kliniek, geen Hepatitis C, nietwaar?'

Evelyns gezicht leek uit steen gehouwen, maar ik zag de woede kolken onder het oppervlak. Ik wierp een blik op Bailey, en ze knikte. Vervolgens boog ik me naar voren.

'En ondertussen heeft Densmores knappe dochtertje Susan nog nooit één dag in haar leven hoeven werken, laat staan in zo'n kliniek,' zei ik. 'Kortom: jij had geld nodig en Stayner bood je een manier aan om daar snel en gemakkelijk aan te komen. Je zat er niet mee dat je Densmore daardoor een oor aannaaide.'

Evelyn rechtte haar rug, en haar wangen bloosden van woede. 'Als je je kind zo ziet lijden, doe je alles. Trouwens, Carl zat er niet helemaal naast. Het was echt niet zo dat we die kids ontvoerden en ze dingen lieten doen die ze niet zelf wilden.'

Ik was geen moeder. Het was onmogelijk om te zeggen wat ik zou hebben gedaan. Evelyn praatte door nu de woede haar tong had losgemaakt.

'Het had niet mis hoeven gaan, maar Carl wilde meer en begon Densmore onder druk te zetten om camera's in de andere gezondheidscentra te installeren. Ik zei tegen hem dat hij ermee op moest houden, maar dacht je dat hij luisterde? Natuurlijk niet,' brieste Evelyn. Plotseling zweeg ze, en haar gezicht zakte in elkaar als een plumpudding. Met een zachte stem en een duidelijke ondertoon van wroeging zei ze: 'En toen heeft die zieke klootzak Densmores dochter verkracht.'

Ik voelde dat dit het keerpunt was. Na haar laatste woorden liet ik een korte stilte vallen, en vervolgens waagde ik de sprong.

'Waar was je op de avond dat Kit werd vermoord?' vroeg ik.

Evelyns ogen schoten naar Bailey en toen weer naar mij. Ze likte langs haar lippen, en ik kon zien dat haar mond droog was geworden. Als ze nu besloot om niets meer te zeggen, konden we het schudden. De spanning hing in de lucht. Terwijl ik wachtte, probeerde ik zo normaal mogelijk adem te halen en haar door wilskracht tot praten te dringen.

'Dat was Stayner,' antwoordde ze.

Ik liet haar woorden in de lucht hangen en zei met opzet niets. Soms is stilte de beste verhoorder. Uiteindelijk sprak ze verder.

'Kit had zijn eigen foto op het internet gevonden en ontdekte uiteindelijk waar die was genomen. Hij probeerde er Stayner mee te chanteren.' Evelyn schudde haar hoofd om alle dwaasheid. 'Ik had er geen idee van dat hij die jongen om het leven zou brengen.'

Bailey keek me aan, en ik leunde naar achteren. Ze richtte zich tot Evelyn. 'Een dode man is een ontzettend handige zondebok,' zei Bailey. 'Als je wilt dat ik je help, zul je op de proppen moeten komen met iets wat bewijst dat het Stayner was.'

Evelyn dacht daar even over na en staarde vervolgens naar een punt in de verte.

'Ik weet waarom die man van het OM is doodgeschoten.'

Ik voelde me plotseling een beetje misselijk en wist niet of ik wel wilde horen wat ze ons ging vertellen. Maar na al die tijd moest ik het gewoon weten. Ik hoopte alleen – of het nu goed nieuws of slecht nieuws was – dat het de waarheid was. Bailey knikte om aan te geven dat ze verder moest gaan.

'Kit schepte op dat hij bevriend was met een officier van Justitie. Hij zei dat die man hem altijd hielp en dat hij buiten het motel zou wachten. Waarschijnlijk dacht hij dat Carl daar zo van zou schrikken dat die hem het geld zou geven en de benen zou nemen.' Evelyn zweeg even, en vervolgde: 'Maar Carl geloofde het niet. Hij dacht dat Kit maar wat uit zijn nek kletste. Maar Carl had het mis. Er stond buiten inderdaad een officier van Justitie te wachten. En dat zou op zich geen probleem zijn geweest, ware het niet dat Carl te laat was. Dus tegen de tijd dat hij Kit had neergeschoten, begon de officier zich zorgen te maken en ging hij naar binnen om te kijken wat er aan de hand was. Toen de officier voor de deur stond, zat Carl in de val. Hij wist trouwens niet wat Kit de man had verteld.' Evelyn zweeg opnieuw en slaakte een zucht. 'Carl kon hem onmogelijk laten gaan.' Ze leunde naar achteren en blies de lucht uit haar longen.

'Dus Stayner liet de officier binnen en schoot hem dood, en

vervolgens liet hij het er zo uitzien alsof het een moord-zelfmoord was,' zei Bailey.

Evelyn knikte. 'Check het mobieltje van die officier maar. Ik durf te wedden dat Kit hem die dag heeft gebeld om de ontmoetingsplek te regelen.'

Ik worstelde om mijn emoties de baas te blijven. Mijn opluchting werd voor een deel weer tenietgedaan door mijn zorgen. Jakes naam zou worden gezuiverd, maar het was hartverscheurend te bedenken dat zijn goede daad tot zijn dood had geleid. En Evelyns verhaal verklaarde nog niet de aard van Jakes betrokkenheid bij Kit. Hoezeer het idee me ook tegenstond, ik moest de mogelijkheid accepteren dat ik daar misschien nooit achter zou komen. Ik slaagde er met moeite in om mijn gevoelens opzij te zetten en stelde de volgende vraag.

'Maar als Stayner niet wist dat Jake zou komen, waarom had hij dan toevallig een foto van Kit bij zich die hij in Jakes jaszak kon stoppen?' vroeg ik op een doelbewust sceptische toon.

'Ik heb tegen Carl gezegd dat hij Kit die foto mee moest laten nemen. Ik wilde nagaan hoe Kit erachter was gekomen dat we hem in de kliniek hadden genomen. Als Kit het voor elkaar kon krijgen, dan zou een ander het ook kunnen, en ik wilde niet nog meer afpersers op een idee brengen.'

Behalve jullie, dacht ik. Het was geen verrassing dat de ironie Evelyn ontging. Maar ik had wat ik wilde. Nu was het tijd voor het eindspel.

'Oké, daar kan ik inkomen,' zei ik met een schouderophalen. 'Maar dat bewijst nog niet dat Stayner ze heeft vermoord. Waar was jij die avond?'

Evelyn deed alsof ze over het antwoord moest nadenken. 'Ik geloof dat ik aan het werk was. O ja, ik was in de Hollywood kliniek.'

'Tot hoe laat?' vroeg ik.

'Ik ben die avond als laatste weggegaan en ik heb geloof ik rond een uur of halfacht afgesloten,' antwoordde ze.

Dat was geen slecht alibi. De moorden waren om halfzes gepleegd. En het was een slim antwoord, want er werden in die kliniek geen prikklokken gebruikt. Als Evelyn beweerde dat ze alleen was geweest, was er niemand die haar verhaal in twijfel kon trekken.

Er was alleen één probleem.

'Volgens de gegevens van Stayners telefoonprovider was hij ten tijde van de moord in Santa Monica. Vijfentwintig kilometer van het motel.' Ik zweeg om Evelyns reactie te bestuderen. Ze gaf een voor de hand liggend antwoord.

'Dat betekent niet dat hij de telefoon bij zich had. Misschien heeft hij hem aan iemand uitgeleend,' zei ze.

'Maar dat heeft hij niet gedaan,' antwoordde ik. 'We hebben een webcamfoto van een verkeersplein waarop te zien is dat hij in noordelijke richting over California Avenue rijdt. Om halfzes in de middag. Hij kan daar onmogelijk hebben gereden als hij net Kit en Jake had vermoord. Rond die tijd zou het hem meer dan een uur hebben gekost vanuit het centrum in Santa Monica te komen.'

Evelyn verschoot zo snel van kleur dat ik even dacht dat ze flauw zou vallen. Ze staarde zonder iets te zien naar de tafel terwijl ze de betekenis van mijn woorden tot zich liet doordringen.

'Daarbij is het onmogelijk dat je zoveel over de moorden zou weten als je ze niet zelf had gepleegd,' besloot ik.

Bailey rondde het af. 'Evelyn Durrell, je bent gearresteerd voor de moord op Jake Pahlmeyer en Kit Chalmers.'

Daarmee was de zaak afgehandeld en liepen Bailey en ik naar buiten.

EPILOOG

Ik diende tegen Evelyn twee aanklachten in wegens moord. We werkten nog aan de tenlasteleggingen ten aanzien van de kinderporno. Als de jury zijn werk goed zou doen, zou ze levenslang krijgen zonder kans op vervroegde invrijheidstelling. Wat Densmore betrof, waren Bailey en ik het erover eens dat hij onmogelijk iets kon hebben geweten van de moord op Jake en Kit of de link met zijn kliniek. Hoezeer hij ook van zijn dochter hield; hij zou zijn zaak nooit zo hebben gepusht als hij had geweten dat we daardoor bewijzen in handen zouden krijgen van het feit dat zijn kliniek werd gebruikt om kinderpornografie te produceren. Wat de moord op Stayner betrof, Densmore was er blijkbaar van uitgegaan dat hij nooit zou worden gepakt – en dat was ook bijna niet gebeurd.

Ik diende een aantal aanklachten wegens kinderporno tegen hem in en één aanklacht wegens moord met voorbedachten rade onder verzachtende omstandigheden. Het zou me echter niet verbazen als de jury de aanklachten wegens kinderporno zou laten vallen en hem zou veroordelen wegens moord zonder voorbedachten rade of zelfs doodslag. Jury's hebben geen probleem met ouders die het recht in eigen hand nemen, ook niet als het egoïstische controlfreaks zijn. Maar zelfs als de jury mild zou oordelen, zou Densmore met de wetenschap moeten leven dat zijn 'collega's' verantwoordelijk waren voor de verkrachting van zijn dochter.

Densmores voorgeleiding was een pijnlijke kwestie. De zaal was die ochtend volgepakt, en de pers was er uiteraard ook. Ik wilde de zaak het liefst snel afhandelen om direct weer uit de schijnwerpers te verdwijnen, maar toen de rechter eindelijk mijn zaak liet voorkomen, waren er meer verslaggevers dan advocaten. Ik las de aanklachten voor, en Densmores advocaat, een glad mannetje dat ik niet kende en eruitzag alsof hij uit New York kwam – pleitte onschuldig. We kozen een datum voor de zitting bij de onderzoeksrechter. Alles bij elkaar duurde het maar een paar minuten. Ik nam de tijd om mijn spullen te pakken om niet met verslaggevers te hoeven praten. Toen ik dacht dat het veilig was, pakte ik mijn dossier op en draaide ik me om. Daar tussen de aanwezigen zaten Janet en Susan. Ze waren in gesprek met – of eigenlijk, ze luisterden naar – Densmores advocaat.

Ik liep tussen de banken door naar hen toe, niet wetend wat ik moest zeggen. Mijn hart voelde de pijn die ze hadden geleden en nog moesten ondergaan. Toen ik vlak bij ze was, keken ze op en zagen ze me. Ik bleef staan.

'Susan, Janet. Het spijt me vreselijk,' zei ik.

Ik wilde tegen ze zeggen dat ik onmogelijk had kunnen weten dat het zo zou lopen, dat ik het anders had gedaan als dat had gekund en dat ik geen andere keus had gehad omdat ik mijn werk moest doen. Maar ik zag dat het zinloos was. Susan draaide zich van me weg en keek met opzet naar beneden. Janet schonk me een koele blik en richtte zich weer tot de advocaat. Ik verliet de rechtszaal.

Het enige wat Susan kon zien, was dat ik haar vader kapot had gemaakt. En waarschijnlijk kon ze niet van zich afzetten dat het allemaal was gebeurd omdat ze haar vader en moeder had verteld dat ze verkracht was. Ze gaf mij de schuld, zichzelf – iedereen behalve haar vader. Misschien zou ze op een dag sterk genoeg zijn om de juiste persoon verantwoordelijk te houden voor wat er was gebeurd.

Maar de voorgeleiding had ook een goed en onverwacht resultaat. De volgende dag, nadat alles op het nieuws was geweest, belde Olive Horner, Kits moeder.

'Ik heb iets dat je vast wel wilt horen,' begon ze.

'Zal ik even bij je langskomen?' bood ik nieuwsgierig aan.

'Nah,' antwoordde ze.

Ik hoorde het gedempte geluid van een televisie op de achtergrond, maar geen huilende baby. Ik nam aan dat het kindje inderdaad was geadopteerd.

Olive vervolgde: 'Ik heb hier laatst een knul van vijftien gekregen, Adam. Op een gegeven moment ziet hij de foto van Kit die ik in mijn portemonnee heb. Dus hij zegt dat hij Kit kent. Had met hem in de bak gezeten.' Olive zweeg even, en ergens in de kamer hoorde ik een gedempte stem die leek op die van Janzy. 'Momentje, oké?' zei Olive.

Ik hoorde een dreun toen de telefoon op een hard oppervlak terechtkwam, en ik wachtte enigszins ongeduldig af. Wat was hier de bedoeling van?

Een paar minuten later kwam Olive terug. 'Sorry.'

'Dat zit wel goed. Dus Adam kende Kit,' zei ik.

'Precies,' antwoordde ze. 'Dus gisteren zit ik met Adam naar het nieuws te kijken, en ineens laten ze Jakes foto zien.'

Jake. Ik ging zitten, drukte de telefoon tegen mijn oor en zette me schrap.

Olive sprak verder terwijl ik mijn plotseling pijnlijk kloppende slapen masseerde. 'Adam kende Jake. Hij zei dat een hoop kids in de gevangenis hem kenden. Jake praatte regelmatig met ze over hoe belangrijk school was, over zorgen dat je niet in de problemen raakt en respect voor jezelf hebben. Hij bracht ze ook kleren en boeken. En voor sommigen regelde hij zelfs bijlessen zodat ze een diploma konden halen.'

'Dus Jake was'– begon ik met bevende stem.

'Een soort beschermengel, van wat ik heb gehoord,' zei Olive. 'Ik wist dat hij een vriend van je was, dus ik dacht dat je dat wel wilde horen.'

'Olive, ik kan je niet zeggen wat dit voor me betekent,' zei ik terwijl ik worstelde om mijn emoties in bedwang te houden.

En ik kon het letterlijk niet tegen haar zeggen. Olive wist niet welke verdenkingen er tegen Jake en Kit waren geuit.

Mijn opluchting vermengde zich met bitter zelfverwijt omdat ik aan Jake had getwijfeld. Ik voelde de tranen opwellen en liet ze vrijelijk over mijn wangen rollen. Met enige inspanning vond ik voldoende van mijn stem terug om te vragen: 'Denk je dat Adam met iemand anders over Jake zou willen praten?'

'Ik zie niet in waarom niet,' antwoordde Olive.

Ik nam onmiddellijk contact op met Jennifer, die volledig instortte toen ik haar het verhaal vertelde. Toen ze zich hersteld had, vroeg ik of ze het misschien van Adam zelf wilde horen, en ze ging onmiddellijk akkoord. Ik regelde een lunch voor ze – op mijn kosten.

Nu, een paar weken later, had ik eindelijk het gevoel dat ik was hersteld van mijn confrontatie met Evelyn. Ook de zichtbare bulten en blauwe plekken waren voldoende weggetrokken om de *concealer* weer op te kunnen bergen.

Omdat ik erin was geslaagd zowel mijn zaak als de zijne op te lossen, vond Graden dat hij me wel op een etentje kon trakteren. Wat mij betreft kon dat geen kwaad. Vervolgens kwamen we op het idee om er een knalfuif van te maken. Daarom hadden we vanavond met zijn allen afgesproken in de Rooftop Bar boven het Standard Hotel voor een geweldig feestmaal.

Graden zou Toni, Bailey en mij om halfacht bij het Biltmore ophalen. J.D. en Drew zouden ons ontmoeten aan de bar. Het was pas halfzeven, dus er was nog voldoende tijd. Ik belde Toni en Bailey en vroeg of ze zin hadden om wat eerder te komen en iets te drinken voordat Graden ons op zou pikken. Ze zeiden allebei ja voordat ik halverwege de zin was.

Om kwart voor zeven belde Bailey me vanuit de bar beneden.

Bailey, Toni en mijn martini stonden te wachten toen ik binnenkwam.

'Dat heb je wel verdiend na die modeltackle van Evelyn Durrell,' zei Bailey gniffelend.

Ik nipte van mijn martini en probeerde haar te negeren.

'Hoe noem je zo'n actie eigenlijk?' vroeg ze plagerig.

Toni lachte hard. Te hard. 'Wat was je eigenlijk van plan? Moest ze zich gewonnen geven uit medelijden?' vroeg ze.

Ik keek haar even aan en richtte me vervolgens tot Bailey.

'Jullie gaan hier de komende maanden sowieso misbruik van maken. Als ik die vraag beantwoord, wordt het alleen maar erger. Nee, *gracias*.'

'Volgens mij was het een vliegende tackle,' zei Bailey met een grijns.

Ik nam nog een slokje van mijn martini en negeerde haar.

'Je hebt in elk geval geen parkeermeter gearresteerd,' zei ze.

Ik negeerde haar nog wat meer en richtte me tot Toni, die er schitterend uitzag met haar lange glinsterende omslagdoek en een pols vol fonkelende armbanden.

'Je hebt behoorlijk uitgepakt voor de Edelachtbare,' zei ik. 'Je ziet er geweldig uit, Toni.'

'Ik trok het echt niet meer,' zei ze. 'Ik moet even een avondje gek doen na al die weken met die walgelijk saaie mantelpakjes.'

Niets wat Toni ooit droeg was saai of walgelijk, maar het had weinig zin om met haar in discussie te gaan.

'Trouwens, wat ik nog wilde zeggen,' zei Bailey tegen me. 'Ik ken een carrosseriemannetje dat niet al te duur is. Ik heb hem beloofd wat foto's van je auto te sturen zodat hij een offerte kan maken. Hoe laat is het?'

Ik keek op mijn mobiele telefoon. 'Zeven uur. We hebben nog wel wat tijd als je het meteen wilt doen.'

'Waarom niet. Laten we de schade maar eens opnemen.'

'Ho, stop, ik sla eerst dit drankje even achterover. Ik denk dat ik de anesthesie wel kan gebruiken als ik weer naar die ellende moet kijken.' Ik nam een grote slok van mijn martini.

'Zullen we gewoon afspreken bij de ingang?' vroeg Toni, en ze gebaarde naar haar sandalen met de hakken van tien centimeter. 'Ik loop liever niet meer dan nodig is op deze dingen.'

'Over vijf minuten, Scarlett,' zei Bailey.

We namen de lift omlaag naar de parkeergarage. Maar toen we bij mijn vak kwamen, was het leeg. Ik keek gedesoriënteerd om me heen.

'Wat krijgen we nou?' zei ik stomverbaasd.

'Wanneer heb je je auto voor het laatst gezien?'

'Niet sinds het is gebeurd,' moest ik toegeven. 'Misschien is dit de verkeerde plaats,' opperde ik.

Maar nadat we de complete garage hadden afgezocht, moest ik mijn nederlaag erkennen.

In de war, gefrustreerd en kwaad stampvoette ik de garage uit.

'Je verzekering dekt het wel, Knight,' zei Bailey. 'Dat ding zag er trouwens monsterlijk uit.'

'Maar er zaten nog allerlei spullen in – cd's, foto's. Verdomme!'

zei ik. 'En waar is Rafi in godsnaam?'

Ik bleef stampvoeten totdat we boven waren, met Bailey naast me. Toen we bij de standplaats voor de parkeerservice kwamen, voegde Toni zich bij ons. 'Dit geloof je echt niet,' zei ik tegen haar. 'Iemand heeft mijn auto gepikt!' Toni stond op het punt om antwoord te geven toen even verderop in de straat de bonkende bas van een krachtige stereo-installatie onze aandacht trok.

Een nachtblauwe auto waaruit denderende rapmuziek klonk, danste langzaam over Grand Avenue in de richting van het hotel. Uit het raam aan de passagierskant kwam een hand naar buiten die zwaaide, gevolgd door het grijnzende gezicht van Luis Revelo. De auto stopte vlak voor mijn neus.

'*Hola*, mevrouw de officier,' zei Luis.

'Luis? Wat doe jij hier?' Ik was nog steeds over de zeik, maar tegelijkertijd verrast en blij om hem te zien.

'Wat denk je dat ik hier doe, man? Ik breng je karretje terug.'

Ik fronste mijn wenkbrauwen en keek opnieuw naar de auto. *Mijn auto!* Maar – ook weer niet.

'Je houdt me toch niet voor de gek?'

'Ik hou je echt niet voor de gek.' Luis stapte uit en gebaarde naar de chauffeur dat hij de wagen ook moest verlaten. 'Stap in, man. In deze bak zit alles wat je nodig hebt. Hij is alleen wel wat gepimpt. Je hebt nu een stereo'–

'Dat heb ik gehoord.' Ik lachte.

Bailey en Toni lachten ook. 'Toe, stap in, mens.'

'Jullie wisten het,' zei ik.

Ze knikten. 'Van wat ik Luis heb horen zeggen, ga je je nieuwe karretje geweldig vinden,' zei Bailey.

Terwijl ik naar de bestuurderskant liep, hield Luis galant het portier voor me open. Nadat ik was ingestapt, sloot hij het met een buiging. Ik wilde hem bedanken, maar hij was de straat al over gerend. Zijn zaken wachtten. Hoe minder ik daarover wist, des te beter.

Ik gebaarde naar de meiden dat ze moesten instappen en ik overhandigde Bailey mijn mobieltje. 'Bel Graden even voor me,' zei ik. 'Zeg maar dat ik vanavond zelf rijd.'

WOORD VAN DANK

Dit boek zou nooit zijn geschreven zonder het advies, de steun en de vastberadenheid van Cathy LePard – een briljant schrijfster, een prachtig mens en mijn persoonlijke verlosser. Mijn liefde, dankbaarheid en erkenning zijn oneindig. Je bent door god/de godin gezonden.

Met hard werk kom je een eind, maar op een gegeven moment heb je ook wat geluk nodig. Ik had het grote geluk dat ik de beste agent ter wereld trof: Dan Conaway, wiens talent het boek naar een hoger niveau heeft gebracht en wiens charme, humor en warmte het proces niet alleen leerzaam, maar bovendien vreselijk leuk hebben gemaakt. En ik wil ook Stephen Barr bedanken, de onvermoeibare assistent die altijd voor me klaarstond. Wat een team! Ik kan onmogelijk nog meer van jullie houden.

Tegen hoofdredactrice Judy Clain en uitgever Michael Pietsch wil ik zeggen: ik schenk jullie uit de grond van mijn hart mijn oneindige en eeuwige dank omdat jullie in dit boek geloofden – ik voel me zo vereerd en geïnspireerd om bij jullie te zijn dat ik bijna geen woorden heb. En alsof dat nog niet genoeg is; werken met jullie was een absoluut genot. Jullie zijn de gouden standaard, echt waar. Ik wil hier speciaal de fantastische en hardwerkende redactieassistent Nathan Rostron bedanken, die alles soepel heeft laten verlopen. En alle lof voor persklaarmaakster Karen Landry – wat een fantastisch resultaat! Bedankt!

Ik wil ook Marillyn Holmes bedanken – haar scherpe ogen missen niets.

Mijn grote dank gaat uit naar alle geweldige mensen bij Mulholland Books – jullie opmerkingen, creativiteit en vindingrijkheid zijn fenomenaal. Ik heb er zo van genoten om met jullie te werken! Wat een zeldzaam geschenk zijn jullie!

Ik wil hier speciaal mijn goede vriendin Lynn Reed Baragona bedanken voor het leggen van alle contacten die de zaak aan het rollen heeft gebracht – Lynn, op een of andere manier ben je er altijd als ik je nodig heb. De magie van onze vriendschap blijft me steeds weer verbazen. Je bent gewoon fantastisch.

Mijn oprechte dank gaat ook uit naar Katharine Weber. Je advies, hulp en inzicht vormden de sleutel tot de publicatie van dit boek, en ik heb genoten van onze tijd samen. Bedankt!

Ik wil ook mijn goede vriendin Hynndie Wali bedanken, die veel luisterde, wijze voorstellen deed en zich mijn gedachtespinsels over het algemeen veel vaker liet welgevallen dan ze had hoeven doen. Ik kan niet garanderen dat het nooit meer gebeurt, maar ik kan wel beloven dat ík dan de drankjes betaal! Bedankt, meid, dat je er altijd voor me bent, in zoveel opzichten.

Marcia Clark is een voormalig hulpofficier van Justitie uit Los Angeles. Ze was hoofdaanklager in de moordzaak tegen O.J. Simpson en coauteur van een bestseller over dit proces: *Without a Doubt*. Marcia Clark verschijnt regelmatig in de media als commentator op het gebied van rechtskundige zaken. Ook als columniste schrijft ze over dit thema. Marcia Clark woont in Los Angeles.